NIZAN

Destin d'un révolté

Du même auteur

Les Collaborateurs (Le Seuil, 1977; réédition « Points » 1980).
La France allemande (Gallimard/Julliard, collection « Archives »,
1977).
Le Petit nazi illustré (Albatros, 1979).
De Gaulle ou l'ordre du discours (Masson, 1979).

PASCAL ORY

NIZAN

Destin d'un révolté

Editions Ramsay
9, rue du Cherche-Midi 75006 — Paris

COLLECTION « BIOGRAPHIES »

Teilhard, l'homme, le prêtre, le savant, Mary et Ellen Lukas.
Jean le Bon et son temps, Georges Bordonove.

© Éditions Ramsay, Paris. 1980.
ISBN 2-85956-188-9.

Sommaire

Dramatis personae

Paul-Yves Nizan, intellectuel.

Pierre Nizan, ingénieur.

Clémentine Nizan, née Métour, épouse et mère.

Jean-Paul Sartre, camarade de classe.

Raymond Aron, camarade d'École.

Léon Brunschvicg, professeur de philosophie.

Jean-Richard Bloch, compagnon de route.

Henriette Nizan, née Alphen, dite Rirette, compagne.

Antonin Besse, homme d'affaires nietzschéen.

Georges Friedmann, Norbert Guterman, Henri Lefebvre, Georges Politzer, Pierre Morhange, étudiants en philosophie.

Simone de Beauvoir, étudiante en philosophie.

Anne-Marie et Patrick Nizan, enfants.

Pierre-Gaspard Lévy, mécène.

Jean Guéhenno, directeur de la revue *Europe*.

Maurice Thorez, secrétaire général du PCF, Section française de l'Internationale communiste.

Léon Moussinac, cinéphile communiste.

Louis Aragon, poète français.

Elsa Triolet, sa femme.

Jacques Duclos, homme de confiance du Komintern.

Pierre Ginsburger, futur Pierre Villon, homme de confiance du Komintern et de Jacques Duclos.

Joseph Staline, secrétaire du Comité central du Parti communiste de l'Union Soviétique.

Gabriel Péri, journaliste communiste.

Danielle Casanova, cadre communiste,

Laurent Casanova, son mari.

André Chamson, romancier radical-socialiste.

Louis Martin-Chauffier, journaliste démocrate-chrétien.

Simone Téry, intellectuelle, amoureuse de Paul-Yves.

Yvon Delbos, ministre.

George V, roi mort.

Jean-Marie Goasmat, coureur cycliste.

George VI, roi couronné.

Neville Chamberlain, Édouard Daladier, Aldolf Hitler, Benito Mussolini, munichois.

Mᵐᵉ Leverrier, hégérie.

W. H. Prestage, lieutenant-colonel anglais.

Heinz Guderian, général allemand.

Un soldat de la 1ʳᵉ Panzerdivision, resté anonyme.

A Rirette.

« Une des rares créatures que le destin met
en circulation sur la terre pour son usage
personnel. » Le mot est beau. Il fut prononcé
pour la première fois, sur la scène d'un grand
théâtre parisien, un soir de novembre 1935.
L'auteur s'appelait Giraudoux, la créature,
Hélène, femme de Ménélas, amante de Pâris.
Au même moment, un roman apparaissait
aux devantures des librairies, qui s'intitulait,
un fait exprès, *Le Cheval de Troie*. Son
auteur, Paul-Yves Nizan, était un jeune
militant révolutionnaire très doué. Il y parlait, à son accoutumée, de l'absurdité de la
mort et du sens de la révolution.

La guerre de Troie eut lieu. Le jeune
romancier fut tué, absurdement. Le cheval
révolutionnaire n'entra pas dans la citadelle·
depuis, il pourrit au-dehors.

Nizan était de ces créatures-là.

1

Paul-Yves

« " Vois-tu, dit Berliac à Lucien, les vraies victimes de la guerre, c'est nous. " C'était bien l'avis de Lucien, et ils convinrent qu'ils appartenaient tous deux à une génération sacrifiée. »

(*L'enfance d'un chef*)

Un enfant naît; une mère accouche, dans les douleurs convenues; un père survit. La scène se passe en 1905, le 7 février, à cinq heures du soir, dans l'une de ces villes qu'on appelle paresseusement une bonne ville, Tours, métropole des Gaules, quelque part dans le plus-que-français.

Une généalogie

Côté du fils — « Monsieur, c'est un garçon » —, rien à signaler, si ce n'est des pierres, des mœllons creusés par les escarbilles, noircis par la suie, rue Raspail, près des dépôts du chemin de fer, à bonne distance des vieilles rues archéologiques et des quartiers résidentiels. Drôle de coutume qu'ont les hommes de rattacher une naissance, l'acte le plus charnel qui soit, à une adresse, un bâtiment, une plaque sur un mur. Mais coutume pas si sotte, puisque aussi bien l'acte le plus charnel est aussi le plus social, cette irruption dans un monde construit par des traités d'obstétrique, des formules de baptême et des déclarations d'état civil.

Qu'on se rassure, il n'y a pas de plaque. La ville de Tours ignore qu'elle a donné le jour à Nizan. Nizan s'en moque. Et, surtout, il n'y a plus de rue Raspail, ou plutôt la rue Raspail d'aujourd'hui n'a plus que le nom et le tracé de commun avec celle de 1905, privée de ses ateliers, de son passage à niveau et de la statue de son révolutionnaire barbu. La guerre est passée par là. Au nord de la Loire, elle a tué Nizan, au sud, elle a écrasé sa maison natale sous les bombes. Il ne fait pas bon

habiter près du dépôt, ni se trouver dans l'armée des vaincus,
autour de Dunkerque, en mai 1940. *Fatalitas.* Pour le reste de
l'histoire, on peut rêver quand on découvre que la rue Raspail
est située aujourd'hui entre la rue Jules-Guesde et la rue
Christophe-Colomb...

En attendant le jour, point si lointain, où elle sera veuve et
mère d'un mort pour la France, Mme Nizan peut être heureuse.
Sans doute l'est-elle. Mais surtout satisfaite. La naissance de
cet enfant sanctionne le récent et inattendu retour d'affection
de son mari, si éloigné d'elle ces dernières années. Elle annule
presque la mort en 1903, à l'âge de six ans, d'une petite fille
unique, Yvonne. Dans la mort de l'une, la naissance de
l'autre, Clémentine Anaïs Métour voit bien le doigt de Dieu,
qui n'a pas voulu laisser sa servante se dessécher dans la
stérilité, cet enfer sur la terre des *genitrix.* Le garçon, lui,
saura très vite qu'il prend la place d'une morte, qu'il la
compense, la prolonge. Une morte qui chantonnait d'étranges
chansons noires :

> « *Quand les mamans ont été mortes*
> *Les papas ont tout fait à leurs enfants.* »
> « *Quand on tue les oiseaux la nuit*
> *Les oiseaux noirs se forment en pluie* ».

Il n'est pas près de l'oublier.

Le côté du père se résume tout entier dans une généalogie.
S'il y a des êtres dont l'arbre familial, amont et aval, explique,
déplie le destin, Paul Nizan est de ceux-là. Il naît d'ailleurs en
un temps et une société où l'on s'acharne. Il ne suffit pas de
léguer ses gènes, il faut encore imposer des prénoms qui, dans
leur accumulation, veulent résumer des pans entiers d'histoire ancestrale. Ainsi notre garçon s'appelle-t-il, sur les
registres, Paul Pierre Yves Henri.

Paul, c'est l'hommage à la lignée maternelle, au sommet de
laquelle trône alors un père redouté, solide comme un roc
dans une réussite sociale dont témoigne son mépris pour les
ratés, les faibles et le genre humain en particulier : ancien
marin, il a vu son courage physique et son esprit d'initiative
encadré par le mariage d'une Élisa Fignolleau, et mise sur
rail par la Compagnie du Chemin de Fer de Paris à Orléans,
dont il terminera administrateur.

Pierre, Yves, c'est le salut à la lignée Nizan, dont l'héritier s'attardera maintes fois, dans ses écrits, à commenter l'itinéraire. Destinée si commune qu'elle en devient exemplaire, avec ces paysans bretons, petits fermiers et métayers de la Basse-Vilaine mis en branle par la « Révolution industrielle » des économistes. Paul ne manquera jamais d'affirmer qu'il est l'arrière-arrière-petit-fils d'un vrai chouan, rôtisseur de pieds républicains, mort fusillé par un parti de Bleus le long du mur d'une grange, ou que la légende familiale rencontrait le nom de La Tour d'Auvergne, le soldat patriote. Moyen comme un autre de s'enraciner plus profond dans la communauté bretonne, par le biais de quelques-unes de ses figures les plus typiques, mais moyen superflu : tout paysan breton descend d'un chouan ou de La Tour d'Auvergne.

Là, du temps des Yves, n'est pas l'histoire. L'histoire, le temps des Pierre, vient après, vers le règne de Napoléon III, « l'empereur des paysans » et de la Haute Banque réunis. Quand la Haute Banque va au-devant des paysans, cela s'appelle un chemin de fer. A Paris, quelque part entre les Tuileries et la rue de Londres, des demi-dieux tracent des lignes noires sur des cartes d'état-major, impriment des coupons de papier cotés en Bourse. Quand le chemin de fer rencontre le métayer Jean-Pierre Nizan, le promis à Anne-Marie Bloyé, vous savez la fille du fermier d'Allaire, il le déracine et en fait un garde-barrière, puis un « contrôleur de route », enfin un « contrôleur chef ». Allaire, Pontchâteau, Saint-Nazaire, du village redonnais au gros bourg, et du gros bourg à la ville toute neuve, ouverte sur l'Atlantique, les colonies, c'est toute l'histoire du XIXᵉ siècle. C'est aussi ce que l'on appelle une carrière, un mot inconnu des paysans.

Né plus de quarante ans après la rupture, Paul tiendra cependant à rappeler qu'il en est toujours comptable. Comme le Laforgue de *La Conspiration*, « infidèle à son père qui a tant fait pour lui et qui ne se prive pas mon Dieu de le lui reprocher, il peut se consoler en s'écriant qu'il est du moins fidèle à son grand-père [1] *. »

---

* les notes se trouvent en fin de volume.

Face à l'abstraction bourgeoise et à toutes ses épiphanies, le concret du paysan, de l'artisan feront désormais partie de sa mythologie portative, en cas de drame. Un grand-père métayer-garde-barrière est toujours utile, dans une discussion avec un fils de banquier, comme Georges Friedmann, ou un petit-fils de lexicographe, comme Jean-Paul Sartre. Dans ses crises d'identité les plus violentes, il pourra dire : « Je suis un Français paysan : J'aime les champs; j'aime même un seul champ [2] »; et la rage de saisir à la gorge « ce petit-fils de paysans et d'artisans devant une existence consacrée à des tâches inexplicables qui ne se mesurent pas en dernier ressort à la croissance d'une moisson ou à la production d'un outil [3] ».

En aval de cette béance se tient le père, Pierre (Marie-Joseph) Nizan, premier héros personnel du fils avant d'être un quart de siècle plus tard son premier héros romanesque, sous le nom d'*Antoine Bloyé*. Il est né à Pontchâteau, première étape ferroviaire de l'ancien métayer, le 23 mai 1864. La liste de ses états de service à la date de 1905 est plus éloquente que bien des chapitres de roman. Elle éclaire d'un jour cru l'aliénation des hommes de l'encadrement, dressés, par un *tchin* digne des meilleures bureaucraties césariennes, à se représenter leur vie comme une suite de promotions (espérées, promises, octroyées, refusées...) infinitésimales.

Faisons grâce des passages d'échelon. Reste le beau *cursus* suivant [4] :

> 1879 : forgeron aux Ateliers de la Loire, à Saint Nazaire;
> 1880 : admis (17ᵉ sur 77) à l'École nationale des Arts et Métiers d'Angers;
> 1883 : ajusteur aux Ateliers de Tours;
> 1887 : élève-machiniste, à 1800 francs par an;
> 1891 : contrôleur de traction;
> 1893 : sous-chef de dépôt à Aurillac;
> 1894 : sous-chef de dépôt à Montluçon;
> 1895 : sous-chef de dépôt à Limoges;
> 1897 : sous-chef de dépôt à Angers;
> 1899 : contrôleur du matériel et de la traction à Tours;

1901 : chef de dépôt à Brive;
1901 : chef de dépôt à Limoges;
1904 : chef de dépôt principal à Tours, aux appoin-
tements de 4 200 francs par an.

De Tours à Tours, en passant par Tours, la boucle est
bouclée, au service de la même entreprise, la susnommée
Compagnie du Chemin de fer de Paris à Orléans. L'escalade et
le nomadisme se poursuivront bien entendu après la naissance de Paul, puisqu'on retrouvera Pierre en 1907 chef des
ateliers d'essai de Périgueux, en 1915 chef des établissements
de Choisy-Bâches, dans la banlieue parisienne, en 1923,
sommet de sa carrière, ingénieur principal des grands ateliers
de Bischeim (réseau d'Alsace-Lorraine), au traitement de
26 000 francs par an — mais les temps ont changé, et
l'inflation galope.

Pierre Nizan galope, lui aussi. Dans les interstices de ses
promotions, il trouve le temps de glisser un service militaire
(dans le génie, en 1885-1886, à Montpellier), un mariage
hiérarchique (avec Clémentine, la fille d'un supérieur, de
neuf ans sa cadette), l'année où il passe contrôleur de traction,
un enfant chétif, qui sera la « petite Marie » d'*Antoine Bloyé*,
un enfant qui survivra plus longtemps enfin, Paul. Il a beau
ne plus être l'employé en uniforme qui déambule sur le quai
d'une gare perdue, participer à l'aristocratie de la traction,
l'homme en pékin que les ajusteurs saluent n'est jamais que
dans l'antichambre de la bourgeoisie, si l'on accepte la
définition qu'en donnera son fils : « les bourgeois, ce sont des
hommes qui peuvent changer d'avenir et qui ne connaissent
pas toujours la figure qu'il prendra [5] ».

Cet avenir qui change et reste incertain, c'est le fils qui le
connaîtra, marquant ainsi la dynamique de la famille Nizan
de sa deuxième vraie rupture contemporaine, le passage de la
petite bourgeoisie industrielle à la bourgeoisie intellectuelle.
Et le tout donnera, cent ans après Jean-Pierre :

un métayer, qui *engendre*
un employé des chemins de fer, qui *engendre*
un ingénieur des chemins de fer, qui *engendre*

un agrégé de philosophie, qui engendre
une publicitaire, mariée à un journaliste parisien de
renom, qui engendre un journaliste et essayiste,
diplômé de Cambridge, collaborateur du journal *Le
Monde*, directeur de collection chez un éditeur parisien...

Oui, l'avenir change; mais peut-être aura-t-il fallu pour
cela que, sous les yeux du fils 1905, deux autres aient
bifurqué. Celui de son père, soudain remis en cause par le
système lui-même, et celui de toute sa société, blessée à mort
par des coups de feu bosniaques. Et, comme on le verra, l'une
et l'autre bifurcation ne seront pas sans lien entre elles.

De bons parents

Les mères n'ont pas très beau visage, dans l'œuvre de
Nizan. Mme Rosenthal, grande bourgeoise du XVIe arrondissement, fait montre d'une froideur égocentrique tout à fait
remarquable. Mme Laforgue, moyenne-bourgeoise, « est une
femme décorative et frivole qui passe son temps à voir des
dames de son rang et qui vit assez exactement à Strasbourg
comme la femme d'un haut fonctionnaire à Hanoï ou à
Casablanca [6] ». La plus peuple de toutes, la mère de Serge
Pluvinage, est « une de ces femmes qui accablent leur mari et
leurs fils d'une tendresse pleureuse, exigeante et molle [7] »,
termes qui conviendraient parfaitement à la femme d'Antoine Bloyé, la plus proche à coup sûr du modèle que l'auteur
avait eu sous les yeux et contre le cœur dans sa jeunesse.

Clémentine Nizan n'aurait ainsi influencé son fils que
négativement. Pieuse, elle n'a pu l'empêcher de s'écarter de la
religion catholique dès l'adolescence. Conservatrice, elle l'a
vu expérimenter à la même époque toutes les solutions
possibles pour faire la nique à l'ordre établi. Bornant son
horizon aux tâches ménagères et à la petite comédie liée à son
statut petit-bourgeois, elle a assisté au déploiement d'une
trajectoire professionnelle et idéologique des plus anticonfor-
mistes. Mais on se méprendrait en reconstruisant le couple de
Clémentine et de Paul comme le lieu d'une grandiose tragédie
familiale. Mme Nizan n'a rien d'une héroïne de Mauriac, ni
d'ailleurs de Jouhandeau.

Elle a su tisser autour de son mari le cocon protecteur qu'on attendait d'elle; mais, écrasée par la forte personnalité de son père, elle n'eut jamais les moyens ni du matriarcat ni de la castration. Dans ces conditions il ne pouvait y avoir, de la part du fils, aux jours de l'adolescence, qu'ironie lucide, extinction progressive de l'affection, nullement rupture, aucune haine. Le ton des lettres que lui adresseront plus tard Paul et sa femme est tout empreint de gentillesse et de frivolité. Entre la pâtisserie et le tricot, entre *Ciné-Miroir* et Tino Rossi, cette petite femme trop tôt boulotte vieillira sans acrimonie, dans une grande ignorance, sembla-t-il à ceux qui l'approchèrent, des enjeux réels qui se jouaient autour de sa progéniture. Et puis, Paul avait avec sa mère une complicité fondamentale, la seule peut-être, mais de taille : ils s'étaient trouvés tous les deux, côte à côte, frappés de plein fouet par la crise d'identité du Père.

Autant en effet la mère paraît falote, autant le père s'imposera jusqu'au dernier jour avec une force singulière. Ce n'est pas un hasard si lorsque Nizan aura à montrer, en Union soviétique, l'image du héros des temps futurs qu'il appelle de ses vœux, il se le soit représenté costumé en ingénieur [8]. Nizan, comme Sartre d'ailleurs, est un garçon qui a grandi dans un commerce privilégié avec un autre homme. Non que le père, surmené et consciencieux, fût sans cesse à la maison, mais parce que les moments d'échange entre eux deux, dans leur rareté même, semblent avoir atteint, jusqu'à un certain âge du moins, une grande plénitude.

Dans le couple parental, c'est le père qui paraît à l'enfant détenir le secret des choses, quand la mère ne semble s'entourer que de mots abstraits — religion, devoir, respect... — et d'actes creux. Dès les premiers temps, c'est lui qui s'est révélé comme détenteur du savoir. C'est au père que Nizan devra sa première berceuse, reprise par la mère, et qu'il transmettra à son tour à ses enfants : un air du Languedoc, appris lors du... service militaire. Un peu plus tard, c'est dans des catalogues de machines-outils que le petit Nizan trouvera matière à ses premiers découpages, et c'est le père, pas la mère, qui lui apprendra, non à jouer mais, beaucoup mieux, à fabriquer des jeux.

Dans la mesure où il a gardé de ses origines un contact plus fort que Mlle Métour avec la nature, c'est aussi le père qui, inversement, complémentairement, apprendra au fils à poser des collets, à ramasser des bogues, à couper du sureau. Paul évoquera plus tard avec émotion ces leçons de choses déguisées en promenades du dimanche après-midi. Souvent ils sont seuls tous les deux, car la mère, déjà pesante et vite essoufflée, préfère rester au logis. Quel contraste avec le matin, réservé à l'autre, au dieu de la grand-messe, à l'achat rituel des pâtisseries! Combien pèse peu le mystère divin, en face du secret des semailles ou des ricochets. Quel rapport entre l'agenouillement transi sur un prie-Dieu et ce moment, inoubliable, où le père vous ramène à la maison à la tombée du jour, juché sur ses épaules, comme un géant de la Fable?

Le pourfendeur des verbosités, des doubles langages, des hypocrisies intellectuelles n'oubliera jamais les leçons de savoir pratique où il avait appris « à aimer les ouvrages bien conduits par la tête et les mains [9] ». L'élève studieux, le khâgneux bûcheur, le militant omniprésent devront beaucoup à ce bourreau de soi-même dont « toute la sagesse contenait simplement l'obéissance au travail [10] ».

Il y a donc de larges pans lumineux dans ces enfances nizaniennes, ceux-là aussi qu'éclairent, l'été, les échappées bretonnes. Redon, la petite ville endormie où se sont retirés, sur la route de Rennes, les grands-parents paternels, Auray, « pleine de petits secrets somnolents [11] », les routes du Morbihan, aux longs petits murs de pierre recouverts de mottes sèches, et surtout la mer, dans le « pays rosé » de Quiberon. On le traîne à Belle-Île s'extasier devant les quatre-mâts que s'obstinent à mettre en bouteille les retraités de la marine, mais ce sont les mouettes qui le fascinent et les espiègleries de ses copains de plage, les « Ritatouts » — ceux qui rient à tout —, qui le retiennent, avant qu'un peu plus tard, les chastes dénuements balnéaires ne lui aient découvert le désir des corps.

En foi de quoi l'enfant est du côté du père, et se fera toute sa vie prénommer Paul-Yves (prononcer « Polive »), en hommage à la souche bretonne.

Comment expliquer alors que ce garçon moyen, enfant unique d'un couple moyen, ait pu, en arrivant en cours d'année, au printemps 1916, dans une classe du lycée Henri-IV, trancher sur ses camarades au point d'avoir laissé, après quarante ans, une impression aiguë, très précise, sur la mémoire de l'un d'entre eux, l'externe Sartre Jean-Paul [12]? Pourquoi dès cette époque arborait-il cette « sorte d'objectivité cynique et légère » et cette distance ironique à l'égard de ses parents, fort en avance sur son âge?

Aucun biographe n'a les moyens d'expliquer au fond de telles mutations, en vertu du principe que les années les plus déterminantes pour la constitution d'une personnalité sont généralement celles sur lesquelles il disposera toujours des informations les plus floues. Proposons tout de même une piste. Nizan nous y invite, qui n'a cessé de parsemer ses écrits d'allusions mystérieuses à une rupture située aux alentours de 1916, parfois en termes scolaires, ironiques, tel ce désir, vers 1926, de « retrouver la vérité perdue depuis qu'il est rentré, il y a dix ans, en 6ᵉ [13] », plus souvent en termes d'âge : le « j'étais tel jusqu'à douze ans, je me reconnais » qu'il sent renaître à Aden [14], le « centre cinq et douze ans, tous les hommes sont faits pour s'entendre » d'*Antoine Bloyé* [15]. Ledit enfant de douze ans n'est sans doute pas encore en état de juger aussi sévèrement qu'il le fera par la suite les « ingénieurs savants et stupides [16] » du cercle paternel, les rentiers 3 % du cercle maternel, les petits-bourgeois recroquevillés (« c'étaient des hommes qui aimaient les gendarmes » [17]) de l'un et l'autre. Mais il avait pu déjà assister à l'ébranlement de son idole, sans préjudice des dégradations encore plus graves à venir.

La naissance même d'un fils, ses premiers pas, son commerce avec lui avaient-ils été l'occasion pour le père d'un premier retour sur soi-même, sur une vie aliénée au travail où l'on n'a guère qu'« un métier et un tempérament [18] », autant dire rien? Avait-il été saisi, comme Antoine Bloyé, de cette intuition flagrante : « Mon fils me vengera [19] »? Possible, mais improbable. Ce qui peut être aisément vérifié, par contre, c'est que le 28 juin 1914, on a assassiné à Sarajevo un archiduc autrichien et que le 7 décembre suivant, Monsieur le chef des ateliers d'essai de Périgueux reçut du détachement bordelais de l'Inspection des forges de Toulouse (artillerie) ce télégramme, pieusement conservé dans ses archives : « *Avez commis erreur dans vérification balourd obus 75. Couteaux devraient porter en dehors évidemment qui peut être excentré pour corriger balourd. Arrêtez vérifications supplémentaires. Explications suivent lettre.* »

Ces mots obscurs signifiaient que, si Pierre Nizan n'était pas traîné devant les tribunaux militaires pour sabotage en temps de guerre, il n'était pas question qu'il restât longtemps à un poste d'une telle importance stratégique. Dans leur grande mansuétude, les demi-dieux de la rue de Londres reconnurent son innocence. Mais, quoi, on était en guerre. L'imparable négligence qui finit un jour par s'introduire dans tout système clos devenait du coup, sur fond tricolore, une faute grave. Il fut nommé, on l'a vu, à la tête des magasins de Choisy, quelque part parmi les voies de garage de la banlieue sud. Soixante hommes sous ses ordres, au lieu de mille cinq cents, un éloignement visible des lieux où se combinent les actes, les outils qui comptent. L'homme de la Compagnie sentit son univers se fracturer.

Il semble bien que la sanction professionnelle, aggravée chez ce quinquagénaire actif par l'oisiveté relative à laquelle on le confinait, ait exacerbé une certaine prédisposition au retour morose sur le passé. L'angoisse obscure d'avoir gâché sa vie émergea à la conscience du père. L'insomnie, la fugue le saisirent, jetant dans le désarroi Clémentine qui, la nuit, s'en allait réveiller son fils, le mot de suicide à la bouche. On voyait pourtant revenir le père au matin, plus fatigué et hérissé que vraiment hagard : « Je n'ai pas le droit de faire ce qui me plaît? » Nizan aura un jour une belle phrase : « Aussi longtemps que les hommes ne seront pas complets et libres, ils rêveront la nuit [20] ». On ne saura jamais quels étaient les rêves du père et du fils, mais on peut deviner à quel point ces nuits de la plaine de Choisy, entre le fleuve et les voies, pouvaient ressembler pour l'un et l'autre à des cauchemars éveillés.

Dans un déchirement violent, le double échec du couple parental et du père se découvrait soudain. L'amour de Mme et

M. Nizan se mit à ressembler à ce qu'il était sans doute depuis longtemps : un nom qu'on donne paresseusement à une simple « unité d'intérêts, de recettes, de dépenses, d'économies, de jugements, de phrases toutes faites [21] », à un « échange de phrases et de services [22] ». Quant au père, il se révèle à lui-même et aux autres comme un vaincu. Le secret des paroles viriles, efficaces, est désormais perdu. « L'âge des imitations est passé [23] », on entre dans celui de la « confuse défiance », où le petit Pierre Bloyé du roman découvre haineusement le désir de son père pour la bonne. Comme le Pluvinage de *La Conspiration*, il ne cherche plus dans les yeux des êtres de réponses « mais seulement des soupçons, des jugements, des questions, du mépris, de l'orgueil [24] ». Encore un peu de temps et les dicours du père ne seront plus que du vide, l'étalage d' « une suffisance insupportable et (d')un orgueil professionnel [25] » accablant, à l'instar des soirées familiales, « pleines de discours sur la fabrication des machines, la direction des entreprises et les vices sournois de la classe ouvrière [26] »; insensiblement, M. Nizan se met à ressembler à M. Métour père, redoutable abatteur de lieux communs élitistes. A sa mort, comme à celle d'Antoine Bloyé, son fils pourra sans doute dire qu'ils n'étaient plus capables, l'un et l'autre, depuis des années d'échanger « un seul mot humain [27] ».

A quelque chose malheur est bon. Grâce à ce limogeage à rebours, qui fit qu'on sanctionnera un homme de Périgueux en l'envoyant à Paris, le jeune Nizan connut soudain un horizon à la taille de son avidité et de sa colère naissantes. Bien sûr, il découvrit la capitale, ses hauts lieux, sa fébrilité excitante, bien sûr, il devint de ces jours-là le Parisien convaincu qu'aucun voyage, aucun séjour au sud, à l'est, au centre ne dénaturalisera. Mais il apprend d'abord la grande ville des hommes sur un autre livre, la banlieue sud, entre Vitry et Choisy, ces quadrilatères populeux qui paraissent descendre vers l'Italie et qui, en fait, buttent sur des usines chimiques.

Fatalité des maisons de fonction ferroviaires, à laquelle n'échappe pas celle des Nizan, près du pont d'Alfortville, malgré son jardin touffu d'ombre et de fraîcheur : bon gré

mal gré la petite bourgeoisie se trouve accotée à la fumée des
chaudières, au tas de charbon, à la steppe de mâchefer, aux
usines sales ou, pire, corrosives. Aucune cache, aucune
distance. Pour un jeune enfant en quête, cette confrontation
est une bonne école de révolte. Pour Paul-Yves, pas de doute :
« C'était une colère qui était là, contre les choses qu'on ne peut
accepter, elle l'habiterait peut-être toute sa vie [28]. » La visite
des ateliers sous la férule du père, qui croit dresser un futur
commandeur, complète le tableau de l'exploitation. Du coup,
les jugements à l'emporte-pièce du grand-père Métour sur les
ouvriers qui, s'ils avaient connu son temps..., la méchanceté
recuite des petits chefs, le ton protecteur des supérieurs
hiérarchiques, tout se met à sonner faux. L'ordre des choses
est cul par-dessus tête.

Le dieu qui le surplombe fait, l'un des premiers, la culbute.
« Dieu, c'est la même chose que le hasard et les gouvernements. C'est ce qui écrase [29]. » Au-dessus, la patrie commence
à pâlir, même s'il ne faut pas prendre au pied de la lettre le
seul texte où Nizan parlera de lui-même costumé en enfant de
guerre, l'un des premiers, cependant, que nous possédions de
lui :

« Les années qui furent ornées par la présence de la guerre
furent bien pour moi ces très grandes vacances, auxquelles la
mort, la liberté accordée aux enfants, les jeux violents de nos
aînés fournissaient de mystérieux aliments. Ce désordre était
celui de l'enfance qui s'y retrouvait, parmi les catastrophes,
les deuils et les déguisements des grandes personnes. Une
fantaisie enfantine régnait. On me contraignait pourtant, les
jours de victoire, à me découvrir devant des drapeaux dont les
destins m'étaient indifférents [30]. »

L'armée, école du crime, dit-on parfois. La guerre, on le
devine, pouvait, insidieusement, dans le dos des hommes
d'ordre, fournir à la subversion des troupes fraîches et
joyeuses. Elle tue les pères, réellement ou métaphoriquement,
d'une balle, d'un télégramme ou d'une simple absence.
Pendant ce temps-là, « dans les nuits des raids, enflammées
par les bombes, les sirènes, les hurlements des chiens dans les
caves, les incendies, les enfants s'amusaient [31] ».

Parmi ce peuple vêtu de noir par le puritanisme, la

dévotion ou l'état journalier des pertes, le petit Paul se costume lui aussi de sombre, mais c'est, dans la cave, pour jouer à Fantomas.

Heureusement, les pères ont des substituts à la destination spéciale des jeunes esprits rétifs. On les appelle des professeurs.

Prix Victor Duruy

Aux yeux d'un proviseur, le trajet de l'élève Nizan Paul est semblable en cela à celui de l'ingénieur Nizan Pierre : une montée régulière jusqu'aux sommets du Parnasse universitaire. *Sic itur ad astra,* comme disait le président de la distribution des prix au futur savant Cosinus. Enfourné à six ans et demi dans l'école primaire, il entre peu après au petit lycée de Périgueux. C'est dire que ses parents lui font déjà prendre ses distances, en ce temps où l'enseignement public réussit ce tour de force d'être tout à la fois gratuit et payant aux mêmes niveaux, c'est-à-dire cloisonné : un jeune fils de bonne famille admis en 12e d'un lycée, soumis à un programme spécial, confié à des instituteurs spéciaux, ne fraiera jamais avec les enfants de la « Communale ».

Quand, en 1916, il arrive à Paris, ses brillants résultats périgourdins lui valent d'être admis dans l'un des deux prestigieux lycées de la capitale, Henri-IV, de cent mètres plus près du Panthéon des Grands Hommes que Louis-le-Grand.

Sans doute n'y est-il qu'interne, ce qui n'est pas une mince distinction dans cette société lycéenne où les externes sont fort conscients de tenir le haut du pavé et regardent déjà les demi-pensionnaires comme des métis, mais, enfin, il est dans la place. On sait peu de chose de cette vie de pension, dont on devine qu'elle joue un rôle majeur dans l'élaboration des rapports que l'adulte entretiendra avec la société. En tous les cas, elle est studieuse. L'exemple du père est encore là pour convaincre le fils prodige qu'il se doit de figurer sans tarder parmi les meilleurs pour survivre, en d'autres termes passer dans la classe supérieure. Peut-être pensera-t-il à lui quand, faisant plus tard le compte rendu de l'autobiographie de H. G. Wells, il évoquera « le ressentiment profond de l'adolescent de petite bourgeoisie, qui se sent supérieur par les dons à ceux que la condition économique et politique désigne comme des maîtres, une sorte de stendhalisme [32] ». Disons qu'il entre dans sa période stendhalienne.

L'imitation du père n'est pas universelle. Ainsi le fils de l'ingénieur manifestera toujours une « répugnance suspecte pour les mathématiques [33] », bien propre à lui éviter de prendre le chemin des grandes écoles scientifiques. Pour le reste, celui qui dénoncera plus tard dans l'enseignement bourgeois l'apprentissage de la trahison de classe, trahit fort convenablement.

Plus lauré, au départ, que l'externe « Jean Sartre » (devenu en 5ᵉ A, division II, l'externe Paul Sartre : on mettra du temps à savoir à qui on a affaire), il capitalise dès 1917 divers seconds prix et, en 1918 et 1920, le premier prix de composition française. Quand, cette année-là, après un détour de trois années par La Rochelle, Sartre rejoint celui qui va devenir définitivement son « petit camarade », leur amitié va se doubler d'une émulation scolaire attendrissante. En Première A Sartre est prix d'Excellence, Nizan prix Victor Duruy (« prix fondé par Mᵐᵉ Victor Duruy en mémoire de son mari, décerné à l'élève de Première qui s'est le plus distingué en histoire »). Prix de composition française : Sartre; premier accessit : Nizan. « Élève distingué, à qui il ne manque qu'un peu de discipline », dira du premier M. Georgin, l'helléniste, au troisième trimestre, élève « certainement doué pour les lettres [34] », dira-t-il du second.

L'année suivante, le même scénario se reproduit, en division B, mais cette fois le terrain en est la philosophie. Premier prix : Paul Sartre, de Paris, interne; deuxième prix : Paul Nizan, de Tours, interne. Ni l'un ni l'autre n'ont cependant droit au prix d'Excellence. Comme on entre dans les choses sérieuses, les annotations magistrales se font plus serrées. Les esprits spéculatifs peuvent rêver à l'infini sur les deux appréciations de M. Chabrier, professeur de philosophie : Paul Nizan? « Excellent élève; esprit curieux, déjà en possession d'idées plus étendues que bien digérées. » Paul Sartre? « Excellent élève; esprit déjà vigoureux, habile à discuter une question; mais doit compter un peu moins sur lui-même »...

A travers ces lignes rares, sèches et rhétoriques se discerne en Nizan un élève consciencieux, un interne perfectionniste, « préoccupé et inquiet de suivre et de faire tout ce qu'on recommande » (appréciation de seconde), un beau gibier à classe préparatoire — il y entrera en octobre 1922 —, un futur élève de la rue d'Ulm — il y fut reçu en 1924. Monsieur le Proviseur peut refermer le dossier scolaire. Tout, de son point de vue, est dit.

Le reste appartient à des domaines moins avouables, moins chiffrables. Pour parler du Nizan, non plus tirant la langue sur une dissertation mais confiant ses convictions, ses doutes, ses espoirs tout en girant autour des cours d' « H-4 », il vaut mieux se tourner vers d'autres sources, même si les rétrospections qui leur servirent de cadre leur confèrent à tout jamais une couleur plus crue qu'elles n'avaient peut-être.

Ce n'est pas un hasard si les deux textes autobiographiques de Sartre se révèlent comme hantés par le fantôme de son vieil ami : *Les Mots*, qui s'achèvent à peu près sur son entrée dans la classe d'H-4 où, dès la première minute, il l'attire et le retient [35]; et, bien entendu, cette sorte de dernier chapitre des *Mots* que sont la cinquantaine de pages de 1960, en *Avant-propos* à *Aden Arabie*.

Un peu dès 1916, tout à fait à partir de 1920, où cette fois ils se retrouvent tous les deux internes, les deux enfants orphelins de père (celui de Sartre, lui, est mort quasiment en le faisant), les deux petits loucheurs (« il louchait comme moi, dira Sartre, mais en sens inverse, c'est-à-dire agréablement [36] ») vont se reconnaître frères, complices en révolte intellectuelle contre les pères, grands-pères et autres *alma mater*. Ce n'est pas eux qui seront dupes, eux qu'on fera ressembler à ces enfants du Luxembourg « qu'on attendrissait sur les animaux pour les endurcir sur les hommes [37] », ah, non! A seize ans, ils se sont confié l'un à l'autre qu'ils avaient décidé de faire leur salut par l'écriture — on sait que la genèse de cette conviction fait tout l'objet de l'examen de (mauvaise) conscience des *Mots*. En attendant ce jour béni, qui passe nécessairement par l'entrée dans une grande école littéraire, ils s'exercent à être des surhommes. Sur les tableaux noirs de Philo B, ils déposent des messages codés où Nizan devient R'hâ et Sartre, Bor'hou.

C'est Nizan qui a eu l'idée, et créé les noms, en excipant de
vagues références gaéliques, surgies de son atavisme celte. Il
domine le couple. Au tableau d'honneur, il peut être parfois
dépassé par Sartre, mais il est visiblement le plus brillant.
« Nizan était étonnamment doué », dira cinquante ans plus
tard Raymond Aron, évoquant le temps des classes prépara-
toires, « beaucoup plus que Sartre. Sartre bossait sur ses dis-
sertations, Nizan les faisait avec une désinvolture qui nous
émerveillait [38] ». Le séjour rochelais avait fait perdre au
Parisien de naissance le contact avec le fin du fin de
l'avant-garde culturelle. A son retour, il constate que Nizan
en est à Gide, à Giraudoux, quand lui n'est pas encore sorti de
Claude Farrère et d'Anatole France. La curiosité insatiable de
Paul-Yves est pour son compagnon le meilleur des excitants,
l'entraîne sur les sentiers de traverse. Et quand, ensemble,
ils s'en vont reconnaître dans la nuit de Paris l'étoile
Aldébaran, leur préférée, quand brusquement les yeux de
Nizan, qui n'en avaient pas l'habitude, « devenaient transparents et gais [39] », alors leur « drôle d'amitié » atteignait son
apogée. Le premier texte romanesque retrouvé à ce jour sous le
nom de Sartre, *La Semence et le scaphandre,* ne parle
pratiquement que de l'Autre costumé en Lucelles. Quand,
vers 1923, Jean-Paul Sartre s'avise d'écrire, il n'est occupé
que de Paul-Yves.

Du romanesque, là-dedans, sans doute, mais celui de Julien
Sorel, celui qui les fait monter un soir au Sacré-Cœur pour y
prononcer en ricanant les mots propitiatoires « Hé! hé!
Rastignac... [40] ». Quand ils élaborent une cérémonie d'initiation à l'entrée dans la confrérie des Surhommes où ils ne sont
que deux et entendent bien le rester, ces romantiques art déco
y incluront le conchiage (verbal) de l'armée française et du
drapeau tricolore.

C'est qu'on est dans l'après-guerre et qu'il n'y a rien de plus
insupportable à un adolescent qu'une guerre, si ce n'est une
après-guerre. Le 13 juillet 1919, à la distribution des prix, le
lauréat de 3ᵉ AI n'a pas pu ne pas entendre la magistrale
péroraison de M. Senil (*sic*), agrégé d'allemand :

« Mieux que personne vous appréciez, par l'effet du
repoussoir boche, l'immense privilège d'applaudir à une race

de loyauté et de droiture, où l'Honneur est une religion [41]. »

Il ne lui faudra pas beaucoup de temps pour estimer, au
contraire, qu'il n'y a plus sous l'Arc-de-Triomphe qu'un
« gaz imbécile [42] », pour ne mépriser « personne plus profondément que les Anciens Combattants [43] » pour voir dans
l'Europe des traités un univers où des « noms de châteaux et
de parcs dissimulent mal le sang et les violences futures [44] ».
Assurément, voici la génération qui « data l'histoire à partir
de 1914 [45] », celle dont les aînés, à de très rares exceptions [46],
ont failli.

Un professeur de seconde notait en 1920 que cet élève ne
croyait « pas assez à la vertu de la simplicité et du sens
commun ». Eh bien, non, il n'y croit pas assez. En quoi il n'est
pas frère de Sartre seulement, mais aussi d'hommes qu'il
rencontrera un jour et dont il connaît alors à peine les
noms sulfureux, un Tristan Tzara, un André Breton, un
Louis Aragon.

Trop jeune pour être Dada, trop affamé pour le suicide (il y
pensa, affirme Sartre), il a le temps d'expérimenter pour son
hygiène personnelle quelques déguisements variés. Vers l'âge
de quinze ans, il songe aux ordres, puis s'empresse de ne
derechef pas croire en Dieu : « Ce magicien ne protège plus
que les fondeurs de fers, les filateurs et les marchands de
caoutchouc [47]. » Un peu plus tard, sans doute en 1923, il
envisage beaucoup plus sérieusement de se faire protestant :
« Mais tu ne crois pas en Dieu », lui lance Sartre, « Eh non,
mais leur morale me plaît. » Ce n'est pas la dernière fois que
Nizan va choisir une Église pour sa morale.

A l'étonnement indigné de son petit camarade correspon-
dit, il est vrai, celui de toute la famille. La mère menaça de
couper les vivres. Le grand-père Métour tonna une dernière
fois :

« J'ai été profondément surpris d'apprendre que le jeune
homme avait eu l'idée de se faire protestant. Heureusement, il
paraît être devenu plus sérieux, mais tout de même tu as
joliment bien fait de le tancer d'importance. »

Suivait la profession de foi d'un marin breton : « Toutes les
religions reviennent en une seule, celle du " tout pour nous
rien pour les autres. " Alors, à quoi bon en changer ? », et celle

d'un administrateur du chemin de fer : « Qu'il se contente de devenir un homme de valeur, ce qui est fort beau, et qu'il se garde bien des questions politiques et religieuses. Tu embrasseras bien mon petit-fils pour moi et tu lui diras que son grand-père lui recommande de ne pas se laisser griser par des idées subversives [48]. »

Sans doute, quelques semaines plus tard, le tancé affirmait-il encore à une amie : « Il y a dans la foi des ressources admirables. Les seules aussi [49]. » Mais pour ajouter tout de suite :

« Les consolations qu'on adresse aux enfants sont encore celles qui valent le mieux [50]. »

Décidément oui, ce style de conversation avait tout du subversif. Quelque temps plus tard, il se déclara « matérialiste », et s'y tint.

Mais cet âge intermédiaire est celui des grands conseils virils. Un troisième Métour, Eugène, le frère de Clémentine, intellectuel singulier installé à Annapolis, en Maryland, adressera peu après à Paul-Yves qui, visiblement, ne savait à quel saint se vouer, une lettre prêchant une philosophie plus conforme à l'état d'esprit du jeune homme, en cette orée des années 20 (il la gardera toute sa vie dans ses archives) :

« Mon cher enfant, tu t'embarques dans une voie où tu apprendras très rapidement, en développant ton cerveau, que la race humaine n'est, somme toute, qu'un ramassis d'ignorants et de fanatiques. Mettons d'imbéciles. »

Ça, c'était encore le ton du grand-père. Mais l'oncle Eugène était dialecticien :

« Seulement, rappelle-toi ceci : le cérébral ne saurait vivre en dehors d'elle, tout ce qu'il saurait entreprendre ne peut se rapporter qu'à elle. En dehors des théories homocentristes, souvent ineptes, il n'y a que l'inutilité de l'effort. Il faut donc aimer ses amis et ne pas trop mépriser ceux qu'une moins grande éducation ou un moindre développement cérébral rabaisse à un niveau inférieur. (...) Dieu sait si je suis un darwiniste forcené et que pour moi toutes les religions se valent, mais je t'affirme que toute science est vaine et que l'univers n'a pas de sens pour quiconque n'admet pas que les hommes doivent s'aimer les uns les autres. On y vient à la réflexion et c'est là la source de toute morale comme c'est le secret de tout ordre intérieur (...)

« Ton oncle, si tu y tiens [51]. »

Dans la même lettre était aussi évoqué le projet du neveu d'entrer à l'École normale supérieure Lettres et de poursuivre — intéressante précision qu'on ne retrouvera nulle part ailleurs — par l' « École d'Athènes [52] ». Par-delà les hésitations d'une âme mystique, l'héritier Métour ne perdait donc pas toute notion du concret. C'était le principal.

Titulaire en 1922 du baccalauréat philo-grec, Paul-Yves avait vu sa place tout naturellement inscrite par les soins de M. Daux, proviseur d'Henri-IV, dans la classe de Lettres supérieures la plus proche, celle de l'illustre Alain. Comme il fallait cependant que les surhommes, même désaffectés, se signalassent par quelque éclat, Sartre et Nizan, de conserve, entreprirent de passer chez l'ennemi.

L'ennemi, c'est le lycée Louis-le-Grand, dont certains affirment, à vrai dire, qu'il prépare encore mieux à la rue d'Ulm. Comme on le voit, ces déserteurs ne vont pas bien loin. A défaut de conchier l'armée française et le drapeau, ils ont quand même réussi à vomir aux pieds de M. Daux, au sortir d'une séance de beuveries où ils avaient un peu trop copieusement fêté leur succès scolaire. Il semble bien que ce vulgaire incident n'ait pas été étranger à leur départ d'Henri-IV. Comme, cependant, l'honneur du lycée était en jeu, et que l'idéalisme ambiant répugne à donner de l'histoire des interprétations aussi triviales, la légende s'est peu à peu imposée que nos futurs héros de la philosophie contemporaine avaient choisi Louis-le-Grand... pour ne pas devenir élèves d'Alain. Saluons comme il le mérite cet effort touchant pour balayer un vomi fort peu philosophique, mais constatons simplement que les témoignages des intéressés eux-mêmes sont loin d'en faire, à l'époque, les adversaires d'Alain qu'ils deviendront par la suite. Georges Friedmann fera leur connaissance dans cette hypokhâgne fameuse, où les deux compères s'aventuraient régulièrement, presque en cachette, pour écouter le maître, Nizan se qualifiera de « disciple d'Alain » en avril 1926 [53], et quand Simone de Beauvoir entrera en relation avec l'un et l'autre, vers 1929, la rumeur sorbonagre les assimile encore, peut-être déjà à tort d'ailleurs,

à la « bande des anciens élèves d'Alain [54] ». Il faudra attendre
1932 [55] pour voir Nizan critiquer publiquement l'ignorance
alanesque des questions économiques et les pitreries des
« singes du maître ».

Présentement, voici donc nos deux mauvais esprits enfermés de plus belle dans la serre chaude. Toujours inséparables,
malgré une courte brouille en hypokhâgne, dont Sartre ne se
rappellera jamais l'origine. Et même plus proches que jamais,
dormant dans le même dortoir, avant de partager, rue d'Ulm,
la même thurne. Leur complicité multiplie les clowneries
en duo, les clins d'œil, les allusions codées [56]. Pour leurs
camarades, ils vont de pair et sont promis au plus bel avenir,
Nizan surtout, qui décroche en hypokhâgne le premier prix
de composition française, là où Sartre doit se contenter du
second accessit. Pris dans l'engrenage, il se plie sans vrai
regimbement aux règles du grand jeu. « Nous étions tous des
gloires de nos lycées, nous éprouvions tous ce stupide orgueil
collectif des candidats aux Grandes Écoles : nous devions être
soixante-dix égaux [57] ».

Par bouffées, il lui vient bien l'idée qu'à l'âge où son père
travaillait quatorze heures par jour sur les chantiers de la
Loire lui cultive « des scrupules à cause de la philosophie de
M. Bergson [58] », mais l'essentiel demeure pour lui d'avoir
forcé le terrible barrage des Humanités qui avait, dès l'abord,
mis son père sur la voie utilitaire que la société lui destinait [59].
Par contre, il s'est refusé à adopter le plan de rechange
proposé par ledit père, qui en aurait fait sans doute un agrégé,
mais, après le concours, « un expert en rationalisation et en
taylorisme, quelque chose comme M. de Fréminville ou M. Le
Chatelier », ces spécialistes du « mouchardage à chronomè-
tre [60] ». Ainsi peut-il, du même mouvement, venger son père,
le surpasser — et lui désobéir. Rien de plus réconfortant.
« Comme c'est facile, une rupture intérieure, qu'aucune
action n'atteste que la satisfaction du cœur [61] ! »

En ces années d'innocence cynique, Nizan en est encore au
stade de Rosenthal, dans *La Conspiration* :

« Il songea ensuite vaguement à la révolution, et précisément à sa famille [62] ».

Pré-textes

Jusqu'à l'agrégation et l'École d'Athènes, on peut toujours tromper le temps en écrivant, puisqu'on a résolu d'être Chateaubriand ou rien. C'est à quoi Sartre va s'échiner une douzaine d'années durant, sans résultat bien probant. Nizan, qui se sera trouvé en l'automne 1923 exactement sur la même ligne de départ que lui, puisque leur deux « premier texte » paraissent dans le même numéro de la même revue, aura à cette époque pris une sérieuse avance.

Ces années-fleurs nous le découvrent se réclamant de Byron, Shelley, Hölderlin, Novalis, mais aussi du Jules Romains des poèmes unanimistes, de D'Annunzio, de Giraudoux. Le tout, versant idées, saupoudré d'un peu de Nietzsche, de Sorel. En avant-scène : Barrès. Le prêtre du « culte du moi », qui a tant marqué Aragon, brille de ses derniers feux. L'individualiste radical du début, le démolisseur féroce de la petite bourgeoisie au pouvoir, l'écrivain-député, en même temps que le sensuel angoissé rallié esthétiquement aux « valeurs éternelles », offrait une solution flamboyante aux inquiétudes des adolescents de bonne famille. Se trouvant quelques années plus tard, quand il sera passé au marxisme, en position de l'attaquer, Nizan reconnaîtra encore en lui « toutes les illusions volontaires d'un représentant assez intelligent de la bourgeoisie [63] ».

Dès cette époque d'ailleurs, une petite musique acide, dégingandée, lui fait tendre l'oreille, l'arrête sur la voie de ce lyrisme ambigu, désormais applaudi des curés et des généraux, et dont « le sang, la volupté et la mort » se transmutent présentement en inauguration de monuments aux Poilus. En 1922, il achète un volume des *Poésies* de Jules Laforgue. Plusieurs complaintes sont copieusement annotées, le *Placet de Faust-fils*, par exemple,

> *« Si tu savais, maman nature,*
> *Comme Je m'aime en tes ennemis,*
> *Tu m'enverrais une enfant pure,*
> *Chaste aux ' et puis? ' »,*

ou toute la dernière strophe des *Nostalgies préhistoriques* :

> « *La nuit bruine sur les villes;*
> *Se raser le masque, s'orner*
> *D'un frac deuil, avec art dîner,*
> *Puis, parmi des vierges débiles,*
> *Prendre un air imbécile.* »

Il n'est pas sans signification que le plus stendhalien de ses personnages romanesques, destiné à prendre son essor si *La Conspiration* avait pu avoir une suite, se soit appelé Philippe Laforgue. Même au plus fort de la période la plus sectaire, où la marche victorieuse du prolétariat fera mine de remplacer la Terre et les Morts, la musiquette grinçante ne sera jamais tout à fait oubliée.

Compagnon de route privilégié, Laforgue est aussi, à vrai dire, la pointe avancée de son audace littéraire. Sans doute consacre-t-il l'un de ses premiers textes critiques à Proust [64], dont on vient de publier *La Prisonnière* [65], mais il paraît plus séduit par Giraudoux, dont il admire l'intelligence et la fantaisie [66].

Il sélectionne au plus juste ses admirations poétiques contemporaines, ne citant, quand on les lui demande [67] que Fargue et Eluard. Certains de ses textes, poèmes ou proses, devront parfois leurs accents à la libération surréaliste, depuis « Le nuage qui passait comme un vol de contrebasse » de 1923 [68], jusqu'à la séquence du Passage dans *Le Cheval de Troie*, qui pourrait avoir été écrite par un Aragon lecteur de Heidegger. Même à l'époque du parti communiste, il lui arrivera de parler en termes favorables du rêve [69], voire de l'irrationnel [70]. Jamais cependant il ne s'abandonnera aux exercices spirituels de la secte, retenu sans doute par l'ironie du désespoir et la méfiance des récupérations mystiques.

Entre 1923 et 1925, dans ce premier espace de production littéraire qui précède la grande suspension de 1926, les quelques textes édités et les rares fragments enfouis dans les archives nous apprennent qu'il a tâté de tout, même si c'est avec des fortunes diverses : poème régulier (*Grèves* [71]), poème mallarméen (*Méthode* [72]), conte, nouvelle, roman, pamphlet littéraire (contre Clément Vautel, « Jocrisse littéraire [73] »), critique classique. Comme s'il fallait souligner au regard de la

postérité le caractère de « pour mémoire » de ces premières
gammes, le tout paraît, quand il paraît, dans des publications
sympathiquement fauchées dont le confidentiel le dispute à
l'éphémère : *Faisceaux, Fruits verts, Strasbourg universitaire*
et, pour tout dire, *La Revue sans titre*.

On se prend pourtant à rêver quand on découvre au
sommaire des quatre rachitiques numéros de cette dernière,
parus, semble-t-il, d'octobre 1923 à janvier 1924, les signatures de jeunes inconnus nommés Pierre Mendès France
(pour une correspondance de soutien), René Maheu, futur
directeur général de l'UNESCO (pour des poèmes), Jean-Paul
Sartre (pour un conte, *L'Ange du morbide*), « Jacques Guillemin », pseudonyme du même Sartre, (pour des fragments de
roman), Paul Nizan enfin, qui y publie ses deux premiers
textes littéraires.

On se prend à rêver, mais c'est tout. Les premiers écrits de
Sartre n'annoncent guère, dans le style tout au moins,
l'auteur de *La Nausée*, et ce qui nous est parvenu de cette
écriture khâgneuse de Nizan, quoique littérairement plus
vigoureux, ne permet guère d'en attendre les fulgurations
à venir. On comprend que, sur le plan littéraire comme
sur les autres, l'intéressé, à Aden, ait parlé de son « visage de
dix-huit ans » comme d'un « visage étranger [74] ». Bien sûr, à
qui ne voit que thématique et allusion, il est toujours possible
de piocher ici et là quelques indices. Comptons-les, sur les
doigts d'une main : l'option politique de la *Revue sans titre*, à
« gauche » sans autre précision [75] — mais *Faisceaux* et *Fruits
verts* pratiqueraient plutôt, elles, la confusion des extrêmes,
d'ailleurs l'équipe de la *Revue sans titre* se réunit à la
brasserie *Le Caméléon* —; la dénonciation, commune à toutes
ces publications, de la « détresse » de l'Europe et de la génération bleu horizon — mais rien là-dedans que le conformisme
de l'anticonformisme —; la dédicace, enfin et surtout, d'un
poème de novembre 1923 à une grève ouvrière :

> « *Un soir d'août triomphant*
> *le chant de l'usine en grève*
> *a roulé comme un torrent*
> *sur une digue qui crève...* »

mais cette allusion épique est unique et se termine sur l'image d'un échec.

En fait, la pensée critique du bachelier reste floue. Il doit encore violer sa vitalité de jeune loup pour ne pas chanter à tue-tête sa joie de vivre. Son premier poème, resté inédit [76], commençait bien par « on sent que l'heure est venue / De renier tout espoir », il ne s'en terminait pas moins par un hymne à la joie, qui « nous accueillera à tous les tournants des haies ». « Le monde attend l'amour des hommes » est la conclusion d'un de ses articles à *Strasbourg universitaire*, dont il est, pompeusement et très éphémèrement, rédacteur en chef en 1924 [77]. Quand il se choisit un correspondant parmi ses aînés non faillis, un maître avec lequel échanger de profondes pensées, ainsi qu'il sied à tout jeune intellectuel, il prend Jean-Richard Bloch. Celui-ci est alors à l'apogée de son talent d'observateur aigu de la société bourgeoise, qu'un long compagnonnage toujours plus étroit avec le communisme paraîtra ensuite stériliser. Mais ce n'est pas pour faire de lui son intercesseur auprès du communisme, encore moins du marxisme, que Nizan l'entreprend; c'est qu'il voit dans les premiers *Essais pour mieux comprendre son temps* un petit bréviaire de l'énergie, un « culte de la passion intérieure », un appel à « une jeunesse constructive ». Tout cela est du meilleur genre, et manque encore singulièrement de furia.

S'il y a une unité dans le Nizan plumitif de ces années-là, c'est plutôt dans un ton, de dérision et affecté, comme d'un acrobate grimaçant qui ne se prendrait pas au sérieux. Le pire est donné à la poésie, le meilleur à la prose. Dans cette dernière, *Hécate et la méprise sentimentale*, à l'automne 1923 [78], est l'œuvre d'un lecteur de Paul Morand qui sait déjà regarder sarcastiquement l'amour d'un adolescent et d'une femme sensiblement plus âgée que lui, *Vacances* [79] donne de préférence dans Giraudoux, à qui l'auteur vole une héroïne translucide répondant au doux prénom d'Anne-Hélène. La tentative la plus originale est celle du numéro 4 de la *Revue sans titre*, avec *La Complainte du carabin qui disséqua sa petite amie en fumant deux paquets de Maryland*, sans doute parce que cette fois c'est Laforgue qui s'en vient rôder alentour. Mais si l'avertissement au lecteur fait l'éloge du frénétique et du paradoxal (« seuls des imbéciles anormaux peuvent avoir conçu un drame quotidien »), si la moralité finale rend le son attendu (« sirote chaque jour ta tasse de néant »), le texte tout entier illustre le triomphe (aisé) de l'amour sur la mort : « Il regarda la morte. La vivante était jolie. » En un mot, foin de littérature à thèse, ou plutôt pas de thèse à la Bourget, rien qu' « un sentiment comique de cette terrestre et provisoire existence ». Le lecteur, « qui reste, en dépit des apparences, le premier personnage », comprend fort bien qu'il a affaire à un jeune homme doué, encore embarrassé de sa propre ironie, mais qui ne demande pas mieux que de se rapprocher de soi-même.

En attendant ce grand jour, il prétend opter « pour une sagesse de la joie dans le provisoire [80] » — toujours ce mot —, cesse de faire paraître et, du coup, comme beaucoup, cesse aussi d'achever ses textes et, bientôt, de les écrire. Il commence un *Eloge de la ruse* — quelle âme bien née n'a pas fait dans sa vie du Hérault de Séchelles, même sans le savoir? Le personnage central, Clouet, y ressemble évidemment beaucoup à l'image que Nizan voudrait donner de lui :

« Clouet offrait aux hommes un visage immobile; il avait des lunettes cerclées d'écaille, comme Harold Lloyd, des verres bombés parce qu'ils ne déformaient pas la vision sur les bords et parce qu'ils cachaient le regard sous une pellicule de reflets. Aucune apparence de fantaisie n'attirait l'inquiétude. » (...) « On attendait de lui. Les femmes aimaient sa compagnie, il justifiait toujours l'opinion qu'elles se faisaient de leur clairvoyance. Ils les avaient laissé parler [81]. »

On se console comme on peut. Il a vingt ans, le bel âge! Il ébauche deux nouvelles (*Madame Launay* et *Hélène*), reprend *Anne-Hélène et l'Ile de France* sous le titre *Le Goût du définitif*, sans en trouver le goût, entreprend, début 26, un roman qui n'est peut-être qu'une troisième mouture, « où l'on dit que (*sic*) pendre du mal du siècle [82] » : son propre mal du siècle l'engloutira.

Entre-temps, en août 1924, il a été reçu rue d'Ulm, comme

le prévoyaient les augures et le voulait le destin. Il s'est fait
photographier selon la tradition sur les toits de l'école, en
compagnie de Sartre et d'Henri Guillemin. Comme il n'a pas
le vertige, c'est lui qui est monté le plus haut, au faîte même
de l'horloge, mais, du coup, sur l'une des photos, il est
décapité. Puis il tombe dans la plus noire des mélanco-
lies.

2.

J'avais vingt ans...

> « J'ai pincé le Saint-Esprit dans
> les caves et je l'en ai expulsé; (...) Je
> vois clair, je suis désabusé, je con-
> nais mes vraies tâches, je mérite
> sûrement un prix de civisme. »
> *(Les Mots)*

A vingt ans, que possède-t-on? Les gènes des parents, un ou
deux certificats de bonne culture, et surtout un visage, un
regard, une voix, une façon à soi, rien qu'à soi, de tenir sa
cigarette ou de regarder ses mains. On n'en change plus guère
ensuite, pour peu qu'après cet âge ingrat qui s'appelle la
jeunesse il ne vous reste plus qu'une quinzaine d'années à
vivre. Ce Paul Nizan-là, dont on va commencer à voir sur les
photos la tête de Breton têtu, celui dont Rirette et quelques
autres tomberont amoureuses, celui qui charmera Léon
Brunschvicg et intimidera Simone de Beauvoir, celui, à peu de
chose près, qu'une balle explosive réduira à un tas de cellules
mortes, il est là, campé pour l'éternité, au seuil de toutes les
aventures, de toutes les imprudences, de tous les échecs.

Identité

Un mètre soixante-huit, corpulence moyenne, avec une
épaule imperceptiblement plus haute que l'autre, teint mat,
cheveux sombres, nez un peu busqué, menton rond, yeux gris
bleu, oui, sans doute. Mais aussi tout ce que ne dit pas une
carte d'identité, un formulaire de police, et qui est le plus
important. Qu'il louche un peu, on l'a vu. Dès la puberté, il a
porté des lunettes, rondes, en fer comme le voulait la règle
non écrite des couvents scolaires, puis à grosse monture
d'écaille (ses *guggles,* disait-il) à la manière de Harold Lloyd,
enfin intermédiaires entre ces deux extrêmes, quand il eut
trouvé en toutes choses sa voie. De la même façon, mais dans

un sens tout différent, il n'abandonnera la cigarette, qu'il aimait planter à la commissure des lèvres d'un air faussement négligé, pour la pipe de bruyère bien culottée qu'en prenant de l'âge, le jour où, devenu professionnel reconnu de l'écriture, il aura l'illusion de pouvoir se carrer dans son fauteuil, derrière un bureau à soi.

Vers le temps du baccalauréat, il a entrepris de combattre ses origines petites-bourgeoises, le cache-nez et les petites laines de l'interne frileux, en se mettant à suivre avec conscience les moindres aléas des modes vestimentaires. Est-il vraiment si coquet? On peut se demander s'il n'est pas simplement, parmi toutes ces têtes d'œuf, l'un des rares qui soit un peu soucieux de son apparence physique, à une époque où la mode masculine passe pour évoluer lentement et en un milieu où il paraît naturel de n'accorder aucune attention à la toilette. D'ailleurs, Louis-le-Grand, la rue d'Ulm ne sont pas mécontents d'avoir leur dandy de service, qu'ils voient arriver, de sa démarche un peu glissante, un jour vêtu de pantalons entravés, un autre de pattes d'éléphant, un troisième de culottes de golf. Le spectacle est permanent, avec ce fort en thème qui pousse la provocation jusqu'à battre l'air d'une canne de jonc ou porter ostensiblement le monocle. Pendant qu'eux vivent encore sous l'empire de l'Idée, en voici un qui, par procuration, leur fait croire qu'ils savent leur siècle.

Cette recherche s'atténuera avec le temps et la découverte d'autres façons d'affirmer son moi, le militantisme par exemple, mais il ne disparaîtra jamais totalement, entretenu par une anglomanie proclamée qui lui fera affectionner les cravates en laine tissée, les costumes de tweed et les chaussures à bout carré.

Ceux dont les valeurs bourgeoises n'étaient pas à priori révulsées par ces audaces ne sympathisaient pas tous pour autant avec le personnage. À vrai dire, il semble bien que Nizan ait, en règle générale, singulièrement impressionné tous ceux qui l'approchèrent. Certains l'affirmeront glacial, d'autres dissimulé; lui-même se reconnaît, par personne interposée, « adolescent taciturne [1] ». Il semble bien, en fait, qu'il ait été particulièrement exigeant sur l'amitié et se soit contenté de fort peu de relations suivies.

Passons un instant de la photographie au cinéma. Il est là, devant nous. Il réfléchit, la tête légèrement penchée sur le côté, se frotte le nez et commence à parler d'une voix nonchalante, les yeux baissés sur sa main droite à demi fermée, contemplant ses ongles. Tout à l'heure, il va peut-être s'en ronger un, mais il aurait plutôt tendance à se mordiller les poings. Jamais il ne fronce les sourcils, jamais il ne hausse le ton, qu'il a un peu voilé, paisible et lent. L'éclat de voix n'existe pas chez lui. Il lui suffit de dire, sans y toucher, quelques phrases bien senties, oscillant selon les cas entre une douce agressivité, l'humour noir et le cynisme. Si besoin est, il peut prendre son air le plus massif, son air de tour. Devant un auditeur un peu nigaud, comme cet obscur journaliste du *Rempart,* il devient :

« Un jeune homme fort peu différent d'allure avec un étudiant en droit. Il parle les yeux baissés et dicte des sentences d'un ton tranchant, avec un air ennuyé [2]. »

Quand l'interlocutrice s'appelle Simone de Beauvoir, cela donne :

« Avec Nizan, on ne discutait jamais; les sujets sérieux, il ne les abordait pas de front; il racontait des anecdotes choisies dont il évitait avec soin de tirer les conclusions; il proférait en se rongeant les ongles des prophéties et des menaces sibyllines [3]. »

On conçoit qu'une telle personnalité, peu disposée à charmer, en ait agacé ou rendu mal à l'aise plus d'un. Qu'il se mît alors à siffloter d'un air entre-deux — il sifflait, comme il chantait, faux, le bougre, il n'avait aucune oreille —, c'était le comble. Il fallait aller au-delà de cette réserve, de ce qui-vive permanent, pour découvrir l'un des caractères les plus attachants, dans la grisaille environnante. On pense à Marie-Anne, la sœur de Bernard, dans *La Conspiration,* découvrant avec surprise que « le chat qui se promène tout seul » n'était pas aussi inabordable qu'il en avait l'air. Les amoureux des chats qui vont tout seuls, assurément, avaient envie de le suivre.

Mais il y avait des moments où le sarcastique perdait son flegme étudié, où, soudain, l'angoisse et la colère submergeaient son visage — le visage seulement. Cette émotion froide le faisait, à la lettre, blanchir d'une sorte de rage, et substituait à son parler imperturbé une sorte de bégaiement. Rien d'autre, aucun tremblement, aucun geste exceptionnel. Une sorte de désintégration instantanée, et toute provisoire, de la personne, bien propre à terroriser ses rares témoins, ses plus proches, Sartre et Rirette essentiellement.

Ces crises ponctuelles n'avaient, il est vrai, de sens que si on les rattachait à cette traversée de la mer des Tempêtes au cours de laquelle elles avaient failli devenir la règle et non l'exception. Période la plus dense de la vie de Nizan, si l'on veut, où l'accession à l'âge d'homme se fit à travers toute une série d'expériences par bien des points extrêmes : l'extrême de l'étude, l'extrême de l'aventure intellectuelle. Période des plus noirâtres, aussi, mais avec au bout du tunnel l'entrée dans une double fidélité : une femme et une Église.

L'odeur de la tribu

« Intégrer » (le mot est joli) la rue d'Ulm, c'est toujours adhérer à deux élitismes à la fois. Celui d'un clan aristocratique, au sein duquel, en bonne logique, se concocteront d'autres petits clans, chauds et excitants. Celui d'un contact privilégié avec la Culture à majuscule, distribuée en ces lieux conventuels par les soins de professeurs émérites et de bibliothécaires prestigieux. L'argument Jerphanion, l'argument Lucien Herr, en quelque sorte.

Vers 1924, cette double mythologie est sans doute à son apogée. Rarement autant d'archicubes auront gouverné ensemble les destinées françaises, qu'il s'agit de morts tutélaires (Jaurès, qu'on s'en va panthéoniser solennellement en novembre), d'hommes politiques bien vivants (Herriot, Blum, Tardieu...), de littérateurs et prélats variés.

Camarade rigoureux, exigeant, sélectif, et petit-bourgeois destiné par la société à faire son salut par l'écriture, Nizan pouvait participer intensément à la petite comédie humaine que la République lui offrait libéralement, en vertu du décret du 9 Brumaire an III. Trop beau pour être vrai, et pourtant ça l'est : Nizan fera partie d'un petit groupe (Sartre en était-il?) qui, sensible aux symboles, se fera avec ensemble (et dans la douleur) circoncire à l'occasion de son entrée à l'École...

Nizan aura des mots cruels, plus tard, pour les équivoques de cette camaraderie. Il parlera, dans *Aden Arabie*, de ces

« adolescents fatigués par des années de lycée, corrompus par les humanités, par la morale et la cuisine bourgeoises de leurs familles [4] ». *La Conspiration* se voudra, entre autres, une démystification de cette prétendue amitié, « qui n'était qu'une complicité assez forte d'adolescents trop menacés pour ne pas éprouver le prix des liens d'équipe [5] », « trop invertébrés encore pour marcher sans compagnons [6] ». La présence récurrente de ces présences-là dans son œuvre, comme dans les souvenirs que gardèrent mutuellement d'eux-mêmes des hommes aussi dissemblables que Sartre, Raymond Aron, Henri Guillemin ou Daniel Lagache, tout indique pourtant qu'il a circulé là-bas un courant de sympathie vraie, ni plus ni moins faussé que tous les autres, ceux, par exemple, que Nizan connaîtra par la suite dans une cellule communiste de province ou dans un grand quotidien parisien.

Aux yeux de l'extérieur, les deux petits camarades sont plus que jamais « Nisus et Euryale », avant de devenir « Corneille et Racine [7] ». Mais leur fraternité sait s'ouvrir à des compagnons choisis : Raymond Aron, leur contemporain (il est né le 14 mars 1905), Alfred Péron, angliciste un peu lunaire, qui mourra au sortir d'un camp de concentration, où l'aura conduit sa participation à la Résistance, Georges Friedmann, André Herbaud, René Maheu. Il y a là des enfants mal dégrossis des classes moyennes, des fils d'instituteurs, de fonctionnaires, frayant dans la solidarité du génie avec des « gens plus relevés, qui entraient à l'École normale comme ils entreraient aux Sciences politiques [8] ».

Une tasse de café ou une bouteille de vin blanc toujours à proximité, ils discutent à n'en plus finir dans leurs turnes enfumées sur l'esprit de sérieux (le dada favori de Sartre *versus* Aron), sur le « sens véritable de la deuxième analogie de l'expérience et sa place dans la deuxième *Kritik* [9] » ou, bien entendu, sur les femmes. Quand des fourmis leur viennent aux jambes, ils grimpent sur les toits, lancent des bombes à eau, le soir, sur les copurchics qui rentrent en smoking d'un dîner en ville, montent un canular (celui de la fausse réception de Lindbergh à l'École, par exemple), répètent une revue (la spécialité de Sartre, qui excelle à mettre en boîte Gustave Lanson, le directeur), mitonnent un scénario de film (tel celui de Sartre, Aron et Lagache, en 1926, sur *Poil de Carotte*), etc.

Plus souvent, ils sortent de leur repaire, plongent dans la ville étrangère, dans ce milieu chaud et visqueux, plein de bruits incongrus et de senteurs obscènes, mais toujours en bande, ou en couple. Ils vont boire au Balzar, au Mahieu, qu'ils continueront à fréquenter par la suite, s'engouffrent dans les cinémas, « ces cuves sonores pleines d'éclairs blancs », chargés jusqu'à la gueule de « chaleur animale [10] ». Le plus doux souvenir de Nizan et de Sartre reste leurs longues déambulations dans les rues de Paris, celles avoisinant l'École, encore à demi rurales, celles, plus loin, de la jungle des villes, peuplées de « ces vieilles femmes qui roulent de portail en portail avec des cabas pleins », de « ces Noirs et ces manœuvres algériens qu'on entend chanter en été sous les arbres de papier vert de la place Maubert comme sur un toit d'Afrique [11] ». « Paris fut notre lien », dira Sartre [12].

A leurs heures d'abandon mondain, ils s'en vont, au sortir d'un cours de M. Lalande (de l'Institut), prendre une tasse de thé chez une de leurs amies — quand Nizan connaîtra Henriette Alphen, ce sera souvent chez elle, rue Vavin. Sartre se mettait au piano et chacun d'entonner (Nizan, toujours aussi faux) : « Nous sommes partis ce matin pour fon, pour fon, pour fonder Rome. » Et, effectivement, ils étaient des fondateurs.

C'est ce petit groupe fermé mais chaleureux que découvrira, sur le tard, à l'été 1929, entre l'écrit et l'oral de l'agrégation de philosophie, la jeune sorbonagre Simone de Beauvoir. Elle les a décrits [13] ne se mêlant à personne de l'Université, distillant leur présence à quelques cours sélectionnés, pour s'y asseoir à l'écart, d'ailleurs, entourés d'une sulfureuse réputation de chahuteurs et de mauvais esprits, bien propre à effaroucher un milieu qui restait encore d'un recrutement tout bourgeois.

A cette époque du groupe, leur élitisme se manifeste par un jeu subtil autour de castes inventées par Cocteau dans son *Potomak*. Nizan, Sartre et Herbaud sont les seuls admis au rang d' « Eugènes », aux côtés de Socrate et de Descartes. Au-dessous d'eux végètent les marrhanes, qui voyagent dans l'infini, et les mortimers, qui voyagent dans le bleu. Les quelques lignes que Simone de Beauvoir consacrera plus tard au moment où, entrant dans une chambre de la Cité universitaire, elle fit à la même minute connaissance du compagnon de sa vie entière et de Nizan, résument assez bien l'image qu'ils pouvaient donner d'eux, même à une intellectuelle qui n'avait pourtant pas froid aux yeux :

« Il y avait un grand désordre de livres et de papiers, des mégots dans tous les coins, une énorme fumée. Sartre m'accueillit mondainement; il fumait la pipe. Silencieux, une cigarette collée au coin de son sourire oblique, Nizan m'épiait à travers ses épaisses lunettes, avec un air d'en penser long. Toute la journée, pétrifiée de timidité, je commentai *Le Discours métaphysique.* »

Mais au bout du compte ce n'étaient pas de si méchants bougres. La néophyte, comme on sait, s'acclimata fort bien. Il suffisait de se laisser gagner par leur enjouement caustique, de les suivre dans leur dénonciation vivante du monde bourgeois :

« Eux, ils dégonflaient impitoyablement tous les idéalismes, ils tournaient en dérision les belles âmes, les âmes nobles, toutes les âmes, et les états d'âme, la vie intérieure, le merveilleux, le mystère, les élites; en toute occasion — dans leurs propos, leurs attitudes, leurs plaisanterie — ils manifestaient que les hommes n'étaient pas des esprits mais des corps en proie au besoin, et jetés dans une aventure brutale [14]. »

L'aventure n'était pas tous les jours des plus brutales. Le mauvais esprit cultivé par le clan était d'autant plus admissible que, de l'extérieur, nos Eugènes — ils cessèrent de se reconnaître comme tels le jour où ils furent reçus à l'agrégation — remplissaient scrupuleusement, et au-delà, les obligations universitaires que leur imposaient les bons maîtres.

L'École, ce fut ainsi pour Nizan le temps où il noircit ses noirs cahiers de citations et de notes serrées sur Platon, Descartes, Kant, Marx (celui de *L'Idéologie allemande* surtout), Nietzsche, Kierkegaard, Freud; mais aussi Keats, Claudel, Thoreau, « Saint Jean Perse » — dont le style influencera ses derniers poèmes, écrits autour d'Aden...

Sans doute la rue d'Ulm préparait-elle à des « tâches de curés [15] », mais elle permettait aussi de se gorger de Spinoza, vrai demi-dieu de Nizan, son compagnon philosophique indéfectible. Sans doute était-elle dirigée par « un petit vieillard patriote, hypocrite et puissant qui respectait les militaires [16] », mais elle gardait aussi en son sein dans ces années-là Lucien Herr, « l'une des forces les plus pures du mouvement socialiste d'avant la guerre [17] ». On connaît la phrase d'*Aden Arabie* : « En 1924, il y avait encore un homme : Lucien Herr [18]. » Tout n'était pas perdu.

D'autant moins que, avec un peu de curiosité et d'anticon-formisme, il était possible de profiter de l'occasion pour s'initier à des philosophies naissantes, à des disciplines complémentaires rarement expérimentées par les étudiants ordinaires. Nizan découvrira ainsi Heidegger et Husserl, bien avant Sartre, qui ne commencera à s'en émouvoir qu'au milieu des années 30, après son séjour berlinois. On n'est guère surpris de lire, dans ses carnets d'École conservés aujourd'hui, qu'il en a d'abord retenu une réflexion sur l'angoisse et le néant.

D'autres découvertes se feront conjointement. Celle de Karl Jaspers, par exemple, et de sa *Psychopathologie générale*. L'ouvrage remonte à 1913 et vient d'être traduit par A. Kastler et J. Mendousse. Il paraît chez Alcan, l'éditeur par excellence de la corporation philosophique. « MM. Sartre et Nizan, élèves de l'École normale supérieure », mentionnés en note pour avoir relu le manuscrit et corrigé les épreuves, entrent grâce à lui, par la petite porte, dans le sérail. Force est de reconnaître qu'après des débuts aussi prometteurs, ils n'iront guère plus loin. Du moins se sont-ils trouvés affermis par cette fréquentation du père de la « méthode compréhen-sive » dans leur penchant pour une psychologie, et plus largement une philosophie phénoménologique. Nizan s'ini-tiera, auprès de Georges Dumas, à la psychopathologie française, par force visites à Sainte-Anne, encore à l'époque entouré de hauts murs, physiques et psychologiques, anté-rieurs au temps béni des neuroleptiques. Il ne semble pas en avoir conservé un excellent souvenir. L'apprentissage psychologique, ainsi vécu en porte à faux entre le scientisme des médecins et les premières intuitions des philosophes, n'alla pas plus loin. On délégua à Politzer le soin d'en dire plus.

Il s'en fallut par contre de peu pour que notre homme ne bifurquât à cette époque vers l'anthropologie. Avec la même obstination qu'il mit à passer le diplôme de PCN et à se perfectionner en algèbre, on le vit suivre l'enseignement de Marcel Mauss, et dévorer à belles dents Frazer (dont il annote *Totemism and Exogamy, The golden Bough*), Halbwachs, Lévy-Bruhl, Van Gennep... Le musée de l'Homme, récemment créé par Paul Rivet, sera quelque temps son temple scientifique. De cette séquence intellectuelle demeure une étude inachevée sur un rite d'initiation, le *bull-roarer* (pratiques liées à l'usage d'un ustensile de bois imitant le mugissement du taureau).

On devine tout l'intérêt que ce jeune homme en crise d'intégration, engagé pour sa part dans un vaste processus initiatique dénommé enseignement supérieur, pouvait porter à une telle recherche. Initiateur lui-même, il sera à son tour à l'origine d'une vocation, plus solide, celle de Claude Lévi-Strauss, cousin de Rirette, auquel il signalera, un ou deux ans plus tard, au cours d'une conversation, l'intérêt de l'ethnologie comme « porte de sortie pour les philosophes [19] ».

Formé à une telle gymnastique, le jeune homme curieux de tout pouvait se payer le luxe de sauter sans effort apparent les haies successives de la course d'obstacles dénommée cursus universitaire. Entré à l'École avec les deux certificats classiques de littérature française (juin 1923, mention bien) et de grec (mars 1924, mention assez bien), il franchit en cadence : le certificat de psychologie (mars 1925, bien), celui de morale et sociologie (juillet 1925, bien), ceux d'histoire générale de la philosophie et de philosophie générale et logique (juin 1926, tous deux bien), le diplôme d'études supérieures de philosophie (juin 1927, bien) consacré à *Fonction du meaning; mots, images et schèmes.* Prenant tout son élan, il est reçu à l'agrégation en juillet 1929. Cru fameux dans l'histoire de cette discipline, puisque cette année-là le premier s'appelait Sartre [20], le second de Beauvoir.

Reste que Nizan Paul-Yves, agrégé de philosophie, ancien élève de l'École normale supérieure, dessinait, en marge de ses cahiers de notes si chargés, des mitrailleuses. Reste que, sur son livret universitaire si brillamment clos, le mauvais esprit du propriétaire, se défoulant *in extremis,* a écrit à l'encre violette dans les colonnes, obstinément vides, vouées en théorie aux « observations, interrogations, assiduité, etc. », des pastiches qui en disent long [21] :

« Esprit profond mais pense contre l'État. *A. Lalande.* »
« Esprit subtil mais cruellement matérialiste. *Léon Brunsch-vicg.* »
« De la compétence, du travail, peut réussir. *Léon Robin,* professeur de troisième. »
« Espoir de la sociologie, malheureusement pas de la nôtre. *C. Bouglé.* »
« Curieux, mais méprise la psychologie. *L. Dumas. H. Delacroix.* »
« M. Nizan peut comprendre un syllogisme mais il emmerde malheureusement la logique à laquelle j'ai consacré une vie de probité et de travail. *Lalande.* »
« Du travail, des résultats (conscience de classe). *D. Parodi.* »

Comme quoi, quand on sait les prendre, même les dossiers universitaires les plus austères peuvent en apprendre beaucoup sur les tempêtes-sous-un-crâne.

L'extrémité du provisoire

Il avait écrit : « Je m'ordonnais de passer un concours pour marquer derrière moi des étapes définitives [22]. » Or s'il fut un temps fort peu définitif, ce fut celui-là. Passée la tension physique et intellectuelle de la préparation dudit concours, et en attendant trois ou quatre ans plus tard celle de l'agrégation, la grande disponibilité de l'École, jointe à l'intime conviction de figurer désormais parmi les consciences les plus aiguës de la génération montante dilatait soudain les esprits savants aux dimensions d'une responsabilité — ou illusion de responsabilité — nouvelle. Certains, bien entendu, s'enfermaient plus que jamais dans leur tour d'ivoire. La plupart de ceux dont, effectivement, l'avenir dirait qu'ils auraient joué un rôle remarquable dans l'histoire intellectuelle, artistique ou politique française en profiteraient au contraire pour s'ouvrir aux remuements du siècle.

On connaît la scène sur laquelle se clôt la panthéonisation de Jaurès, dans *La Conspiration* : enthousiasmés par la contre-célébration communiste qui, par sa seule vigueur, rend dérisoire le cérémonial guindé du pouvoir en place, le trio des normaliens se retrouve, sans préméditation et d'ailleurs sans lendemain, intégré pour la première fois à un mouvement social contemporain : « Laforgue, Rosenthal et Bloyé perdirent ce qui leur restait de respect humain, ils s'y jetèrent aussi et se mirent à chanter [23]. »

On ne sait pas si Nizan a vécu une telle expérience, mais elle métaphorise très bien la nature des rapports que ces jeunes brillants pouvaient entretenir avec la politique.

La plupart des camarades de Nizan, de ceux, bien sûr, qu'il acceptait de fréquenter, avaient le cœur à gauche. Même le « tala » Maurice de Gandillac, qu'on retrouvera parmi les fondateurs de la revue *Esprit*, même le libéral Raymond Aron, qui était vers 1929 inscrit à la SFIO [24]. « Avec ce qui se passait dans le monde, simplement les jours de sortie, il aurait fallu être aveugle [25] », se refuser à soulever ne serait-ce qu'un pan du décor en trompe-l'œil :

« Cependant des hommes travaillaient à la chaîne. Cependant des policiers marchaient dans les rues, des hommes mouraient en Chine de mort violente, dans la Haute-Volta le travail forcé abattait des Noirs comme une épidémie [26]... »

Ces enfants du sérail n'avaient jamais rencontré jusque-là d' « autres êtres que des techniciens sans ressources : des ingénieurs, des avocats, des chartistes, des professeurs ». Leurs premiers pas vers l'air du dehors, encore timides, passèrent donc par l'étude. On les avait laissés en confrontation avec des paquets de papier, de carton et de colle signés de noms exotiques : Spinoza, Marx, Lénine, Labriola... C'était imprudent. Derrière la barrière des mots, ils découvraient des réalités qui s'appelaient Révolution (sur ce thème, Nizan épuisa plus d'un cahier), Démocratie, Athéisme, Matérialisme, Lutte des classes...

Comme ils sont des hommes du verbe, l'étape suivante les voit signer des pétitions, des manifestes :

« Ils signent des manifestes qui les engagent beaucoup moins que leurs parents ne pensaient [27]. »

A l'instar de leurs jeunes ancêtres, auxquels le nom d'« intellectuel » avait été donné, trente ans plus tôt seulement, presque par dérision, le jour où ils avaient cherché à se compter sur une pétition en faveur de Zola, après *J'accuse!*

Les plus actifs organisent une sorte de Club du faubourg de haute volée, le *Groupe d'information internationale de l'Ecole normale supérieure,* fondé par Friedmann, auquel, en août 1925, succédera Nizan. Thomas Mann y prend la parole, au même titre que Georges Duhamel. Nizan en profite pour resserrer ses liens avec Bloch, qu'il invite à deux reprises, et, pour s'initier aux débats scientifiques contemporains, avec les historiens Salvemini, Prezzolini, Grant Robertson.

L'audace suprême est de militer dans un groupe extrémiste. Comme il se doit, Nizan goûtera successivement et éphémèrement des deux extrêmes. On sait que les idéologies les plus opposées sur le fond finissent chez certains intellectuels, dans certaines conditions de température et de pression, par se confondre. Ainsi en est-il dans les dernières années 20, qui digèrent difficilement l'après-guerre dans une Europe essoufflée. C'est le temps où deux écrivains doués, nommés Drieu La Rochelle et Emmanuel Berl, rédigent à eux seuls, l'espace d'un semestre, une revue intitulée, bien entendu, *Les Derniers jours,* où le premier appelle les capitalistes à d'abord « faire le communisme », et l'Action française à, sans plus tarder, envisager l'unité d'action avec le PCF. L'ambiguïté ne dure jamais bien longtemps, ni chez les individus, ni dans l'Histoire. Les « non-conformistes » ou prétendus tels finissent toujours par être récupérés, et presque toujours par le même camp. Mais dans l'instant où tout paraît possible, les rencontres intellectuelles valent parfois le détour.

Nizan en fit l'expérience à son profit, avant que, beaucoup plus tard, on n'essayât de la faire tourner contre lui. Après avoir manifesté des sympathies socialistes [28] et juste avant d'adhérer, fugitivement, au parti communiste, il sera en effet, en 1925, membre du premier mouvement fasciste français, le Faisceau, de Georges Valois.

On a écrit beaucoup d'absurdités sur cette courte période valoisiste. Qu'il l'était « à dix-huit ans » (Sartre), ce qui est chronologiquement impossible, car trop tôt. Qu'il cesse de l'être « lorsque Valois saborde son parti » (Youssef Ishagpour), ce qui est chronologiquement impossible, car trop tard, etc. Si tentative avouée il y a eu, elle n'a pas dû excéder deux ou trois mois, situés sans doute au lendemain même de la création du Faisceau, à la date symbolique du 11 novembre 1925.

En 1924, les éphémères revues *Faisceaux* et *Fruits verts,* animées toutes deux par Gérard de Catalogne, avaient des accointances avec l'extrême droite (comme avec l'extrême gauche, bien sûr). Elles avaient sans doute permis à Nizan de fréquenter des cercles maurassiens, sans qu'on puisse aujourd'hui en savoir plus. Le Lucelles de *La Semence et le scaphandre* cotise un jour à l'Action Française, mais le lendemain il est déjà ailleurs. A titre personnel — toute adhésion étant d'abord l'aboutissement d'une démarche individuelle — l'entrée au Faisceau est sans doute à mettre en parallèle avec un voyage émerveillé qu'il vient de faire en Toscane.

Une dernière fois, la voix de Barrès l'aura habité, pour le meilleur de son égotisme et pour le pire de son style. Il note dans ses carnets :

« J'ai vu Pise aux lumières les plus neuves du matin. J'y suis entré par surprise. Elle ne s'est pas éveillée — d'un sommeil frère de la mort. Au bout d'un écheveau de rues qui naissaient à la couleur le Dom, le Baptistère et le Campanile sont apparus. Pour la première fois, des pierres avaient des tons vivants de la chair [29]. »

Là, devant « un des rares paysages faits pour l'homme [30] », la joie lui apparaît non « comme une trêve mais comme la loi de l'existence [31] ». « Si la vie est, comme je le crois, une tentative qui a mal réussi, au moins sur cette planète dérisoire, c'est là qu'elle en a le moins l'air [32]. »

De cette rencontre privilégiée avec la latinité en fleur put découler une sympathie sentimentale pour un fascisme simultanément perçu comme une sorte de dandysme politi-

que : un « W Lenin » griffonné sur les rives de l'Arno le met
aux anges, mais il se précipite à une audience pontificale :
« Cultivons les contrastes. La tiare et la faucille [33].

Mouvement ambigu, d'ailleurs, que ce Faisceau, mouture
nouveau-siècle (c'est effectivement le nom que porte son
journal) du vieil esprit des Ligues antiparlementaires. Valois,
son chef fort peu charismatique, esprit brillant et brouillon,
est, en fait, resté toute sa vie un anarcho-syndicaliste. Sa
volonté éperdue de trouver une alternative à un libéralisme
qu'il exècre l'a conduit à figurer pendant près de vingt ans
aux côtés de Maurras et de Léon Daudet, dévolu au rayon
« corporation(s) » de l'Action française.

A compter de 1924, il amorce une trajectoire diver-
gente, fondée sur une analyse de plus en plus négative de
l'immobilisme intellectuel et du conservatisme social de
la rue de Rome et sur un coup de foudre devant Mussolini, tout fraîchement parvenu au pouvoir et qui ne met
d'ailleurs en place son régime qu'à partir de cette année-
là.

Jusqu'au bout de l'histoire du Faisceau, l'idéologie valoisiste conservera les attributs du premier fascisme italien,
fortement teinté de syndicalisme révolutionnaire. Aussi
souvent qu'il le faudra, son chef martèlera, à destination des
chastes oreilles traditionalistes :

« Le fascisme prend pied à la fois à gauche et à droite, car il
est à la fois un acte d'autorité et une organisation de la liberté.
Mais il est beaucoup plus près de ce qu'on nomme la
gauche [34]. »

Dès 1924, il tente même de rallier certains communistes
hétérodoxes. Il affiche le soutien d'un certain Delagrange,
militant marxiste du Périgord, et d'un responsable CGT du
Nord, Lauridon, mais la moisson restera maigre.

Le Nouveau siècle a été lancé, en tant qu'hebdomadaire, le
26 janvier 1925. Il devient quotidien en octobre, avec le jeune
Philippe Lamour comme secrétaire. De ce jour cesse la
collaboration de Valois à l'*Action française,* avec laquelle il
rompt peu après. Encore quelques semaines, et, selon un
processus classique, les frères de la veille auront l'un pour
l'autre des mots plus sévères que pour leurs ennemis

traditionnels. La polémique vaudra au Faisceau l'attention de beaucoup de jeunes intellectuels.

Nizan peut reconnaître dans la dénonciation valoistes des « financiers internationaux, fournisseurs de guerre, politiciens et pillards [35] » un écho de ses propres refus, encore peu structurés. La main tendue du Faisceau à ces clercs que les bourgeois « ont voulu réduire à la condition de larbins, pour leur publicité [36] » ne peut que le séduire. Enfin l'attention que de tout temps Valois, seul vrai économiste de l'AF, a porté aux questions corporatistes convient à cet esprit préoccupé de concret. Le « réalisme » fasciste est le sien : « On demande à un fasciste : es-tu républicain, royaliste, ou bonapartiste? Le fasciste répond : je suis mécanicien (ou tailleur, ou cultivateur [37]). »

Malgré tout, la cure fasciste fut des plus brèves. Tous les témoignages convergent pour dire que, dès les premières semaines de 1926, Nizan avait jeté aux orties la chemise bleue que, d'après certains, contredits par d'autres, il avait arborée quelque temps, dans la lignée de ses provocations vestimentaires. La seule manifestation publique qui en soit connue — Nizan n'écrira aucun texte fasciste — fut l'organisation d'un débat contradictoire (évidemment) entre l'économiste Hubert Bourgin et un groupe d'étudiants socialistes, animé à l'École par le futur historien Georges Lefranc. Encore voit-on clairement qu'il s'agissait plutôt de définir, sur les bases œcuméniques propres à Valois, une sorte de convergence des deux critiques sociales. La séance, au témoignage de Georges Lefranc, fut, sous cet angle, un échec, et chacun en resta là.

A l'époque où, en 1926, Valois commence à organiser une série de réunions nationales destinées à préparer la marche vers le pouvoir, avec le succès que l'on devine, Nizan a déjà quitté le mouvement. L'esprit critique prend décidément le dessus, la fragilité doctrinale apparaît aux yeux du disciple :

« J'aperçois l'absurdité essentielle des thèses du nationalisme : lier à une mythologie guerrière, à des foudres, à des draperies, des roulements de tambour, des sonneries de clairon, des *Marseillaises*, des irrédentismes usés, des apparences de mots, des vues de politique intérieure. Valois attache ses vues économico-politiques, sa critique des classes à des imageries d'anciens combattants [38]. »

Pour que le tableau fût complet, il faudrait ajouter à ce cheminement personnel le scepticisme et la gentille moquerie de son entourage, et particulièrement celle d'une jeune personne dont, depuis quelques mois, l'avis commence, on le verra, à importer, Henriette Alphen. Cette bachelière de dix-huit ans est, c'est certain, peu versée en politique. Elle n'a pas, et n'aura jamais, la culture philosophique de son compagnon. Mais elle a, et aura toujours, une clairvoyance aiguë, le sens du ridicule et un flair remarquable du danger intellectuel. Pour elle, la lecture de la devise du chef suffit : « Penser clair et marcher droit. » Elle la trouve bouffonne, et ne le cache pas à Nizan, qui doit en convenir. *Exit* Valois.

De cette familiarité adolescente avec le fascisme, Nizan se souviendra sans doute quand il construira son personnage de Lange, dans *Le Cheval de Troie*, et diagnostiquera en quatre phrases sèches le camp des ennemis :

« Beaucoup d'entre eux étaient jeunes : pour beaucoup d'entre eux, la politique était un jeu violent comme un sport. Pour d'autres, une ruse. Pour d'autres, un effort maladroit pour respirer. Ils élevaient les mots du fascisme comme de grands masques magiques [39]. »

Quand il écrit ces lignes, l'anthropologue Nizan a choisi la magie d'en face. Il n'imagine sans doute pas que son expérience de 1925 servira un jour à salir sa mémoire. Quant aux chasseurs de trahison, ils se refuseront évidemment à voir que la rupture de Nizan avec le Faisceau ne faisait qu'anticiper de deux ou trois ans sur l'attitude de Valois lui-même, qui finira dans sa peau de vieux syndicaliste en un lieu nommé Bergen-Belsen, où l'aura conduit son combat contre les nazis, à la date même où le leader du PCF de 1925, Jacques Doriot, tombait sous uniforme allemand.

Cet étonnant chassé-croisé, sans doute l'un des plus fulgurants de l'histoire française, aurait comblé le Nizan de 1925. Car non plus montée en épingle par la polémique mais replacée au niveau de ses autres tentatives pour, vers le même temps, se donner « une attitude devant la vie [40] », l'équipée valoisiste n'a plus de valeur singulière. Elle n'est que la phase la plus doctrinaire de cette sorte de stendhalisme angoissé qui semble avoir été la tonalité de ces années-là, quand il en arrivait à écrire : « Nier les impératifs. Cela ne se peut... mais en changer [41]. »

Période chien

D'impératifs, il en change alors si bien que ses biographes ont parfois du mal à suivre ses méandres, ou à les prendre au sérieux, comme si tout commençait avec la grande conversion de l'automne 1927. Or il n'y a rien de plus sérieux que l'inconséquence du désarroi. Dans le délire de la fièvre, le malade dit beaucoup plus sur lui-même que dans le cabinet du médecin. En des mouvements « désordonnés » (par rapport à quel ordre?), un jeune animal, un jeune corps se cabre, bronche. Il entend choisir lui-même son licol. Quand il l'aura trouvé, il conservera un méchant souvenir de la crise. « J'avais vingt ans », etc. Mais peut-être en cela restait-il fidèle au Nizan de 1925, celui qui écrivait à Henriette Alphen : « Je n'aime pas les vaincus [42]. »

Ainsi de sa période aristocratique. A l'été 1925, il se propose pour une place de précepteur au château de la Baronnie, sis en Grandcourt, pays de Bray. Il y singe l'intellectuel snob et réactionnaire, donne des conseils politiques à des notables locaux fort conservateurs, et joue si bien la comédie qu'il s'entend demander avec délices un jour : « Est-ce que ce gouvernement ignoble ne vous persécute pas pour vos opinions religieuses? » Son grand plaisir est de lire Marx et Sorel ou d'écrire une lettre au communisant Jean-Richard Bloch juste après une visite à la princesse d'Orléans-Bragance, ou une promenade à cheval en forêt d'Eu, haut lieu des rallyes chics. La carte postale qu'il adresse à Henriette, représentant le château, grande bâtisse de brique ennoblie d'un colombier, porte la mention : « *Hic jacet lupus...* » Gentil loup en vérité, dont le cynisme ne va pas loin, et le désespoir s'aggrave. « Écrivez-moi », supplie-t-il, au sortir de cette période claironnante,

« Vous n'ignorez pas que ma seule originalité est de tomber périodiquement dans des phases de dépression — j'en connais une présentement [43]. »

Les divers avatars de la fuite, dont il fera l'énumération dans *Aden Arabie* [44], on pourrait presque dire qu'à cette époque il les a tous vécus :

« La profondeur, la confession, l'instrospection, certaine poésie, le jeu de billard, les religions, le cinéma, les romans d'aventure, les jeux policiers, les raids d'aviation... »

Ce qui était, ou passait pour être un jeu nonchalant à l'époque du lycée, au grand émerveillement de Sartre, incapable de ces passions fulgurantes et de ces reniements successifs, devient vibrionisme morbide.

Peu à peu, s'impose à son esprit la conviction que rien de bon ne pourra lui venir de l'enseignement. Comme le Laforgue de *La Conspiration*, et il s'en va proclamant son exécration de la culture traditionnelle, sa préférence pour « les bistrots, les cinémas de quartier et les kermesses de l'avenue des Gobelins [45] ». Au lendemain de son épisode fasciste, il découvre enfin sa vocation : opérateur de cinéma, peut-être parce qu'il commence à aimer Henriette, et que le frère de celle-ci, Jean-Paul Alphen, est cinéaste. Il s'initie au maniement d'une caméra, se fait photographier avec elle... et passe à un autre rêve.

Plus sûrement encore, il se lasse de tout, use tout avec une fébrilité triste. Dans ses moments de systématisme, avec la « minutie un peu affectée dans l'ordre intellectuel » que le jeune Sartre diagnostiquait en lui dans *La Semence et le scaphandre*, il tente encore de s'interpréter :

« Je demande aussi le monde tout entier, mais après beaucoup de détours et en raisonnant par hypothèse. De sorte que toute ma vie se trouve reposer sur une hypothèse, et même pas, une conjecture, dont je ne saurai jamais si elle est vérifiable ou non, vraie ou fausse, ou probable. C'est ainsi que la vie ressemble au poker, et qu'on peut arriver à s'intéresser à une partie ou à des coups de dés dépourvus de toute signification intrinsèque [46] ».

Mais il suffit d'un rien pour que tout chavire. A la fin de l'hiver 1925, il a songé à partir se reposer dans un « sanatorium », en Suisse. L'année suivante, il se met purement et simplement à reproduire les formes paternelles de la neurasthénie, à cette différence près qu'il est à l'aube, pas au crépuscule.

« Pas un soir à vingt ans », avouera-t-il plus tard, « où l'on ne s'endorme avec cette colère ambiguë qui naît du vertige des occasions manquées ». Alors, on se réveille la nuit, en proie au cauchemar. A l'Ecole normale, racontera Sartre dans *Les Mots*, l'angoisse de la mort « réveillait en sursaut, dans l'épouvante ou la rage, quelques-uns de mes meilleurs amis (...) Nizan était le plus obsédé : parfois, en pleine veille, il se voyait cadavre ; il se levait, les yeux grouillant de vers, prenait en tâtonnant son Borsalino à coiffe ronde, disparaissait ; on le retrouvait le surlendemain, soûl, avec des inconnus [47] ».

Désormais, il s'en va donc seul. Dans la crise, l'amitié qui l'unissait à Sartre commence à se lézarder. Un jour, racontera plus tard ce dernier à Lise Deharme, les deux inséparables restèrent trop longtemps penchés par-dessus le rebord, à regarder leur reflet dans la Seine. Ils durent se secouer rudement pour se débarrasser de la fascination étrange qui s'était alors emparée d'eux. Sartre, dont Simone de Beauvoir a toujours souligné l'optimisme et la vitalité indestructibles, ne risquait pas grand-chose. Nizan, lui, restait vraiment trop longtemps à se regarder dans l'eau. A chaque retour hagard, il a droit à l'accueil glacé de son cothurne. « Je l'accueillai sans dire un mot, les lèvres pincées, avec la dignité d'une vieille épouse [48] ». Le mot est significatif : on s'achemine vers le divorce. Sans doute la rupture complète n'intervint-elle jamais. Jusqu'aux derniers temps, les petits camarades continueront à se voir, à palabrer. Mais quelque chose entre eux aura cassé cette année-là.

Dans ses moments de plus forte dépression, Nizan n'est sans doute pas loin de cette sorte d'état liquéfié décrit dans les premières pages de *La Conspiration* :

On n'avait pas envie de se passionner pour l'existence des hommes et il n'était même pas facile de se persuader qu'ils étaient autre chose que des images, des projets, des reflets [49] ». Le solipsisme le guette, qui, pour cet homme en crise d'identité, équivaut à un lent suicide. Au cœur d'un de ses textes les plus maîtrisés, les plus « orientés », *Le Cheval de Troie*, courra encore comme un écho de ce temps-là, un peu dans le personnage de Lange, beaucoup dans le moment d'abandon où le strict militant Bloyé s'attarde à envier la liberté des chiens :

« C'était des animaux qui n'étaient pas comme les hommes, qui avaient l'esprit assez libre pour flâner, observer le monde, avoir des caprices; ils n'avaient même pas de rendez-vous [50] ».

Les peintres ont leur période bleue, l'intellectuel, l'hyper-civilisé Nizan aura sa période chien. Mais il s'illusionnait sur la liberté des chiens.

C'est le métier des psychologues que de dire ensuite qu'une telle angoisse existentielle peut s'expliquer par une certaine famille, un certain âge. C'est celui des historiens que de rappeler aussi que ladite inquiétude, costumée en obsession de la décadence, était en train de devenir un leitmotiv des générations de l'après-guerre. Tout cela est bel et bon. Mais là où Paul Valéry parle noblement, en termes bien connus des classes terminales, des nous-autres-civilisations... Nizan, lui, se contente de noter : « On demande une civilisation, c'est l'objet perdu que mes amis et moi recherchons mais on ne le rapporte jamais à la Préfecture de la Seine [51]. » Comme il était optimiste, ce jour-là, il termina sa phrase par : « et il faudra peut-être la reconstruire nous-mêmes » ; mais la tonalité générale est au doute. Il n'aurait pu approuver la conclusion pince-sans-rire que Sartre donnera un peu plus tard à une enquête sur les susdites nouvelles générations :

« Nous sommes plus malheureux, mais plus sympathiques [52]. » Non. Chez Nizan ces années resteront celles du mauvais âge », où « quand il réfléchissait, sa pensée tournait en rond autour d'elle-même, il ne savait guère aboutir à autre chose qu'à la mort [53] ».

D'ordinaire, arrivé à ce stade, le héros des romans d'apprentissage — les autres, ceux de Nizan et de Sartre par exemple, ne sont pas encore écrits — n'a plus d'autre issue que le suicide, la Trappe ou l'embourgeoisement. Les trois s'offrirent à Nizan en une seule figure. On comprend qu'il ait sauté sur l'occasion. Ce fut Aden.

Negotium in tenebris

En ce temps-là, l'Occident pouvait encore se dire qu'il dominait le monde, qu'il était le monde. La guerre n'avait apparemment fait que restreindre encore le club très fermé des puissances coloniales, en éliminant l'Allemagne. Elle avait encore élargi le gâteau à partager, en précipitant la mort de l'Empire ottoman. On s'agitait certes un peu aux Indes, en Chine, au Maroc, mais rien n'était bien décisif. Les empires ne s'acheminaient consciemment vers rien qui ressemblât à de l'indépendance.

En ce temps-là, les enfants d'Occident peuvent encore rêver d'aventure exotique avec l'esprit d'un conquistador et les mots d'un Barrès, d'un Morand ou, pour les plus médiocres, d'un Joseph Peyré. Un fort contingent de presbytes prennent Joseph Kessel pour Stanley, et Henri de Monfreid pour Rimbaud. « Des bourgeois mécanisés par l'existence ont la digestion troublée par le nom des Iles sous le vent [54] ». Dans le Vieux Port de Marseille, Marius se dispose à quitter Fanny, à l'hôtel du Nord Paulo songe déjà à descendre sur Port-Saïd « refaire sa vie ». Sur l'écran des samedis soir, après le turbin, le légionnaire bat tous les records de recette. Le jeune inquiet qui vient d'écrire : « On vit mal, comme des chevaux enfermés, sur le sol français » est évidemment sur les rangs.

Son désir informulé va rencontrer un autre rêve, d'un style bien différent mais d'une force égale. Celui d'un certain Antonin Besse. Intéressante personnalité que celle de ce grand négociant anglais d'origine française, un pied dans le Kent, l'autre en Aden, que tourmente une ambition brumeuse. Sa hantise : donner à ses activités mercantiles une dignité quasi métaphysique, faire du commerce des choses l'image moderne de la conquête de soi dans la volonté de puissance.

Pas très grand, noueux, costaud comme un sanglier, il affectionne les retraites méditatives, d'où il ressort plus dominateur qu'avant, cite Nietzsche, écoute Wagner avec volupté. « Il faisait parfois des pèlerinages à Stratford, à Bayreuth, il se mettait le front dans les mains en écoutant *Siegfried* ». Le ton du personnage est donné par la dernière lettre qu'il adressera à Nizan, un an après Aden :

« Cette année a vu éclore, en une floraison subite, se réaliser, pour mieux dire, des projets, des idées poursuivies sans relâche depuis un quart de siècle. Les doutes qui nous assaillent tous au cours de l'existence sur la validité de la table

des valeurs, guide de nos actions, sont à jamais dissipés et je
sais aujourd'hui que mon travail était bon. (...) J'ai répugné
aux moyens faciles, j'ai gardé les mains méticuleusement
propres, sans compromission malgré les tentations et, sans
humilité, je me réjouis d'être arrivé au but, ayant posé le
problème au début de ma carrière et qui semblait faux à mon
entourage. Ma maison est aujourd'hui un faisceau dont
chaque branche est ce qu'il y a de meilleur, de mieux
organisé, de plus fort dans chacune des industries qui
utilisent les matières premières de nos pays [56] ».
On aura compris que ce mégalomane doute.

Tel un personnage de Bernanos, M. Besse est assoiffé d'âme.
Sa grande préoccupation est de découvrir dans le vaste monde
(occidental), puisant dans les viviers de l'élite universitaire,
de jeunes intellectuels prêts à tout laisser pour le suivre. Au
printemps 1926 un camarade de Nizan, Jean Albert Bédé,
découvre dans un journal belge une petite annonce de Besse,
proposant une année de préceptorat à Aden. Bédé, bon élève,
est peu tenté par l'aventure mais il en parle à Nizan, qui
s'emballe. L'anglophile pense aux pelouses du Kent et aux
officiers coloniaux flegmatiques sous le casque. Des bouffées
de Kipling, de Conrad lui montent au cerveau. Aden accourt à
sa rencontre dans un grand bruissement d'images et de
parfums d'Arabie heureuse, entre myrrhe et moka. On frôle
les trafics louches de la mer Rouge, le Harrar où s'est perdu
Rimbaud, l'Hadramaout où Malraux fera semblant de chercher le palais de la reine de Saba. Plus-que-parfait d'Angleterre dans un plus-que-parfait d'Orient : beaucoup pour un
seul homme. Il pose sa candidature.
« Je croyais encore aux donneurs de conseils, aux curés [37] », il
interroge quelques augures. Jean-Richard Bloch lui conseille
de suivre son instinct, Georges Duhamel (eh oui) est tout aussi
encourageant : « Cela est excellent. L'éloignement dresse le
jugement [58] ». Bien entendu, le disciple sournois n'attendait
rien d'autre d'eux. Quant à Besse, il est tout aussi évident qu'il
choisit Nizan : un normalien, un philosophe, son plus beau
gibier.

Commence alors une pérégrination dont certaines étapes,
malgré l'accoutumance, le rétrécissement de la planète,

feraient encore rêver nos contemporains. Pour le jeune
enfermé, c'est bel et bien « un conte de fées [59] ». En août, il est
chez les Besse, à Barfield en Bickley, monte en Ecosse voir le
bateau de la Compagnie Besse (Halah Shipping Co) qui
l'emmènera à Aden. La prise de contact est excellente, de part
et d'autre. Les deux félins demeurent cependant sur leurs
gardes. Nizan diagnostique chez le maître de maison une
inquiétude qui n'est pas pour lui déplaire :

« Je me suis approché, avec précaution, pour ne pas les
effrayer, comme quand on veut faire amitié avec un lapin, ou
lui tirer un coup de fusil, de plusieurs hommes et c'était bien
plus passionnant encore que le Loch Lomond ou le Loch Fyne.
Ces hommes qui sont M. Besse, sa fille, son fils sont inquiets ;
comme la plupart des hommes, ils tâtonnent, pour eux la vie
est exactement décrite par la vieille formule du *negotium in
tenebris* [60] ». Besse le prend-il vraiment pour confident? Ou le
jauge-t-il? L'un et l'autre, sans doute. L'ambiguïté s'installe.

Après un dernier au revoir aux parents, le *SS MV El Amin*
appareille, début octobre, de Greenock, sur la mer d'Irlande,
pour Port-Saïd, via Swansea. En mer, fidèle à son cyclothy-
misme, notre héros roule des pensées variées. Un jour il
écrit :

« L'Europe m'abandonne ses plus sales images, des docks,
des files de chômeurs devant l'Exchange Office du ministère
du Travail, des raffineries de pétrole, des soûleries le samedi
soir dans les slums de Swansea, de petites prostituées
anglaises abruties de gin et de gaspers [61] »; « Paris est
particulièrement loin et je songe déjà avec ennui qu'il faudra
rentrer [62] » — mais c'est bien preuve qu'il ne peut s'empêcher
d'y songer. Un autre jour il avoue :

« La seule chose qui me cause parfois un intolérable
sentiment d'exil (...) c'est la bande de la rue d'Ulm [63] ».

Peu à peu cependant divers opiums choisis vont paraître
domestiquer le chat sauvage. La fumée du Navy Cut, les
ivresses de clubs à coup d'ale et de gin, le bridge avec les
officiers, la lecture boulimique, l'inaction, le romantisme
facile de la mer, la conversation débilitante de W. L. Clarke,
jolly good fellow de Cambridge, ancien briseur de grèves à
Tilbury, les airs nostalgiques du radio écossais, à la nuit
tombée, sur sa cornemuse... Résultat :

« Je découvre que j'aime mes semblables. C'est signe que j'ai ma majorité morale. Le propre des jeunes gens, c'est de vouloir jouer tout seuls. Et je me dégoûte de l'Europe en même temps que de la solitude (...) Je suis anxieux (au sens d'*anxious*) de vivre avec ma tribu dans un univers moral [64]. » Pour l'univers moral, il sera servi. Mais quelle tribu ?

Pendant quelques mois, il sera bien près de s'intégrer à celle des Besse. Un Orient d'Orient-Express l'a circonvenu dès ses premiers pas égyptiens :

« Cette odeur magnifique, inoubliable » dont il se souviendra encore aux jours critiques d'*Aden Arabie* [65], les couleurs vertigineuses sous le soleil, la foule des hommes mêlée à celle des animaux, certes mais « l'hôtel est déjà l'Orient, je veux dire qu'il y a de profonds fauteuils et des moustiquaires unies aux whiskies and soda [66] ». On comprend que, déçu par les Pyramides, il ne l'ait pas été par les clubs : au Gezira Sporting Club « L'Inde, le monde et l'Europe se mêlaient, et ma voisine, la plus belle des jeunes femmes anglaises, me parlait tour à tour des P. and O. qui reviennent en mai de Bombay, de Sacha Guitry, de *Juno and the peacock,* dans le plus colonial des clubs anglais ; et la plus fast des jeunes femmes anglaises nous a livré une longue limousine américaine pour nous amuser avec ce jouet nouveau [67] ».

L'heure est à Paul Morand, comme on voit.

A Aden, où il débarque le 13 novembre, il vivra la vie aseptisée des Blancs, de ceux qu'on distingue de loin dans les rues sombres, coiffés de leur casque rutilant, vêtus de toile légère et immaculée. Rien de l' « explorer in Arabia » dont parle la *Cassell's Encyclopaedia of world literature* [68]. Une chambre calme dans la demeure d'un riche négociant, deux boys, une Fiat (qui vaut « la Renault de Sartre », c'est tout dire), une sieste, quelques brasses et un rapide bronzage — la mode commence — à Fisherman's Bay, un peu de tennis, beaucoup de club, Gold Mohur, Steamer Point, Union Club... Le tout enveloppé de vagues leçons de français et de latin à M. Besse junior. Les seules escapades sont pour les rares lieux arrosés, l'oasis de Sheikh Othmann, les orangers de Sir Abdul Karim, le sanguinaire sultan de Lahej, tapi dans son palais hollywoodien entre ses faux Chine et ses canapés Napoléon III.

Besse cependant va le charger d'une mission — mise à l'épreuve de ses talents de chef. En janvier 1927 Paul-Yves est à Djibouti pour un rapport sur la situation de la branche locale de l'entreprise, en complet désordre.

Ce n'est pas bien loin, mais l'essentiel n'était pas d'aller le plus loin possible ; c'était d'être le plus chef possible. Qu'il ne comptât point sur le commerce pour lui permettre de fuir. Toujours il le ramènerait à un univers qu'il connaissait bien, celui des maîtres.

Mais c'est qu'il ne dit pas non. Constant dans le snobisme (la plupart de ses lettres d'Aden commencent par « Dear », « Dearest », « My darling »..; ces mots incongrus ont été supprimés de l'édition 1967, bien sûr), il envisage d'autant plus sérieusement de tourner au négoce de haute volée et de forte odeur — café, cuivre, devises et surtout pétrole — qu'il l'aborde avec le plus grand relativisme. Dans la même lettre où il décrira sans complaisance aucune le milieu blanc, cet Union Club, le plus huppé, dont tous les membres « sont coquins ou idiots, sauf le major Relly, mais il est ivre la moitié du jour », il ajoute : « Je pense aussi que je serai un bon homme d'affaires en appliquant à ce sujet une méthode intellectuelle bonne sur un plan quelconque, et parce que jamais je ne pourrai prendre ces divertissements au sérieux : on ne fait jamais parfaitement bien les choses qui nous passionnent réellement [69]. » Ce ton plaît certainement à Besse, qui considère l'humanité ordinaire avec la même charité.

Dans une lettre à Henriette datée du 20 février [70], il franchit le pas, et se fixe un programme selon le cœur du Maître : diplôme d'études supérieures au printemps, puis « octobre PCN. Un an de promenades. Agrégation. Sous-lieutenance. Aden. Je dis enfin Aden fermement : depuis un mois j'ai de nombreuses et intimes conversations avec M. Besse. Nous avons agité la question dans tous les sens, les miens et les siens. Ma modestie a beaucoup souffert. Il ne doute pas que ma " méthode " ne réussisse dans les affaires et surtout il me répète que je suis précisément fait pour mener les êtres. Il parle volontiers de mon " autorité morale " (et dire que je vole les bouquins de Sartre : il me le rend bien), de ma facilité, insoupçonnée mais que je constate avec ahurissement, de faire régner la paix, d'être pris en affection par les gens ».

Il demande à Henriette de sonder ses relations dans le privé, en vue d'une initiation accélérée dès son retour. Désormais, il se voit fort bien régenter Miss Scott et Miss Cox, envoyer un câblogramme à Boston, à Bombay, dicter un ordre d'achat de 150 balles de Hides Medium, I 40 %, II 35 %, III 25 %, sur Addis-Abeba. Dix-huit mois de pratique assidue, et il peut ambitionner un poste de responsabilité, alterner ensuite un an d'Orient, un an d'Europe, et, qui sait, à trente-cinq ans l'association. Besse and Nizan Illimited... De grandes manœuvres, on le sait aujourd'hui, commencent autour de l'Arabie. Nizan songe déjà à monopoliser le transport du pétrole synthétique de la Farben, ferrailler avec la Shell, la Standard Oil...

Pourquoi n'en fut-il rien? Pourquoi, aujourd'hui, pas de tankers battant pavillon Nizan? Ici, un point d'ordre. Nous sommes en 1927, pas en 1930. A Aden, pas dans *Aden Arabie*. Les raisons invoquées dans le pamphlet ont joué leur rôle, plus ou moins consciemment. Mais cette découverte d'un exotisme vain et de l'exploitation radicale, il la subodorait dès avant son départ : sur place, il brasse, s'il faut en croire ses lettres à Henriette, des impressions mêlées, dont aucune ne paraît décisive.

Faute donc d'en savoir jamais beaucoup plus, contentons-nous de trois hypothèses complémentaires : l'influence d'Henriette, sa future fiancée et déjà sa principale correspondante d'Aden; l'ébauche d'une réflexion économique mise en présence d'une machinerie sans masque, comme à Choisy (c'est la seule hypothèse retenue par les hagiographes); enfin, pour commencer, la cyclothymie du Nizan 1925, qui attendra la fin de l'année 1927 pour dépouiller complètement et définitivement le vieil homme.

Au début de son séjour, il a passé en revue pour sa correspondante toutes les carrières qui s'offrent à lui : intellectuel, homme d'affaires, politicien, ermite-penseur... mais c'est pour les rejeter toutes avec dérision [71]. En février, une lettre d'Henriette — une de ces lettres que les biographes n'ont jamais publiée, puisqu'elle n'était pas signée du héros — nous apprend qu'il songe à partir en Amérique : apparemment, si l'Europe le dégoûte toujours autant, les argu-

ments de M. Besse ne le convainquent pas encore d'une façon
bouleversante de s'amarrer à la corne d'Afrique.

Le 4 janvier, il a avoué : « Ecrivez-moi le plus longuement
qu'il se pourra. Il faut me tenir compagnie : je suis tout seul et
je ne suis pas gai tous les jours [72]. » Quelques temps après, à
l'issue d'une de ces conversations si positives avec M. Besse, il
part à plus de cent sur la route de Gold Mohur, en plein midi,
sans casque. Au passage d'un petit pont de pierre, il verse dans
le fossé. On le retrouve évanoui. La famille Besse et Henriette
parleront toujours d'accident. Sartre, qui a pu recevoir des
confidences au retour, mais qui aime aussi, on l'a vu, à
sartriser son ami, affirme le suicide. Mystère. Toujours est-il
que la fameuse « méthode » — depuis trois ans, ce mot semble
l'obséder — a des failles. Derrière le masque du cynisme, elle
dissimule imparfaitement un petit animal moral qui n'en
finit pas de mourir. Une carte postale de Djibouti, non
reproduite dans l'édition 1967, pose clairement le problème
de ce porte-à-faux :
« Je n'aime pas ce pays (...) Mais tout ceci est bien : je me
détache d'un certain nombre de choses qui m'ont entre
dix-sept ans et vingt semblé faussement importantes. Je sens
que je vais jouer le rôle qu'Ovide aurait joué, à son retour
d'exil chez les Sarmates, s'il n'avait pas été un homme du
monde. Je ne suis pas un homme du monde : je serai insolent
et je traiterai les gens importants comme je fais avec mon
boy [73]. »
Il s'en fallait de peu pour que cette façon « insolente » de
traiter les hommes ne fût plus celle du sueur de burnous, mais
du militant révolutionnaire. C'est à cette transmutation que
furent consacrés le printemps et l'été 1927.
Là, ici-bas, entre la Bretagne et la rue d'Ulm, entre
Shiltigheim, où le père se prépare une retraite bien méritée,
qui le tuera promptement, et le Kent, où l'autre père,
M. Besse, attend avec impatience le oui du jeune disciple,
Nizan, dans la solitude de la société, va prendre une série de
décisions radicales.
La première d'entre elles est de demander la main
d'Henriette Alphen. La seconde est de la présenter, en juillet,
aux Besse, rentrés à Barfield. Jusque-là, rien qui contrarie le

projet affairiste. Mais voici que le tableau enfin se recompose. Et voici qu'apparaît le nombre d'or, le canon. Vu de France, vu de Spinoza, vu de l'amour, la volonté de puissance appliquée à l'import-export vous prend un air aussi dérisoire que les slogans valoisistes. Seulement, cette fois, l'air du large et la sécheresse du désert ont tanné la peau du jeune carnassier. Il sait maintenant qui mordre. « Je constate avec étonnement que j'amasse à Aden par l'effet de la solitude une violence qui m'était étrangère : c'est que je me dispersais », y disait-il déjà. Contrairement à ce qu'il pouvait craindre, son retour en France ne fait qu'accélérer le processus de concentration.

Derrière la duperie géographique se profile une nouvelle règle du jeu, toute humaine. Ici, nous commencerons à citer des textes d'*Aden Arabie*, sans risque d'anachronisme ni de malhonnêteté, et d'abord l'un des plus beaux :

« Les paysages mélancoliques sont ceux où les enfants meurent de faim, les paysages tragiques sont ceux que traversent des files de gendarmes, casqués et des convois de canons, les paysages exaltants sont ceux où n'importe qui peut embrasser une femme sans trembler de froid ou de peur [74]. »

Avec la distance, les discours européens sur l'*homo economicus* se mettent à ressembler à des comédies aussi pitoyables que celles de l'Union Club :

« Combattre des êtres de raison comme des firmes, des syndicats, des corporations de marchands : appellerez-vous cela des actions? Je veux détester et battre tel homme particulier, cette figure de traître que je vois, ce patron, cet avoué, ce chef de bataillon, cet empêcheur de faire l'amour [75]. »

Voilà : il est en train de trouver son remède miracle, celui qui lui permettra de continuer à exécrer l'Europe, et même au-delà, de la rue d'Ulm à Djibouti, d'Aden à Wall Street, tout en se battant sur place, là où il est né, là où il a grandi. Drôle comme l'engagement politique internationaliste peut faciliter un enracinement. L'automne 1927 est consacré à la lecture et relecture approfondie de Marx et, plus encore, de Lénine. Marx appartient encore un peu à la corporation. Lénine, à

peine mort, si mal connu encore, a une plus forte odeur. Le
Congo de 1926, l'Indochine de 1927 sont en train de
transformer Gide et Malraux en compagnons de route du
communisme : dans ces années-là, les chemins de Damas sont
pris à la lettre.

Derrière tout cela, une voix s'élève enfin, plus ferme dans
le moment même où s'affermit celle de Paul-Yves. C'est la
voix d'Henriette. A son retour de Barfield, elle a envoyé son
diagnostic — et voici encore un texte capital que les
biographes ont ignoré — : Besse et sa femme, écrit-elle, « me
semblent souffrir d'un mal très profond (...) Il ne se dégage
pas d'eux la moindre atmosphère de sérénité (...) Or il faut
que nous agissions avec une extrême prudence lorsque nous
approchons des gens qui ne sont pas heureux. Il faut flairer,
examiner leur mal. Dans quelques mois nous pourrons agir
plus librement, sans crainte. En ce moment, protégeons-
nous [76] ».

C'est, dans un autre style, exactement ce qu'écrira Nizan
dans *Aden Arabie*, quand il viendra à parler sans le nommer
de son ancien Maître [77]. Une fois de plus, et cette fois-ci au
moment crucial de son existence, elle aura donné le coup de
pouce décisif. Un couple, ce sont deux destins qui, au lieu de se
neutraliser, s'influencent mutuellement.

Après quoi, elle n'eut plus besoin d'écrire ni de lui dire
« vous ». Un autre voyage commençait, plus beau que tous les
Aden.

Rirette?

« Est-ce que je vous fais peur ? » Sans doute rougissait-il, lui
aussi, comme le jeune Pierre Bloyé quand, à quinze ans, la
bonne de ses parents le regardait droit dans les yeux. Mais
non, les femmes ne lui faisaient pas peur, et plusieurs
hégéries se sont prévalues de son commerce. Mais il est sûr
qu'il se fixa tôt, sans avoir eu jusque-là d'aventures bien
longues et qu'à un orage près il restera fidèle à celle qui, dès la
première rencontre, était tombée amoureuse de lui.

Il avait connu les maisons closes où l'on va en bande pour se
donner du courage, sans s'y retrouver, les maisons de
rendez-vous, plus huppées, où des voix naïves, un rien
geignardes, vous disent :

« Les messieurs aiment tant les bas, la dentelle — Et vous êtes toujours empoisonné d'être d'abord un monsieur et pas un homme [78]. »

Comme tout normalien pas trop godiche, il avait frôlé les femmes riches, ces « femmes presque toujours belles qui ont la fortune, le temps d'être attentives à leur corps, de reposer leur visage, de faire masser leur ventre, de courir, de marcher au bord de la mer. Elles paraissent incorruptibles comme des statues [79] ». Ces statues-là l'avaient refrigéré. Modèle sans doute de la Pauline de *La Conspiration,* l'une d'entre elles était venue s'offrir à lui jusque dans sa turne. « Madame, nous nous salirions », avait été sa seule réponse.

Pour se rassurer, il déflorait quelques vierges, supposées sottes, s'ancrait quelques mois dans la tendresse d'une tenancière de café, qui lui inspirera la Marcelle d'*Antoine Bloyé*, tout en adressant pendant les mêmes années une correspondance giralducienne à une délicate jeune fille répondant au doux nom d'Hélène Fauvel, principale figure féminine de ses premiers textes littéraires. Dans *La Conspiration* on voit le groupe tenter le voyeurisme collectif, Laforgue pratiquer la masturbation à deux, Bloyé fréquenter les claques, Jurien et Pluvinage coucher dans le peuple, Rosenthal découvrir l'amour fou. Nizan connut tout cela, à peu près simultanément. Et l'amour fou vint à sa rencontre, une nuit de décembre 1924, au bal de l'Ecole normale.

Dans l'un des petits carnets noirs qui subsistent de lui, au détour d'une suite de notes sur Claudel, le fascisme et les lois républicaines de Jules Ferry, on lit ces quelques mots :

> « Bal
> Invités Rirette, Marianne Moyse, Aron I et II,
> Mlle Janderrin, Wagner.
> Vais-je aimer Rirette? »

Le bal annuel commençait vers onze heures du soir, s'achevait vers trois heures du matin. A cette heure, maintes jeunes filles de bonne famille, exceptionnellement grises, faisaient pâle figure. Au milieu du groupe réuni dans la chambre de Daniel Lagache — du côté des mâles, de jeunes inconnus qui s'appelaient Aron, Sartre, Nizan et Georges

Canguilhem — une jeune fille qui avait su rester sobre, sur les excellents conseils de sa mère, rayonnait de dynamisme. Un mètre soixante-quatre en redressant bien la taille, des yeux, des cheveux noirs, une voix claire et qui porte. Henriette Alphen aura dix-huit ans dans quelques jours — elle est née le 1ᵉʳ janvier 1907. Non, elle n'est pas encore bachelière.

A l'heure où Nizan ébauchait ses derniers flirts de vacances à Saint-Pierre-de-Quiberon (Morbihan), elle avait fait la connaissance du frère de Daniel Lagache à Saint-Pierre-en-Port (Seine Inférieure) près de Valmont. Liaisons pas dangereuses. Fil en aiguille. Le destin, quoi.

Ce soir-là, Henriette Alphen n'est plus occupée que de ce Paul-Yves Nizan, qui a de si belles mains, un cou si remarquable — elle est sensible aux cous, aux attaches, Rirette —, et puis cette douceur ironique, cette élégance qui tranche. Lui? disons qu'il paraît séduit. On va faire connaissance, courir autour du bassin aux poissons rouges, dit bassin des Ernests, boire au petit matin du chocolat dans des assiettes à soupe. On découvre qu'on était, quelques semaines plut tôt, l'un et l'autre à regarder panthéoniser ce bon vieux Jaurès, ça met de l'Histoire dans les sentiments. Chacun part à l'exploration de l'autre — à bonne distance, car nous sommes en 1924, on se dira « vous » et tout ce qui s'ensuit pendant près de trois ans, on sait se tenir, d'ailleurs Mᵐᵉ Alphen n'est pas loin, dans une salle, toute seule sur sa chaise, stoïque.

Rirette — « appelez-moi Rirette »... — est de ces jeunes filles de bonne famille, mais sans la froideur des « statues ». Le mixte idéal. Un grand-père paternel, dans la pâte à papier, un grand-père maternel dans les métaux précieux, un oncle polytechnicien. A cinq ans Rirette jouait au cerceau aux Tuileries, sous les yeux de sa Fraulein, en compagnie de petites filles choisies, et pourtant elle n'avait pas encore lu Proust.

Tout cela n'en fait pas « la fille du banquier Alphen » dont parlera plus tard l'*Action française*, quand elle voudra s'attaquer à Nizan et ne trouvera rien à redire de ses ancêtres chouans. La tonalité de la cellule familiale serait plutôt au culte des Muses. L'oncle se pique d'écrire, et le père est un violoniste, un compositeur d'opérettes — « Robert Alphen-Strauss », auteur des *Deux billets*, du *Roi Saül*, que la guerre a rendu manchot et transformé en directeur de banque triste, à l'Union Française de Crédit pour le Commerce et l'Industrie.

On destine Rirette à Marguerite Long — la rencontre aura lieu; elle sera brève et sans lendemain — et son frère Jean-Paul, de quatre ans son cadet, va faire carrière dans le cinéma, de *L'Atalante* à *La Règle du jeu*.

Le dandy Nizan est heureux de se trouver de plain-pied avec une jeune élève du Cours Maintenon (où elle a eu pour maître un certain M. Teste, pour ceux qui aiment les anecdotes), mais c'est la franchise, l'intelligence pratique, la vivacité de Rirette qui vont le retenir. Pour la première fois, il rencontre dans une femme le même anticonformisme que le sien, mais plus frais, moins encombré de prix d'excellence, d'accessits en petite bourgeoisie méritante.

Dans *Aden Arabie* il parlera de ces femmes françaises qui paraissent ne pas vouloir être autre chose que « femmes oisives » ou « femmes ménagères », « qui marchent dans l'amour comme un escadron dans du blé [81] ». Il découvre avec ravissement qu'il y en a d'autres.

« Je vous laisse ma carte. » Mlle Alphen prépare le baccalauréat : peut-être aurait-elle besoin d'être un peu soutenue? Mais oui, bien sûr. On va donc s'aimer tendrement en 1925. Elle va le retrouver à l'École, à la Sorbonne, dans tous les lieux où souffle l'esprit. Lui s'avance vers elle, tanguant légèrement, les mains dans les poches, un jour chicocandard, un autre débraillé avec application, le pull-over puant le tabac, les yeux malicieux derrière des lunettes d'écaille bancales depuis qu'il leur manque une branche, qu'il se refuse à remplacer. Il pérore, il subjugue.

« Nizan parlait, parlait. De Platon, de Spinoza, de Lénine. Je l'écoutais dans une sorte d'égarement qui est sans doute un des symptômes de l'amour. Plus que ses paroles c'était sa voix que j'écoutais... Je passais des heures à me demander si j'allais oser poser ma main sur son bras [82]. »

Elle habite rue Vavin, dans la grande bâtisse en porcelaine de l'architecte Sauvage. Il la raccompagne jusqu'à la grille du Luxembourg, et ils s'embrassent chastement.

Croyez-vous, que nos héros ignorent l'exposition des Arts Décoratifs? Que non pas. Comme dans un scénario rétro, c'est même là qu'ils sentiront à quel point ils tiennent l'un à l'autre. Un restaurant chinois, une porte de Mallet-Stevens, le pavillon de la jeune Union soviétique, manifeste de l'avant-garde, tout bois blanc et andrinople, aux couleurs de la révolution, et le tour est joué. Un jour, devant le métro Obligado, il s'en souviendra toujours, elle lui lance : « Moi, si je ne suis pas mariée à trente ans, je prendrai un amant pour avoir des enfants. [63]. »

Chaque petite absence est une occasion de s'écrire, de s'entretenir des émois de son moi respectif. La correspondance avec Hélène Fauvel s'éteint. Rirette est désormais sa seule interlocutrice. Mais pas sa fiancée. Si cela ne dépendait que d'elle, ce serait déjà fait, mais lui hésite encore, là comme ailleurs. Rirette passe le bac, entre à la Sorbonne, saisie d'un intérêt violent pour la philosophie, mais le cursus de leur amour piétine. Aden sera l'ultime mise à l'épreuve pour leur couple.

Ils s'étaient connus au bal de l'École normale, ils se séparent à la garden-party de l'École de Grignon, ces intellectuels. Dernier abandon chaste et mélancolique, qu'ils évoqueront souvent par la suite (il s'en souviendra pour la scène du Trianon, dans *La Conspiration*). A raison d'une lettre chacun par semaine, avec le décalage de dix jours de bateau, pour le moins, l'éloignement va approfondir leur communion.

J'ai déjà dit que la correspondance de Rirette ne méritait pas le silence cuistre dont on l'a entourée jusqu'à présent. Là où, sur Spinoza, il répond en pince-sans-rire :

« Vos sentiments sont bien touchants pour moi. Sur la question de l'amour, voici les pages de Spinoza : L. III, prp. XIII, XV, XVII, XIX, XX, XXX, XXXI, *et affectorum defini-tiones* L. IV, XI, XII, XIII, XVII, XLII, XLIV, et LV, VII, XX. Vous verrez qu'à la fin on n'a plus que l'amour de Dieu et des objets éternels [64] », elle fait preuve d'une santé intellectuelle rayonnante, bien propre à le rejoindre :

« Si je crois, ce n'est jusqu'à présent à rien d'autre qu'au Dieu de Spinoza. Ces idées, je les ai toujours eues en moi,

permanentes, claires et simples. Elle forment partie intégrante de moi-même, c'est pourquoi depuis quelques années
je les laisse de côté, elles me mèneraient trop aisément à la
sérénité, comprenez-vous. Je suis jeune et vigoureuse, je n'ai
pas souffert — je ne veux donc pas des consolations qu'exigent
ceux qui souffrent. J'ai obtenu mon bonheur à trop bon
compte. Je veux m'acquérir des mérites, comme pourrait dire
Kim. Aussi je tente toujours de me faire une morale purement
humaine, sur laquelle je vivrai tant que j'aurai de la force.
Quand je n'aurai plus de force, alors j'aurai recours à ma
métaphysique, qui ne m'a jamais quittée. Je veux essayer de
marcher tout droit, avec le monde sur les épaules, comme une
danseuse de corde qui n'aurait pas besoin de balancier, parce
que l'équilibre serait en elle (décidément, cette image me
remplit de joie) [85]. »

Plusieurs autres de ses lettres bruissent ainsi d'escapades
fantaisistes, où Mistinguett sympathise avec Aristote. Mais
l'humour se fait grave, quand elle avoue :

« J'ai pour tout ce vous faites la plus naïve et la plus
respectueuse admiration, et si je pense à votre supériorité sur
les autres hommes, c'est en me plaçant mentalement dans
l'attitude d'une très minuscule actrice américaine qui,
cheveux épars, œil limpide et le pagne aux hanches,
interprétait le rôle d'une petite métisse au cœur fidèle [86]. »

Dans la pire des hypothèses, les deux amoureux s'étaient
promis de se replier sur « la Ligne Hindenburg de l'amitié [87] ». A la lecture de la double correspondance adenite, on
peut dire que, quant à ce qui touche Rirette, Paul-Yves
franchit le pas décisif en février. Quand il rentre, il est décidé
à l'épouser :

« Je pense à peu près exclusivement à vous : c'est une
aventure nouvelle. Elle m'émerveille. Simplicité admirable.
Ma vie a une direction [88]. »

Nous n'avons plus la lettre ultime, mais nous avons la
réponse de Rirette :

« Je vous réponds immédiatement, parce que cela fait deux
jours que je réfléchis. Je veux bien vivre avec vous [89]. » Il n'y
manque pas la petite pirouette finale :

« Nous tâcherons d'avoir une belle vie, encore plus belle

que celle de Claude Bernard, qui m'a fait pleurer d'enthousiasme un jour. »

Le 17 avril 1927, il n'y a plus de pirouette :

« Nous aurons tous les deux une chic vie, et toutes les vies que nous n'aurons pas, nous les imaginerons si bien que cela reviendra au même [90]. »

Quelques mois plus tard, quand il est une dernière fois séparé d'elle, pour un dernier salut de célibataire aux parents alsaciens, l'évolution est achevée. Elle lui écrit :

« Dès que tu t'éloignes de moi, j'ai l'impression que tu emportes toutes les choses dont j'ai besoin pour exister, que tu ne laisses que quelques objets inutilisables, des bouteilles vides, des vieux jouets [91]. »

Ils s'étaient romantiquement fiancés sous la statue de Peter Pan, à Kensington Gardens. Le 24 décembre, ils se marient en la mairie du Ve arrondissement — celle de la panthéonisation — avec pour témoins Sartre et Aron. Mariage exclusivement civil, bien entendu; pour compléter le tableau, Rirette est en tailleur, et enceinte. Quant à Paul-Yves, atteint d'une appendicite aiguë, il tient à peine debout et entre à l'hôpital dès le lendemain. C'est dans ces deux états on ne peut plus seconds qu'ils commencent leurs douze années de vie commune.

Grandchamp

Nul doute que cette présence constante n'ait apporté au lutteur intellectuel qui, à la même date, adhérait au parti communiste, la part de stabilité intime dont il avait besoin. C'est Rirette, par exemple, qui, désormais va marquer son cadre de vie. Contre les maisons vagabondes des dépôts, les dortoirs crasseux et les thurnes enfumées, contre, plus tard, les appartements du nomade bressan ou moscovite, elle construira l'appartement de la calme rue Mécahin, entre l'hôpital Cochin et le jardin des religieuses. Surtout, elle lui apportera Grandchamp.

Les Alphen sont vraiment de grands amateurs : après l'immeuble de la rue Vavin, volontiers qualifié aujourd'hui par les guides d' « étape de l'architecture contemporaine » [92], ils vont s'installer, en 1930, dans une maison qu'ils ont commandée un an auparavant à Frantz Jourdain, le fils du décorateur et architecte Francis, vieil ami de la famille, avant de devenir l'un des plus illustres sympathisants communistes du monde des arts plastiques. C'est la première maison qu'on ait demandée à Frantz. Il suffit de se rendre aujourd'hui 19, allée des Cèdres, au cœur de la cité-jardin du Pecq, pour comprendre qu'on a affaire à l'une des premières habitations privées construites en France sur la lancée du Bauhaus. Assemblage de parallélépipèdes blancs, couronnée en terrasse, parcourue de tubulures sombres, éclairée par des hublots et de grandes baies vitrées, elle se présente aussi, intérieurement, comme un manifeste de l'art décoratif moderne, domaine de prédilection de Francis, dans un jeu subtil d'éléments muraux en cerisier rose et de plaques de verre en guise de tables.

Granchamp, qui mériterait de figurer dans les manuels d'histoire de l'architecture, fut aussi un petit haut lieu de la culture. C'est là que Nizan écrivit l'essentiel de son œuvre, mais c'est surtout là que lui et Rirette reçurent leurs amis chers, ceux de Jean-Paul Alphen, ceux des parents. Tout ce beau monde réuni, cela pourrait donner Sartre, Simone de Beauvoir, Aron, Emmanuel Berl, Jean Renoir, Paul Grunebaum-Ballin, Francis Jourdain, et un petit farfadet octogénaire, malicieux et maniaque, le lieutenant-colonel Émile Mayer, qui n'est autre que l'inspirateur, à la même époque, du commandant de Gaulle, auquel il suggéra un jour de s'occuper d'un peu plus près des blindés.

A peine achevé, Grandchamp fut le lieu d'élaboration d'un film fou, dont on peut regretter l'inachèvement et la disparition. Avec le jeune Jean-Paul Alphen à la caméra, on y découvrait une bien insolente histoire, digne du *Chien andalou* contemporain. Un curé, Nizan, bien entendu, y dressait à un jeune homme de bonne famille déjà perdu de débauches — Sartre — le tableau contrasté du Bien et du Mal. Là des bergères (Rirette, Simone de Beauvoir, Mme Berl n° 2), ici des aguicheuses en bas résille (les mêmes). Les aguicheuses finissaient par déchirer la chemise du bon jeune homme. Vision d'un scapulaire sur sa poitrine. Les mauvaises femmes tombaient à genoux, adoraient le vrai Dieu. On en resta là. La plus belle scène ne fut pas tournée : un soir, revenant d'une de ses orgies coutumières, Sartre rencontrait le Christ. « Vous avez du feu? » lui demandait-il, et le Christ de s'arracher le sacré-cœur enflammé de la poitrine pour le lui tendre... On vit simplement ce jour-là, sur la terrasse de Saint-Germain-en-Laye, Nizan, en soutane, serrant tendrement sa femme contre lui, sous les yeux ébahis des promeneurs honnêtes. Bref, on s'amusait bien, à Grandchamp.

Les mois, les années passant, les liens se distendirent, entre les amis d'étude surtout, dispersés ici et là en province. Comme dans le même temps la cellule s'élargit par la naissance de « Bonnette » (Anne-Marie, 19 juillet 1928) et de « Pat » (Patrick, 14 décembre 1930), la vie du couple Nizan se mit à ressembler à celle d'un jeune ménage français ordinaire. Tous les témoignages concordent pour dire que le dandy instable de 1925 avait su s'adapter sans difficulté au rythme, aux contraintes auxquelles un Sartre, par exemple, qui d'ailleurs ne rencontre l'objet aimé qu'en 1929, ne se pliera jamais. Désormais on verra M. Paul Nizan père écrire ses livres, imperturbable, au milieu des jeux-poursuites de ses enfants. On le verra, symétriquement, les traîner en péda-gogue conscient et organisé au Panthéon ou à Versailles (« Papa, s'il te plaît, plus de promenades culturelles! »)

Mais c'est le Nizan amant qui, surtout, se découvrit à lui-même. Les lettres d'amour de Rirette et de Paul-Yves qui nous sont parvenues ne laissent aucun doute sur l'intensité des sentiments qu'ils éprouvèrent l'un pour l'autre. Auprès de sa compagne, l'angoissé trouve une oasis de complicité, de confiance réciproque. « Je vais te retrouver. Je vais continuer à pouvoir vivre sans méfiance », lui a-t-il avoué dès le premier jour de leur union, « je peux avoir des rires de petit garçon près de toi sans recevoir sur le visage la tarte à la crème, le coup de poing, sans qu'on me retire les tapis sous mes pieds, comme dans les films comiques [93] ».

Il part à la découverte d'un être humain semblable et singulier. Sa hantise est de ne pas ressembler à ces humains qui « ne pensent pas à l'autre comme à un être difficile à pénétrer », à ces mâles dont la femme n'est que « le plus mobilier (des) biens [94] ». L'amour, « c'est un ouvrage qui exige trop de patience, de présence, de fins communes [95] » pour que

cet assoiffé d'absolu soit à tout instant certain de ne pas vivre
dans la duperie. Cet orgueilleux, cet anxieux est sans doute
comme le Bernard de *La Conspiration*, qui vit dans la douleur
et l'exaltation « ces nuits de patience où il sacrifiait au plaisir
de Catherine son plaisir même [96] ».

Qu'il tienne viscéralement à Rirette, on peut assez bien en
juger dans le quotidien de son amour par le ton de jalousie
humoristique, mais de jalousie tout de même, qu'il adoptait à
l'égard des hommes qui paraissaient s'approcher un peu trop
d'elle : « C'est un con et un contre-révolutionnaire », avait-il
l'habitude de lancer, mi-figue mi-raisin. Son attachement, il
le prouva par l'absurde, à l'été 1935, quand elle pensa qu'il
lui était infidèle. A l'issue de cette aventure mouvementée,
dont le troisième personnage était l'écrivain Simone Téry [97],
qui s'en inspirera immédiatement pour un roman, *Le Cœur
volé*, Rirette éprouvera la nécessité de mettre pour quelques
jours, sans avertir Paul-Yves, la Manche entre elle et lui. Le
résultat ne se fit pas attendre : cette séparation réduisit Nizan
à l'état d'un zombie blafard. Leur amour sortit grandi de
l'épreuve, comme on dit dans les romans-photos, qui ont
toujours raison :

« Je t'aime, je t'embrasse. Je sais que rien ne peut
remplacer nos secrets, nos complicités, notre amour. Ce n'est
pas si mal après plus de dix ans (...) Je n'ai pas d'habitudes.
Peut-être que j'ai cru en avoir avec toi. Mais c'était faux. A
dimanche [98]. »

Il y a des signes qui ne trompent pas. La sensualité des
lettres de guerre, pour le document brut, et surtout l'appro-
fondissement, l'épanouissement, d'un roman à l'autre, des
figures du couple. Antoine Bloyé et Marcelle, Albert et
Catherine, du *Cheval de Troie*, Catherine et Bernard, de *La
Conspiration*, en attendant Catherine et Laforgue, dans ce
« roman sur le bonheur » qu'allait être *La Soirée à Somosierra*. Dès le premier, l'austère militant communiste a été
jusqu'à écrire que « les seules entreprises humaines étaient
sans doute les accouplements nocturnes », que « ces aventures
de l'ombre entraînent des mouvements, des battements de
cœur autrement forts, autrement sanguins et chauds que les
cérémonies glaciales des repas, des promenades, des anniver-

saires, des leçons des enfants, des comptes de la semaine [99] »,
mais c'est encore pour se révolter contre des êtres humains
qui « n'en font rien, n'en tirent pas profit (...) Ils fuient la
véritable union comme des prêtres ». Cinq ans plus tard, dans
La Conspiration, Bernard et Catherine, même s'ils échouent
in extremis, devinent déjà le fin mot de l'histoire : l'amour est
« cette complicité de rire, d'érotisme, de secrets partagés, de
passé et d'espoir, cette union pareille à un inceste permis [100] ».
On laissera aux psychanalystes, amateurs ou professionnels,
le soin de gloser sur l'avant-dernier mot et de rappeler que le
premier texte littéraire de Nizan racontait l'amour d'un
adolescent pour une femme mûre, et, pour les combler, on
partira pour la Grèce se ressourcer en mythologie.

S'il y a en effet une vérité du plaisir nichée quelque part
chez Nizan, elle n'est sans doute jamais plus explicite que
dans cette sorte de roman dans le roman qu'est, au sein de *La
Conspiration*, le Voyage à Naxos. Le romancier s'y attarde à
raconter cette grande parenthèse lumineuse qu'avait été, dans
la vie de Bernard Rosenthal, en 1925, sa découverte de la
Grèce, son séjour, quelques mois, sur l'île de Naxos, l'île
de l'abandon d'Ariane, auprès de Marie-Anne, sa sœur
(certes...)

Nizan y suit de près une réalité, celle d'un identique
voyage, daté d'août 1931, à cette différence près, considérable,
que la compagne n'y était pas inaccessible par tabou, mais bel
et bien sa femme. Sans se l'avouer, ils font là en quelque sorte
leur voyage de noces, avec trois ans de retard, juste après la
sortie du premier livre, *Aden Arabie*, juste avant l'entrée dans
la vie professionnelle. Ils ont choisi Naxos, un peu sur les
souvenirs d'école, beaucoup sur les conseils de l'ami Jacques
Prévert, qui y a séjourné un an auparavant.

Tout le voyage serait à décrypter comme lieu de dévoile-
ment de Nizan-Bernard à lui-même. On y voit sans surprise
un normalien très réticent en face des « sépulcres blanchis »
de la culture officielle, mais qu'émerveillent le baroque des
rues populaires, le bric à brac byzantin du Musée national. Il
finira, sur le tard, par accepter quelques fragments du passé
classique, mais seulement parce qu'elles lui parlent en termes
de volupté, ces « vierges de l'Acropole dont personne n'oublie

jamais ni le sourire ni les plis de la tunique sur les seins [101] ».

Au large, c'est l'enchantement. Les sirènes achèvent de captiver le Breton déguisé en Germanopratin. A Syra, il rêve de se perdre dans les lumières qui partent à l'assaut des collines, et se promet de revenir un jour. A Naxos, où leur hôte s'appelle, comme il se doit, Dionysos, il s'abandonne à ce paysage lumineux et clos, montagnes de marbre, villages immaculés, jardins vert sombre, couple chromatique du cyprès et de l'olivier. Il écoute des récits de chasse à la palombe, s'attarde aux banquets sous les arbres, près de la mer, aime Rirette. En un mot :

« Il existe pour chaque homme un lieu où il imagine l'amour : pour Bernard [pour Nizan], depuis 1925 [depuis 1931], c'était les îles grecques [102] ».

Bien sûr, l'esprit critique, le regard de l'auteur qui prépare déjà son pamphlet le plus partisan, *Les Chiens de garde,* ne peut ignorer la dégénérescence de la bourgoisie naxienne, la misère des banlieues d'Athènes, « l'insolence des cadets, les enfants ophtalmiques et les trop belles bourgeoises smyrniotes [103] ».

Mais on comprend mieux, à la lumière des îles, quel rapport complexe pouvait entretenir avec l'« exotisme », par-delà toutes les ruptures verbales, ce voyageur d'Aden qu'on retrouvera voyageur de Samarkand, et qu'un homme capable de tels abandons sensuels ait été sensiblement différent du personnage ténébreux et tourmenté peint par Sartre dans son *Avant-Propos.* Rirette tiendra toujours à souligner que le Paul-Yves qu'elle connut était, à de rares exceptions près, celui-là et non pas celui-ci.

« Paul-Yves avait pour le bonheur de grandes dispositions. Il était grave, certes, mais gai et plein d'humour. Dans la vie de tous les jours, c'était l'être le moins pesant que j'ai connu [104] ».

Résumons-nous

Il était une fois un enfant sans père : il fit une fugue comme le père, un peu plus loin, c'est tout; un enfant sans mère : il rêva d'amours maternelles. Il écrivait des poèmes, se prêtait à droite et à gauche et s'exerçait au scepticisme, sans y par-

venir. A la fin, il se mit à boire seul et nuitamment. Ça ne
pouvait plus durer. L'Asie fut, comme il se doit depuis
Pythagore et Apollonios, la grande initiatrice: sous son fard, il
reconnut l'Europe. Sitôt revenu dans la maison natale, il
s'imposa le plus grand nombre possible de rites de passage. Ce
furent, pêle-mêle, la renonciation à la poésie (son dernier
texte est daté d'octobre 1927; Rirette, qui pouvait maintenant
lui dire « tu », lui en dit le plus grand mal), la renonciation au
commerce, l'enfantement, le mariage, l'adhésion au parti
communiste, l'agrégation de philosophie, le service militaire,
pour lequel un sursis courait depuis 1924. Sans oublier
l'appendicite compliquée de septicémie de la Noël 1927, où il
faillit mourir, l'un de ces coups au physique « qui jouent
décidément chez les Blancs du XX° siècle le rôle des circon-
cisions chez les nègres [105] ». En se réveillant sur son lit
d'hôpital, il pensera sans doute, comme Laforgue, qu'« il
n'avait plus une seconde à perdre pour exister rageusement; le
grand jeu des tentatives avortées avait pris fin [106] ».

A cette existence « rageuse » deux petits os seront d'abord
donnés à ronger. Un an d'armée (octobre 1929-octobre 1930),
comme secrétaire du colonel, à la caserne de Clignancourt
(21 ° régiment d'infanterie coloniale), pour mieux connaître
l'ennemi; quelques mois de vie éditoriale auprès d'un mécène
libéral, pour mieux s'ébrouer dans l'écriture.

De la première expérience, il gardera assez d'images pour
nourrir tout un chapitre de *La Conspiration*; on y voit
le jeune bourgeois Simon se faire pincer au moment où il est
en train de copier des documents vaguement « confidentiels »
sur la défense de Paris. Nizan, qui eut la même tentation, ne
franchit jamais le pas. Il se contenta de narguer l'institution
en se livrant à des amours conjugales, mais acrobatiques, dans
les placards du Val-de-Grâce, ce qui pouvait toujours passer
pour une manifestation de la fièvre psychosomatique qui l'y
avait fait admettre d'urgence. Pour le reste, il ne se laissa aller
qu'à des sentiments très ordinaires, au premier rang desquels le plus profond mépris pour les sous-officiers de la
Coloniale.

De la seconde expérience subsistent des vestiges plus
tangibles encore, deux numéros précieux recherchés des
collectionneurs, d'une revue éphémère et luxueuse, intitulée

Bifur. Avez-vous remarqué? Si l'on compulse attentivement
de longues collections de revues déjà anciennes, il n'y a
presque jamais de milieu : ou bien, et c'est le cas le plus
fréquent, vous avez sous les yeux un alignement plat de textes
dont le seul intérêt, vingt, cinquante ans après, est de
constituer autant de documentaires sur une époque, une mine
à statistiques culturelles, tout au plus un fonds « rétro », ou
bien vous inventez un trésor, une publication où presque tout
tient encore debout, où la seule lecture du sommaire sonne
comme une anthologie. *Bifur* fait partie de cette seconde
espèce.

Les Editions du Carrefour, fondées par un étrange mécène
désargenté, Pierre-Gaspard Lévy, éditeront Max Ernst,
Michaux, Ribemont-Dessaignes. Chaque numéro de *Bifur* —
il n'y en aura que huit, datés de mai 1929 à juin 1931 — est
un festival, où Joyce côtoie Varèse, Buster Keaton, Michel
Leiris. Nizan fait la connaissance de Lévy grâce à des amis
communs, à l'époque où celui-ci sent l'animateur initial,
Nino Frank, plus poète que gestionnaire, prêt à quitter un
navire étincelant mais qui, financièrement, fait eau de toutes
parts. Nizan assume largement la responsabilité du numéro 7
(achevé d'imprimer : 10 décembre 1930), où paraît le
premier texte d'un certain Jacques Prévert, trente ans, qui
déclare « écrire en mauvais français pour les mauvais
Français ». Il y publie aussi son premier essai de philosophe
révolté, sous le titre de *Notes. Programme pour la philosophie.*
    Le huitième, tardif (10 juin 1931) et dernier numéro est
entièrement de son cru. Au sommaire : Eugène Dabit,
Georges Friedmann, Nazim Hikmet, Jean Giono — et, une
dernière fois, Jean-Paul Sartre, pour un extrait de son
premier livre achevé, *La Légende de la Vérité,* que Nizan
essaye, en vain, de faire éditer [107]. Le nouveau conseiller des
Editions du Carrefour avait la charge de présenter les auteurs.
De Sartre, il écrit, dans ce style faussement glacé qui fera
désormais si souvent mouche : « Jeune philosophe. Prépare
un volume de philosophie destructrice ».
    Quelques lignes plus loin, il présente au public français,
dans une traduction d'Alexandre Koyré, un inconnu :

« Un des philosophes les plus importants de l'Allemagne. A fondé la philosophie du néant. On raconte qu'il en eut la révélation grâce à la pratique du ski ».

Le skieur inconnu s'appelait Martin Heidegger. Son texte, un extrait de *Was ist Metaphysik,* qui avait séduit Nizan, passa inaperçu auprès de tous les autres, à commencer par Sartre et Simone de Beauvoir qui avoueront par la suite n'y avoir rien compris [108].

Le Nizan de *Bifur* tient d'une poigne ferme les rênes de l'attelage. D'un côté il veut donner à la revue « une tendance documentaire de plus en plus marquée [109] », d'un autre il publie Max Ernst. Il avoue même à un journaliste ami :

« Le surnaturel joue un rôle dans mes rêves de la nuit et dans ce qu'il me faut bien nommer la poésie. Je le rencontre à tous les coins de rue. Il n'est peut-être que ma plus profonde vérité, celle de ce double irrationnel par qui je touche parfois un monde dont les idées ne savent presque rien [110] ».

Ainsi sa vie allait-elle être construite autour des deux axes dont ces deux expériences étaient comme le brouillon : un travail militant de longue haleine, fondé sur un refus radical des institutions bourgeoises; le plaisir du texte.

Il a vingt-cinq ans. Il ne laissera personne dire que c'était le plus bel âge de la vie. Soit. Mais il n'a laissé à personne d'autre le soin d'en faire l'âge le plus intense. Il a vingt-cinq ans. Il était temps.

3.

Misère de la philosophie

> « Je resterai seul avec ce ciel vide
> au-dessus de ma tête, puisque je
> n'ai pas d'autre manière d'être
> avec tous. Il y a cette guerre à faire
> et je la ferai. »
>
> *(Le Diable et le Bon Dieu)*

Voici un révolté furieux. Son premier texte public, après trois années de silence, est un cri de haine contre le Système :

« Je tiens cet ordre pour le désordre même. Il est au-dessous de la dignité de la critique intellectuelle [1]. »

Il ne pensera pas toujours qu'il est au-dessous de la dignité d'une critique; c'est qu'il met encore sa dignité trop haut, et on lui connaîtra d'innombrables arpèges sur le thème d'un monde irrespirable, couvert de Bourses, d'églises et de casernes. Mais les commentateurs, séduits par la vigueur des formules, n'ont pas toujours prêté assez attention au symétrique positif qui finissait toujours par y poindre. Ainsi dans le texte ci-dessus, qui se poursuivait par :

« Mais je crois à un ordre véritablement humain où les hommes vivent comme des hommes et non comme des fantômes humiliés. »

Ce qu'au plus fort de sa période sectaire il définira encore avec une juvénilité anarchiste : « Respirer, dormir, avoir chaud l'hiver, aimer les femmes qu'ils aiment, marcher où ils veulent, travailler, créer, être en paix [2]. »

Un jeune ingrat

Cela est bel et bon; compte la signature. Cette exaltation est signée d'un homme de métier, et son matériau n'est pas l'homme mais l'idée. Les jeunes romanciers commencent ordinairement par une autobiographie romancée, qu'a de mieux à faire un jeune philosophe, si ce n'est de régler son compte à la philosophie? Son âge et l'âge environnant lui paraissent mûrs. Il s'agit maintenant de « donner à la colère des répondants philosophiques [3] ».

Les têtes de Turc sont à portée de la main : tous les officiels de la culture tertio-républicaine. Charles Seignobos, vivant témoignage de la « faiblesse théorique et de l'optimisme sénile de la science historique bourgeoise [4] », Alain, philosophe « des douzièmes provisoires [5] », Bergson même, qu'il songe d'abord à épargner, en compagnie de Blondel et de Goblot, mais dont la pensée n'est bientôt plus que celle « des porteurs de dividendes [6] ». La doctrine de la vie intérieure aura désormais, et jusqu'à la fin, le don de le mettre en rage. En 1929, ce n'est qu'un bavardage creux, une rhétorique du mouvement, truffée d'incantations magiques. « Le spiritisme est à la porte [7]. » En attendant, elle symbolise parfaitement le recroquevillement naturel au bourgeois. En 1938, elle est toujours « la forme la plus sordide des activités de l'esprit [8] ».

La sociologie n'est pas mieux traitée. Durkheim est même beaucoup plus dangereux que Bergson, dans la mesure où il fait plus neuf, qu'il est au pouvoir et parce que « ce mouvement qui se disait scientifique s'est développé comme une religion [9] ». Un texte inédit, retrouvé dans les archives de Rirette, précise la polémique :

« Nous nous proposons une éthique du combat. Durkheim cherchait une éthique de la collaboration — et de l'harmonie : la paix dans un ordre moral toujours rectifiable sans combat. Il fonde une pareille éthique sur la division du travail entendue formellement, en dehors de l'économie et de qualifications concrètes. (...) Les oppositions de classes lui semblent des maux de l'engendrement de l'harmonie. La société même où se font jour ces oppositions n'est pas mise en question. Il se trouve que son problème est posé dans une société à dominantes économiques, mais il ne va pas au fond des oppositions de classes [10]. »

A l'étage au-dessous, les prébendés ordinaires de la philosophie ne sont plus guère justiciables d'une réfutation. Il suffit que le prolétariat se dresse à l'horizon pour que ces pantins sombrent dans le dérisoire :

« M. Brun, M. Marcel, M. Wahl marchent derrière des

nuages comme des dieux, et encore comme des seiches [11]. »

La Revue de Métaphysique et de Morale, les assemblées annuelles « pour décider des progrès que l'Esprit a faits dans une année et ceux qui lui restent à faire [12] » vous ont alors de ces airs bouffons qui n'ont d'égal que le masque usurpé « de médecin ou de prêtre sauvant à chaque instant le monde par la vertu de ses maux de tête [13] ». Qu'on se le dise : on aura affaire à un praticien ingrat.

Mais un iconoclaste n'est pas un athée. Bien au contraire, c'est communément un intégriste. Quand Nizan se sera bien échiné à casser les idoles, ce sera pour conclure que la philosophie existe, qu'il l'a rencontrée, simplement que ce n'est pas « un luxe de professeur, un exercice spirituel, mais un travail sur le plus pressant des problèmes [14] », où l'on peut reconnaître la mort et, à défaut, la révolution. Ainsi en est-il de son attitude à l'égard des deux tartes à la crème du pouvoir intellectuel établi vers cette époque-là, la « culture » et l' « humanisme ».

On lui connaît des mots cruels sur l'une et l'autre, la première surtout, qui a le ventre plus mou :

« Racine, Botticelli, Maurice Scève, la princesse Bibesco font appel aux plus mauvais instincts du prolétariat, au même titre que les vitrines de chez Worth, les bas de soie 44 fin et l'Académie des Gastronomes dont M. Tardieu fait partie [15]. »

Mais ce ne sont pas des mots définitifs, ni même complets. Quand il avance, en contradiction avec sa future étude sur *Les matérialistes de l'Antiquité,* qu' « aujourd'hui Lucrèce est aussi corrupteur qu'Apollonios de Rhodes, que Watteau », tout est dans l' « aujourd'hui ». Ce n'est pas pour rien qu'il se proclamera bientôt « temporel jusqu'aux os [16] ».

On aurait tort de voir dans ces principes la preuve d'une sorte de masochisme intellectuel. Une phrase de son premier texte de fureur philosophique est assez claire là-dessus :

« Sous prétexte que je lisais seul des livres en comprenant plus facilement qu'un ajusteur le divertissement pascalien et le règne des Volontés raisonnantes, je ne me prenais pas pour un homme anonyme [17]. »

Nizan n'est pas un cultivé honteux, qui bat sa coulpe : c'est un enfant trompé qui se refuse à l'être plus longtemps, en assortissant sa rupture de quelques attendus blessants. Il ne se met pas en posture de croyant à qui la Révélation a fait un corps de lumière :

« Nous, nous ignorons les masques, nous voyons notre bassesse, notre indigence et l'essence de notre malheur [18]. »

Le Nizan philosophe, qui est pour l'essentiel le Nizan 29-32, conclut toujours sur la haine inexpiable, l'éloge du fanatisme, mais sa conclusion se prononce :

« L'homme attend l'homme, c'est même sa seule occupation intelligente [19]. »

Il se gausse de la mentalité de confessionnal, mais c'est pour mieux énoncer :

« Ce que dit Karl Marx dans *Le Manifeste,* si ce livre est bien lu : l'homme est amour, et il est empêché d'aimer [20]. »

Quand il a l'occasion de prendre la parole devant le plus vaste public d'intellectuels jamais vu en France, au Congrès international des écrivains de juin 1935 [21], c'est de *L'huma-nisme* qu'il choisit de parler. Ni pour faire amende honorable, ni pour conclure à l'antihumanisme, même théorique. Mais pour choisir dans la galerie d'ancêtres. La famille de Nizan est celle d'Épicure, de Spinoza et de Diderot, leur humanisme est fait « de colère, d'impatience et de communion ».

Histoire d'un soviet

Subsiste un dernier point. Comment réaliser sans plus tarder la synthèse de la colère, de l'impatience et de la communion? Que faire, quand on est philosophe et révolté? C'est bien facile : on crée une revue.

C'est une idée de vingt ans, plus que de cinquante. Il y a aussi des temps qui y sont plus propices que d'autres. Le siècle avait une vingtaine d'années lui aussi; il sentait l'après-guerre, et les lendemains de massacre sont favorables aux créations violentes et philosophiques. Jacques Rivière venait de mourir; la *NRF* s'installait dans le noble. C'était le point oméga, un lieu provisoirement inaccessible où se mouvaient des entités nommées André Gide ou Paul Valéry. Mais aussi on ne pouvait pas se contenter des revues d'université; pas question de blanchir si jeune. Les poètes, les pas-normaliens, les dilettantes, les provinciaux, les engagés de la première heure fondaient des revues rutilantes : *Littérature, La Révolution surréaliste, Clarté* bientôt, *Le Grand Jeu* ou *Bifur.* Des diplômés subversifs ne pouvaient pas faire moins.

Quand Nizan, vers le début de 1928, après plusieurs mois de convalescence physique et de lectures marxistes variées, se jugea bon pour le service militant, il rencontra sur sa route un petit groupe de pairs, tous philosophes et souvent normaliens, qui arrivaient sur les mêmes positions théoriques que lui, mais au travers d'expériences moins exotiques et tragiques que les siennes plus intellectuelles et plus concrètes à la fois.

L'histoire remontait déjà loin. Le groupe avait commencé de se cristalliser au début de 1924. Son âme à l'époque était un grand blondasse d'une vingtaine d'années, Pierre Morhange. Plus poète qu'idéologue, il essayait de combiner ses aspirations contradictoires mais également totalisantes dans un mysticisme inquiet et déclamatoire qui fleurait bon sa guerre mondiale. Son objectif : « le trust de la foi ». Son moyen, pour commencer : une revue, *Philosophies,* et une chapelle d'apôtres, parmi lesquels, détail non négligeable, le fils aimable d'un banquier prêt à subventionner, avec modération, les lubies philosophiques de son rejeton, plus flatteuses, à tout prendre, que le débauchage des petites femmes du Bal nègre.

Le fils du banquier s'appelait Georges Friedmann, brave jeune homme de bonne famille, élégant et mesuré, pénétré de l'ambition de bien faire. A ses côtés brillaient deux personnalités contrastées : Georges Politzer, vingt et un ans, réfugié de Hongrie où il avait miraculeusement échappé à la terreur blanche de 1919, porte déjà le masque saisissant — yeux bleu clair et toison rousse — du saint terrible et fanatique qu'il deviendra le jour où la Révélation fondra sur lui. En 1924, il se contente de proclamer sur le registre morhangien la nécessité d'une « dictature spirituelle ». Henri Lefebvre à dix-neuf ans est le benjamin (un de plus de la génération 1905). Il est inventif et un peu brouillon. Entre les deux circule le petit Norbert Guterman, souriant et nonchalant, plus tourné vers la consommation gourmande des idées que vers leur commerce suivi.

Le groupe n'a pas encore de position philosophique bien

définie. Il s'agit d' « être avec plénitude », de penser en actes,
de défendre tout à la fois « l'ESPRIT, le MYSTICISME et la
LIBERTÉ » (les majuscules comprises [22]). Mais d'abord, très
immédiatement, de s'affirmer contre la philosophie officielle, la culbute bleu-horizon et, en généralisant quelque
peu, l'Europe décadente :

« Si l'Europe est pourrie et indigne de vivre, qu'elle finisse
de mourir, peu importe. (...) Réveille-toi jeunesse! » proclame
calmement John Brown, pseudonyme de Pierre Morhange,
dès septembre 1924.

L'exemple tutélaire de Dada et du surréalisme pousse
d'abord à de paisibles provocations, moins cruelles que celles
des grands, car on est entre gens qui pensent. D'un côté
Morhange, Politzer et Lefebvre tiennent au Théâtre de l'Ate-
lier une conférence sur ou plutôt contre le penseur nationaliste Henri Massis, en annonçant « l'ouverture de son
testament », d'un autre, on accepte qu'en 1926 la Déclaration
des droits de l'Esprit de Lefebvre soit lue en Sorbonne dans le
cadre très orthodoxe de la Société des Amis de ladite. Un jour
de 1925, on se voit couper les vivres friedmanniens à la suite
d'une prise de position malséante en faveur des Marocains
révoltés du Rif, un an plus tard on ressort sous un nouveau
titre, *L'Esprit*, avec le même financement.
La solution de continuité a été mise à profit par la secte
pour expérimenter un premier rapprochement avec le
fascinant parti communiste. Comme il n'était pas encore
question d'aller jusqu'à l'adhésion, l'affaire n'avait pris la
forme que d'une fusion avec la revue la plus intellectuelle et la
moins officielle du mouvement, *Clarté*, animée par Henri
Barbusse. Une réunion commune, en juin 1925, avait précédé
une signature conjointe du manifeste en faveur d'Abd el
Krim. A la rentrée d'octobre, *Philosophies* se retrouvait aux
côtés de *Clarté*, du petit groupe belge de la revue *Correspon-*
dance (Camille Goemans et Paul Nougé) et du prestigieux groupe surréaliste pour appeler, dans un texte très
bretonien, à *La révolution d'abord et toujours*. Ladite
révolution commençait, bien entendu, par la création d'une
nouvelle revue, pour laquelle *Clarté* accepta de se saborder
sans attendre : *La Guerre civile*. Mis au pied du mur, les

zélotes faiblirent. Ils mandatèrent Lefebvre à la réunion ultime pour poser en leur nom une condition qu'ils savaient à l'avance inacceptable : la préservation théorique des intérêts de l'Éternel. Éclat de rire, grosses colères : *Philosophies* se retrouva seul, à la rue, et content de l'être. La suite des événements lui donna raison : les surréalistes, à leur façon, furent pris du même souci de préserver leur autonomie. *La Guerre civile* ne vit jamais le jour et *Clarté* reparut, morose.

De cette occasion manquée, les morhangiens eurent du mal à se remettre. Les trois années qui suivirent furent surtout l'histoire d'initiations philosophiques et révolutionnaires successivement abandonnées. Le groupe reproduisait en manière collective les essais et avatars de Nizan entre sa dix-huitième et sa vingt-deuxième année. A cette différence près que depuis la fin de 1926 celui-ci a trouvé sa voie, alors qu'en 1928 ceux-là la cherchent encore. La bande des quatre indéfectibles a ainsi tour à tour participé à une demi-douzaine d'opérations intellectuelles de style varié : la sortie d'une « collection de philosophie et de mystique », dirigées par Morhange, où ne paraîtra guère qu'une traduction de Schelling par Politzer, préfacée par Lefebvre; la formation d'une nouvelle revue, *L'Esprit*, qui de mai 1926 à janvier 1927 ne connaîtra en tout et pour tout que deux numéros; la signature d'un manifeste pacifiste et antimilitariste patronné par Romain Rolland — de ces textes peu compromettants auxquels Nizan, on l'a vu, fera allusion par la suite avec quelque ironie; et surtout deux rêveries d'action, plus mirobolantes.

La première se serait située en 1926. Lefebvre propose à ses camarades de mettre au service de la subversion révolutionnaire les quelques mois de service militaire que la société bourgeoise, aveuglément, offre à ses rejetons. Caches d'armes? Espionnage? Morhange opterait plutôt pour la désertion, en direction de la Suisse. Une thurne de la rue d'Ulm verra une discussion passionnée, qui conclura au rejet du projet, comme « gauchiste ». Quelques mois plus tard, Lefebvre se retrouve battant la campagne en compagnie de Friedmann, à la recherche d'un site où implanter une sorte d'abbaye de Thélème contemporaine et franchement révolutionnaire. Ce monastère rouge pourrait servir de terre d'asile aux grands persécutés, à commencer par Trotsky, qui commence à l'époque sa vie de Juif errant.

L'utopie fut sur le point de se concrétiser. Des pourparlers furent engagés avec un notaire de Vannes pour l'achat d'une île dans le golfe du Morbihan. Au dernier moment Georges Friedmann, sur l'argent duquel, une fois de plus, on comptait, recula. Il était dit pourtant qu'il le perdrait un jour. Mais ce ne fut pas, cette fois, sans un finale brillant, en public, avec une troupe élargie.

La dizaine de mois qui, en 1928, suivirent l'engloutissement de Thélème allait en effet être celle du passage aux premières grandes réalisations. C'est alors que Nizan, jusquelà observateur distant, entra résolument dans le groupe pour y faire ses premières armes polémiques. Les premiers contacts avaient été pris lors de son précédent fleurt avec le parti communiste, pendant le premier semestre 1926. Sans doute est-ce à cette période initiale que Lefebvre fera allusion plus tard, dans le texte de 1947 où il étayera chafouinement de souvenirs confus l'hypothèse d'un Nizan-flic. Mais il est trop sur le qui-vive pour participer directement à la rédaction de *L'Esprit,* dont le second numéro paraît d'ailleurs pendant son séjour à Aden. Une phrase, au détour d'une lettre de Djibouti datée de janvier 1927, confirme tout à la fois sa familiarité avec le groupe et ses réticences :

« Peut-être y a-t-il des conciliations. C'est l'opinion de mon ami Friedmann et généralement de *L'Esprit* : ils la placent dans la mystique bolcheviste. Cette direction est belle : c'est une de mes directions [23]. »

Quand, à son retour, il se plonge dans la lecture attentive de la vulgate marxiste, il rattrape en quelques enjambées son retard sur eux, et les dépasse même, en adhérant au Parti avant tout le monde. Tous y viendront, en quelques mois, de 1928 et 1929. Par un paradoxe classique, ce fut le plus hétérodoxe de tous, Morhange, qui suivit le premier l'exemple de Nizan, et Politzer qui y sera, d'abord, le plus réfractaire.

Puisque désormais le marxisme n'est plus un des possibles

mais le point de ralliement théorique obligé, il n'y a plus d'obstacle à ce que la future revue — puisque revue il ne saurait manquer d'y avoir — s'appelle *Revue marxiste*. On va même faire mieux, et feu de tout bois. C'est une véritable petite centrale éditoriale marxiste dont les plans vont être adoptés, fin 1928, dans l'enthousiasme des lendemains qui chantent. L'ensemble va s'intituler « Les Revues », sis 47, rue Monsieur-le-Prince, où s'ouvre une Librairie marxiste. Le pluriel s'impose, en effet : on en prévoit trois. Morhange médite *Le Mauvais Temps*, revue politique et poétique selon son humeur. Politzer, qui vient de faire paraître en 1928 le premier tome de sa *Critique des fondements de la psychologie*, reçoit en apanage une *Revue de Psychologie concrète*, enfin toute l'équipe est conviée à retrousser ses manches pour animer sans plus tarder *La Revue marxiste* proprement dite, de périodicité mensuelle. Lefebvre, considéré comme trop compromis dans l'affaire Thélème, se juge mis à l'écart. Il en ressentira quelque amertume, qui explosera contre Nizan vingt ans plus tard.

Dans l'immédiat la centrale publie un brûlot philosophique, *La fin d'une parade philosophique : le bergsonisme*, en annonce d'autres. L'auteur de ce premier coup de pied dans la fourmilière dont *Les Chiens de garde*, trois ans plus tard, sera en quelque sorte le piétinement généralisé, est un certain « François Arouet » derrière lequel cherche à peine à se cacher Politzer. Au-delà, la rue Monsieur-le-Prince annonce à coups de trompe la sortie d'une Collection matérialiste, explicitement mise en parallèle avec l'entreprise encyclopédique des Lumières. Le pseudonyme de Politzer s'éclaire : les nouveaux philosophes du prolétariat montant, les Voltaire, Rousseau et Diderot des temps futurs se recruteront dans le voisinage de ladite collection, qui se donne d'ailleurs pour tâche de publier tout à la fois des éditions populaires de grands matérialistes anciens, de Hobbes à d'Holbach, et « des études et essais d'Asmus, Deborine, Mesnil (Guterman), Moncey, Morhange, Nizan, Politzer, etc. ».

A la rentrée d'automne 1929, la centrale fermait ses portes. *Le Mauvais Temps*, la Collection matérialiste ne virent jamais le jour. *La Revue de Psychologie concrète* ne connut

que deux numéros. Elle avait cru habile de ne pas afficher
tout de suite ses couleurs : « Aucune tendance n'est affiliée à la
revue », proclamait Politzer dans le numéro un. Il ne fallut
pas beaucoup de temps à l'Établissement psychologique pour
reconnaître dans son projet d'« élimination de la forme
mythologique et pseudo-scientifique » de la psychologie le
cheval de Troie d'une psychologie marxiste encore balbu-
tiante. La revue des Jésuites, *Les Études,* n'hésita pas à
qualifier cette tentative de « bolcheviste ». Dès le second
numéro, Politzer cassait le morceau : la psychologie concrète
serait matérialiste ou ne serait pas. On peut regretter
aujourd'hui que l'occasion ne lui ait pas été donnée de
poursuivre le travail de critique collective du behaviorisme et
de la psychanalyse qu'il y annonçait.

Dans ses naïvetés mêmes, la *Revue de Psychologie concrète*
révélait le propos fondamental du groupe tout entier : poser
les bases d'une contre-institution philosophique, vraie manu-
facture du matérialisme moderne, au moment où les premières éditions « intégrales » des œuvres de Marx et de Lénine
commençaient à paraître, à un rythme de sénateur. *La Revue
marxiste* elle-même, qui portait en exergue la phrase de
Lénine : « Sans théorie révolutionnaire, pas de mouvement
révolutionnaire », devenue d'ailleurs en juin « pas d'action
révolutionnaire », trouva le temps de publier, dans cette ligne,
quelques traductions françaises d'inédits des grands maîtres.
Elle y ajoutait un programme ambitieux de pédagogie
marxiste, s'étendant de l'analyse des « lois économiques » à
celle, plus modeste, de la presse soviétique. Nizan y donnera
dans cet esprit de lecture critique du monde contemporain
un long article sur *La rationalisation,* son premier texte
marxiste, comme un premier défi au monde du père.

Le pire aurait été de ne pas être remarqué. La revue lança
donc une enquête auprès des célébrités les plus diverses, sur le
thème : « Quelles sont vos objections contre le communisme? » Ainsi le nom de Nizan peut-il avoisiner celui de Jean
Cocteau ou de Clément Vautel. Le travail de provocation était
en bonne voie. Déjà *La Bibliographie de la France,* fait
exceptionnel, refusait d'insérer la publicité du premier

numéro. Un contre-pouvoir allait-il naître? Une martingale foireuse s'en mêla, et tout fut consommé.

Ici se place en effet l'un des épisodes les plus rocambolesques de l'histoire intellectuelle française de l'entre-deux-guerres. Au printemps 1929, les premiers besoins d'argent se firent sentir. Rien encore de vertigineux, mais la courbe pouvait inquiéter. Pierre Morhange sortit en beauté : conseillé par un mystérieux personnage qui se présentait comme agent à Paris du Komintern, il convainquit ses camarades d'aller risquer la grosse somme... au casino de Monte-Carlo. Comme il se doit, il perdit tout.

La proposition de Morhange et son acceptation, si énormes soient-elles, sont encore en l'affaire ce qu'il y a de plus certain. Il semble cependant qu'il y ait eu des ramifications plus complexes. Lefebvre, exclu du Parti et versant d'une obsession dans l'autre, supposera, en 1957, une intervention du Parti lui-même ou de Moscou : le tentateur de Morhange n'était-il qu'un escroc? N'avait-il pas été effectivement téléguidé pour torpiller une tentative dangereuse pour l'organisation, compte tenu de son indépendance financière initiale? Les arguments qu'il avance, tous au conditionnel, paraissent aujourd'hui peu convaincants. Ils supposent, surtout, un danger d'autonomie dont *La Revue marxiste* était loin de présenter les premiers signes.

La seule pièce que les archives Nizan versent au dossier est une lettre de Politzer, en date du 29 août 1929. On y discerne la constitution d'un front des orthodoxes, constitué par les deux correspondants, Lefebvre et le représentant officiel du Parti à la rédaction, Charles Rappoport, membre du Comité directeur. Les deux victimes de la révolution de palais proposée par Politzer sont nommément désignées pour être Morhange et Guterman — ce dernier est secrétaire de rédaction de la revue —, qualifiés de « dictateurs » irresponsables et quelque peu oppositionnels, non? Un troisième nom est prononcé, celui d'un certain Weitling, qui est peut-être l'œil de Moscou dont parlait Lefebvre. La conclusion de Politzer annonce déjà l'homme de foi qu'il est en train de devenir : « Nous qui sommes inexpérimentés comme militants et comme théoriciens, nous devons faire confiance au

Parti. » Si l'équipe n'exclut pas le trio, le Parti risque de s'en
mêler, et « c'est l'exclusion pour tous [24] ». Ce ne fut l'exclusion
que pour Morhange, le seul vraiment compromis. Mais ce fut
le sabordage pour tous.

L'aventure n'avait pas été inféconde. Moins il est vrai d'un
point de vue strictement marxiste que franchement personnel. En disparaissant après six mois d'existence, à la veille de
la formidable crise économique qui aurait à elle seule justifié
sa présence, la revue échouait à constituer le point d'ancrage
permanent de la nouvelle philosophie. Il n'est pas certain
qu'on ait, depuis, fait beaucoup mieux. Mais elle servit de
révélateur à chacun de ses équipiers. Morhange s'y était
montré fort médiocre meneur d'hommes. On le retrouva
poète. Traducteur, avec Guterman, de poèmes d'ouvriers
américains, il figurera, dans une obscurité relative, parmi les
auteurs publiés par Gallimard et Seghers [25]. Son dernier
recueil s'intitule *Autocritique*. Seuls les initiés pouvaient se
rappeler, en le lisant, que l'auteur de ces textes courts, vifs et
abscons avait été un quart de siècle plus tôt l'un des apprentis
mages de la jeunesse intellectuelle française. *« O jeunes
pardonnez-moi Avec vous j'ai passé Sur le pont social De la
raison et du combat Mon cœur je l'ai caché. »*
Georges Friedmann se crut lui aussi une âme lyrique. En
1931, la NRF lui fit l'honneur d'éditer une série de proses
poétiques datées de 1927, inspirée par la ville de Marseille [26],
ouvrage auquel la liste Otto, sous l'Occupation, fit l'honneur
plus grand encore de l'interdire. Conscient d'être à priori le
mieux placé pour témoigner sur la bourgeoisie décadente, il
aura l'ambition d'être le grand romancier marxiste que la
France attendait. Cela donnera, en 1930 et 1932, les deux
volumes de *Jacques Aron* [27]. Devenu entre-temps critique
littéraire du quotidien communiste, Nizan jugera avec
sévérité la tentative. Il ne fut pas le seul, et l'œuvre
romanesque friedmannienne s'arrêta là. Son tempérament
positif et observateur trouva dans l'analyse de la société
industrielle d'autres objets où s'investir.

La plupart des tâches que s'assignèrent les rescapés furent
plus efficaces, et plus fidèles au programme de 1928. Elles

consistèrent en la traduction d'un certain nombre de textes
marxistes et « progressistes ». Morhange trouva dans le
mysticisme sans Dieu de Boris Pilniak une littérature sœur,
mais il traduisit aussi, en 1936, les *Lettres de Lénine à sa
famille*. Guterman dispersa ses talents entre la littérature
russe, allemande et américaine (il fut le traducteur de
42ᵉ Parallèle, de Dos Passos) mais on le retrouva surtout aux
côtés de Lefebvre supervisant les anthologies Gallimard de
Marx (1934) et de *Hegel* (1938), ainsi que la première édition
française des *Cahiers sur la dialectique de Hegel*, de Lénine
(1938).

Les deux amis tenteront de pousser plus loin leur contribution militante, en mettant sur le métier un programme
ambitieux de *Cinq essais de philosophie matérialiste*, respectivement consacrés à *La conscience mystifiée*, *La conscience
privée*, *La critique de la vie quotidienne*, *La science des
idéologies* et *Matérialisme et culture*. Seul le premier, écrit
pendant l'hiver 1933-1934, verra le jour. Postérieur aux
essais de Nizan, il part comme eux à l'assaut du « temps des
mystifications générales », armé du « dépassement matérialiste de la philosophie : le marxisme ». Le retournement
stratégique du Front populaire, la guerre, le stalinisme
donnèrent à la pensée théorique d'Henri Lefebvre plus
d'envol. Ils lui permettront de fonder sur des bases un peu
différentes cette critique de la vie quotidienne qui n'aura
cessé de le préoccuper.

La *Revue marxiste* a donc bien été cet « exercice d'assouplissement » que Nizan jugera sans indulgence dans *La
Conspiration*, où ces anciens camarades du groupe croiront
reconnaître une image décalée de leur expérience. Il est
certain qu'en voyant surtout en de telles entreprises l'occasion
de lectures plus vastes et d'un premier contact avec la classe
ouvrière, idéalisée mais ignorée, par le biais des rencontres
autour du marbre avec quelques typographes de la rue de
Seine, Nizan était justifié à conclure que, de même qu'« il
existe des ouvrages de dames, ce ne sont guère que des
ouvrages de jeunes gens [28] ». Sans doute était-il sévère. Mais
lui seul, à cette date, pouvait vraiment se le permettre. Lui
seul avait déjà derrière lui la réussite dans les deux domaines
où ses anciens camarades s'expérimentaient tant bien que
mal, l'essai politique et la fiction critique.

Aden Arabie

La rédaction définitive d'*Aden Arabie* commença sans doute juste après l'échec de la revue. Le contrat fut signé avec les Éditions Rieder le 10 mars 1930 [29]. Le livre sortit dans les librairies en janvier 1931. Quelques mois auparavant, des bonnes feuilles en étaient parues dans *Europe,* revue Rieder. Cette pré-publication fut des plus significatives. Les documents qui en ont été conservés prouvent surtout que Nizan en profita pour durcir encore le ton de l'ouvrage dans l'intervalle, comme si la découverte de sa première colère imprimée donnait soudain du tonus à son agressivité. Le directeur d'*Europe,* Jean Guéhenno, assez tolérant pour inaugurer la collection homonyme par *Aden Arabie,* fut cependant à ce point effrayé du ton pris par le dernier chapitre qu'il finit, après quelques hésitations, par renoncer à le joindre aux bonnes feuilles [30].

La genèse du livre avait dû commencer sur les lieux mêmes. Dans une lettre à Rirette, Paul-Yves mentionne déjà un « factum », « plein de philosophie et d'aventures maritimes [31] ». Le titre devait en être significativement *Apprentissage* ou *Évasion de quelques hommes.* Le projet fut abandonné dans la tourmente qui suivit, mais sans doute resta-t-il dans les tiroirs quelques notes de voyage, quelques réflexions choisies, toujours utilisables un jour, quel qu'en fût le discours porteur.

La fondation, toute théorique, on l'a vu, de la Collection matérialiste le conduisit sans doute à approfondir son retour sur lui-même. Rien de tel cependant que l'émulation : le pas décisif fut franchi le jour où ce jeune philosophe doué et provisoirement dispensé des obligations enseignantes se mit à considérer la production intellectuelle de son temps. Il y trouva plusieurs échos de ses propres refus, sans se satisfaire de l'habillage formel ou idéologique de chacun d'eux.

Ces dernières années 20, période de prospérité économique et de stabilisation politique relatives, furent en effet, en France particulièrement, celles d'une des plus vives floraisons d'essais critiques que notre pays eût connues. En moins de trois ans, de 1927 à 1929, ne parurent dans cette veine pas moins de quatre ou cinq ouvrages notoires, tous dressés, à des degrés divers, contre les certitudes de la culture établie. La plupart d'entre eux donnèrent d'un seul coup la célébrité à leurs auteurs : Julien Benda, pour *La Trahison des clercs*, diatribe un peu épaisse contre les compromissions des intellectuels en place, en priorité leur participation au « bourrage de crâne » nationaliste; Jean Guéhenno, pour *Caliban parle*, procès humaniste d'une culture bourgeoise que l'auteur, d'origine authentiquement prolétarienne, jugeait sans faiblesse, quoique sans hargne; Aragon pour son cinglant *Traité du style*, sorte d'Index intégriste de la foi surréaliste; enfin Emmanuel Berl, pour *Mort de la pensée bourgeoise* et *Mort de la morale bourgeoise*.

Ces deux derniers titres, outre qu'ils avaient pour auteur un ami de Nizan, étaient certainement ceux qui approchaient le plus de ses convictions. Pour dire leur fait aux valeurs conformes, ils avaient un ton d'une insolence élégante absent des autres ouvrages, une façon bien séduisante de charrier « M. Brunschvicg et la chose enveloppée » et une perspective déclarée de démolition générale qui n'excluait pas à priori de s'ordonner un jour dans un sens marxiste [32].

Nizan eut conscience qu'il pouvait apporter un ton et un sens neufs à ce concert de dissonances. *Aden Arabie* présente en effet le cas, rare en littérature, non pas d'un simple essai, teinté de pamphlet, mais de ce que j'appellerai, faute de mieux, un *itinéraire* critique. Je veux dire par là un cheminement intellectuel qui ne se contente pas de développer une argumentation abstraite, si abondante et si brillante soit-elle, voire de la piqueter de fines pointes agressives, datées, mises en scène, plus ou moins *ad hominem*, mais qui épouse du même rythme un autre cheminement, strictement autobiographique. Et dans le genre c'est une réussite, car, semblable à un petit roman d'initiation, *Aden Arabie* nous montre un héros partant pour l'Asie dans une sorte d'extrapolation de ses fuites parisiennes, et en revenant, quelques mois plus tard, sur la vieille Europe, guéri de son vague à l'âme, de ses incertitudes existentielles, converti à la lutte à mort contre la société bourgeoise : Paul ne laissant à personne d'autre le soin de raconter son chemin de Damas.

Par là même, ce petit volume de moins de deux cents pages

s'autorise à jouer sur tous les tableaux de la langue littéraire, et de gagner à tous les coups. On y trouve un récit de voyage coloré, juste ce qu'il faut, aussi bien qu'une tirade serrée sur les objets, digne des meilleures pages de *La Nausée,* un caractère à la façon d'un La Bruyère marxiste (« Homo economicus ») à côté du portrait d'un personnage de roman (« Monsieur C. », autrement dit Antonin Besse), des fragments de mémoires insolents, une provocation au meurtre et à la guerre civile, et bien d'autres belles choses encore. Sans l'avoir sans doute raisonné, l'auteur réussissait à régler de la manière la plus souple le fameux casse-tête du point de vue : je est un autre au départ de l'Europe, pour ne plus l'être au retour, c'est même tout l'objet, ou plutôt le sujet, de l'histoire. Le lecteur s'embarque en 1925, découvre 1926 comme Colomb l'Amérique et se précipite vers 1930, le tout en l'espace apparent d'un semestre.

Par un jeu subtil dont il fut lui-même conscient, au point de parfois le regretter par la suite, Nizan démolissait le mythe de l'exotisme tout en donnant du voyage en Orient la justification ultime d'une rentrée en soi-même, d'un recul pour mieux sauter. Cette ambiguïté, qui n'était une équivoque que pour un esprit sectaire, fait tout le prix de ce texte de passage, d'enjambement. Ce pamphlet contre les valeurs frelatées de la civilisation occidentale est en même temps bourré de culture, fortement référentiel.

Cri de haine, il l'est dans le classicisme, comme si, au contact du désert, et plus encore sans doute de l'engagement politique, son style s'était débarrassé des afféteries qui vers 1924 l'encombraient jusqu'à l'étouffer. Il chatoie, mais c'est le chatoiement d'une intelligence lyrique et non d'une volupté de bazar.

Aujourd'hui encore ses mots font mouche. On aura peu souvent parlé avec une telle dureté de l'institution scolaire, cristallisée ici dans son sommet mondain, l'École normale supérieure de la rue d'Ulm :

« Cette troupe orgueilleuse de magiciens que ceux qui paient pour la former nomment l'Élite et qui a pour mission de maintenir le peuple dans le chemin de la complaisance et du respect [33]. »

Les engouements, les aliénations intellectuelles de la jeunesse sont épinglés avec une méticulosité sans faiblesse, dans la longue énumération initiale de toutes les fuites diversement colorées qui s'offrent à un jeune homme, de Dieu au suicide en passant par l'ironie ou la poésie, toutes ces « portes pour n'aller nulle part [34] ».

C'est que l'attaque ne porte pas seulement, ni même principalement, contre les vieillards d'âge qui tiennent communément enfermés leurs rejetons; les plus durement accostés sont les fils, les semblables, les frères de l'auteur — et en fait de la plupart de ses lecteurs. Là commence ce grand travail de démystification de la jeunesse, à contre-courant des discours établis, y compris à gauche, qui fut l'une des préoccupations récurrentes de Nizan.

Quant au capitalisme mis en scène par *Aden Arabie*, il ne fait pas l'objet d'une description méticuleuse de ses lois économiques : il se contente de dévoiler, loin des brumes manchesteriennes, la cruauté de ses sueurs de burnous et la totale artificialité de ses enjeux. Comme on s'en doute, ce sont beaucoup plus l'artifice et l'absurdité qui choquent Nizan. La commisération, il a appris à s'en défendre. Ce n'est pas lui qu'on surprendra en flagrant délit d'apitoiement. Non, l'Aden des négociants occidentaux, c'est d'abord et avant tout un monde réduit « à son état de pauvreté extrême, qui est l'état économique [35] », où ne subsiste plus, dès que l'auteur en a reçu la révélation, « une miette de réalité [36] ». Les êtres dits humains y deviennent transparents et sans épaisseur, comme faits de mica. Le héros nizanien est moins révolté contre l'injustice que contre la duperie. C'est cette découverte furieuse de l'imposture qui donne le ton du dernier chapitre, ample déclaration de guerre personnelle à la mère patrie, et derrière elle à la bourgeoisie au pouvoir :

« Il ne faut plus craindre de haïr. Il ne faut plus rougir d'être fanatique. Je leur dois du mal : ils ont failli me perdre [37]. »

L'ennemi, en ces termes, est visiblement moins le capitaliste, cité ici et là, que la bourgeoisie, omniprésente, obsédante. Ce déplacement, habituel aux pamphlétaires, est en correspondance avec ce qui reste la contradiction fondamentale d'un tel cri : se refuser à reconnaître et, par là même

à penser, la source morale. Littérature du scandale, vécu ou
retourné, la littérature de Nizan ne se soutient, sur le fond,
que par la morale. Mais c'est cette contradiction permanente
qui fait une partie de son charme.

L'autre partie, la plus grande sans doute, c'est la voix qui
s'y fait entendre. Il serait vain d'en chercher les antécédents,
les influences. On en trouve toujours, en cherchant bien. Mais
enfin Nizan est bien reconnaissable. Ni l'abandon fin-de-
siècle de Barrès, ni la brutalité déclamatoire d'Aragon, ni le
brio un peu sec de Berl. Sa voix, c'est ce génie des formules
cruelles, à commencer par la première, la bien connue :

« J'avais vingt ans. Je ne laisserai personne dire que c'est le
plus bel âge de la vie. »

Mais en combinaison avec un descriptif volontiers minu-
tieux et toujours piégé :

« Le palais du sultan est un bâtiment de corail gris : il a un
toit à balustres, des files de fenêtres, des attiques, des colonnes
corinthiennes. Dans le jardin des paquets de feuilles de tabac
sèchent sur des ficelles. Il y a des boules de verre dépoli, pour
y lire l'avenir, comme dans la grande banlieue, près de
Paris [38]. »

Le tout est prêt à s'envoler périodiquement dans un lyrisme
qui entraîne jusqu'aux portes de la prose poétique :

« Il va falloir par exemple manier les outils, s'occuper des
vivants, annuler les morts, connaître enfin nos corps, tuer
nos ennemis, inventer des objets, faire marcher des enfants,
rire, approcher le monde [39]. »

Cette dernière citation dit assez combien *Aden Arabie*
pourrait avoir été écrit, à quelques phrases près, par un
anarchiste. Littérature enragée, plutôt qu'engagée.

Dans *La Conspiration* Nizan termine un chapitre par une
chute pince-sans-rire bien dans son style :

« En décembre et en février, Rosenthal publia dans *La
Guerre civile* des pages qui n'avaient pas de chances sérieuses
d'ébranler le capitalisme [40]. »

La formule est partiellement applicable à *Aden Arabie*, si
l'on considère la profondeur de son analyse anticapitaliste.
Nizan est un philosophe, un moraliste, un militant, demain
même un actif secrétaire de rayon, sous-rayon ou cellule;

mais jamais il ne sera, ni ne cherchera à être un économiste. Son texte qui s'en rapprocherait le plus était le premier de sa période communiste, texte de noviciat paru dans la *Revue marxiste* sur *La rationalisation*. Son seul titre était déjà, consciemment ou non, un jeu de mots : à travers l'analyse critique du taylorisme et de ses succédanés, le philosophe posait sur le fond le problème du détournement du rationnel par la bourgeoisie, à son profit. Qu'on ne cherche donc pas dans *Aden Arabie* un argumentaire serré contre le système économique régnant, malgré la présence de Monsieur C. Homo economicus est un personnage de Dostoïevski, pas de Boukharine. Nizan, comme son père, ne parle que de ce qu'il sait. Qui connaît bien châtie bien. C'est l'école, la philosophie officielle, toutes les voix de son maître, c'est l'aliénation plus que l'exploitation. La révolution qu'il appelle de ses vœux est bien une révolution culturelle :

« On peut comprendre que la Révolution a des raisons plus méthodiques, mais pas des raisons plus persuasives que celle-ci : il faut des loisirs pour être un homme [41]. »

Ceux qui n'ont pas encore lu *Aden Arabie* n'y trouveront pas un *vade mecum* marxiste pour voyage lointain, mais comme un petit manuel portatif de démystification universelle.

Les Chiens de garde

Gageons qu'ils seront un peu déçus par *Les Chiens de garde*. Le livre paraît chez le même éditeur un an après *Aden Arabie*, le 20 avril 1932, sous un titre plus provocant que celui qui était prévu par le contrat du 28 juillet 1931 : *Discours aux jeunes hommes*. Le prière d'insérer de Nizan, pour le premier, avait conclu par ces mots :

« Ce livre sera le dernier livre individuel de l'auteur. Il n'est plus seul (...) Il abandonne ce qu'il fut au tas de la pourriture bourgeoise [42]. »

Ce que *Les Chiens de garde* conservent aujourd'hui de meilleur est pourtant ce que le pamphlet a encore d'un « ouvrage individuel », d'un règlement de compte personnel, en champ clos, entre un jeune agrégé de philosophie sur le point de quitter le métier, et les maîtres que la société lui a donnés.

L'ouvrage s'annonçait dans le long article *Notes. Programme pour la philosophie,* paru dans *Bifur,* en décembre 1930. Beaucoup plus qu'*Aden arabie,* il peut se résumer en quelques propositions simples : les philosophies officielles révèlent chaque jour plus cruellement leur incapacité à rendre compte du monde contemporain, aussi bien la rationaliste-sceptique au pouvoir que la bergsonienne dans l'opposition, ou la bendesque, qui prétend siéger « ailleurs ». C'est qu'elles le font exprès. L'idéalisme et le non-engagement sont les faux-semblants d'une idéologie des repus et une extrapolation de l'exigence de tranquillité posée par l'entrepreneur : « Le bourgeois est solitaire [43]. »

Il y a donc une philosophie des oppresseurs qui n'a pas le courage de s'avouer comme telle. Aux apprentis philosophes rassemblés dans les amphithéâtres des grandes écoles et des facultés de choisir la philosophie des opprimés, sous le drapeau de Marx, Engels et Lénine :

« Le matérialisme ne dit point que les pensées ne sont pas efficaces mais seulement que leurs causes ne sont pas des pensées. Que leurs effets ne sont pas des pensées [44]. »

Le manichéisme proclamé de l'ouvrage est annoncé dès l'épigraphe, avec son jeu de citations en parallèle :

« Le sentiment de cette force de conscience et de création qui nous traverse... c'est bien si l'on veut le sentiment du divin.

D. Parodi. »

« La Rochelle, 24 mars 1930. La mutinerie des disciplinaires du Château d'Oléron se poursuit. Toutefois, par manque de nourriture, dix d'entre eux se sont rendus. Les autres, au nombre de trente-huit, résisteraient encore cet après-midi. Pour tromper leur faim, ils arrachent aux murs de la citadelle du varech qu'ils mangent cru.

Les Journaux. »

Le rétrécissement du champ polémique est sensible. L'ouvrage fonctionne à l'intérieur d'un système, s'attaque aux philosophes en place, s'adresse aux philosophes montants : peu de monde. Malgré ses ambitions totalisantes et son appel final à une « trahison des clercs » délibérée, en forme de guerre civile, son intérêt immédiat, son efficace demeurent strictement corporatistes. Les pères qui y sont tués paraissent au lecteur non initié, à tort ou à raison, peu importe, comme bien dérisoires. Sorties du sérail, certaines invectives semblent « frigides », ainsi que le dira le critique de *Monde*, l'antifasciste italien Tasca [45].

Certes, des personnages aussi falots qu'un Léon Brunschvicg ou un André Lalande y prennent, sous l'effet d'une agressivité vengeresse, un relief artificiel qui, un instant, retient, amuse. Certes le génie des formules nizaniennes n'est pas atrophié :

« Il y a d'une part la philosophie idéaliste qui énonce des vérités sur l'Homo et d'autre part la carte de la répartition de la tuberculose dans Paris qui dit comment les hommes meurent [46]. »

Mais il s'exerce avec plus de parcimonie. Celui qui avait épinglé le pamphlet de Politzer en disant qu' « un pamphlétaire qui touche vraiment au fond de son pamphlet ne séduit pas [47] », sensible aux critiques de même style que certains communistes avaient faites au premier livre, s'est forcé à n'être plus « séduisant ».

La description apocalyptique de la Crise, en tête du dernier chapitre, est un morceau de bravoure prenant — et, de surcroît, d'une remarquable actualité, mais là n'est pas la question. L'auteur s'essouffle cependant, au bout de quatre ou cinq pages grandioses. Dans l'ensemble du livre, les transitions d'un ton à l'autre, d'un propos à l'autre sont moins souples qu'auparavant. Des procédés montrent le bout de l'oreille. Le raisonnement en spirale de certains passages d'*Aden Arabie* se transforme ici et là en piétinement. Nizan, en voulant enfoncer le clou, finit par tirer à la ligne. *Notes. Programme* en disait presque autant, sans lasser. Gide, qui avait le don de bâiller vite aux esprits forts, qui trouve Valéry et Malraux « trop intelligents », a tôt fait de diagnostiquer, en juillet 1932, que si *Les Chiens de garde*, qu'il lit d'abord « avec un intérêt très vif », sont un « signe des temps », leur échec formel est patent :

« C'est un livre mal fait, plein de redites et l'on a trois fois compris ce qu'il veut dire, qu'il continue encore à parler [48]. »

Là gisait sans doute l'erreur stratégique de l'auteur : au nom du refus du sectarisme, la critique pouvait s'autoriser à bouder le livre, dans la mesure même où elle avait fait le geste de reconnaître la qualité littéraire du précédent. Bien entendu il s'était trouvé un critique du *Petit Parisien* [49] pour pousser devant *Aden Arabie* des cris d'orfraie :

« Je n'ai jamais lu un livre aussi offensant, aussi désagréable, aussi ordurier, par endroits, écrit sur les Français. »

Mais c'était bien le moins que pouvait souhaiter Nizan. La plupart des commentateurs, de Berl à Gabriel Marcel, avaient au contraire salué la naissance d'un écrivain [50]. Le jeune Jacques de Tournoël, prédécesseur de Brasillach au rez-de-chaussée littéraire de l'*Action française*, avait même joué le jeu de la solidarité entre les deux extrémismes en écrivant :

« Si nous nous battons, la différence entre nous deux sera que si nous lui cassons la figure nous l'accompagnerons bien volontiers à la pharmacie [51]. »

Les Chiens de garde ne suscitèrent ni cet excès d'honneur ni cette indignité, à de rares exceptions près — dont celle d'un jeune commentateur, favorable, des *Nouvelles littéraires,* qui avait nom Maurice Schumann [52]. Le prière d'insérer l'avait prédit :

« *L'éditeur ne se dissimule pas le silence à peu près unanime qui l'accueillera* [53] »,

mais sans doute pas souhaité.

A vrai dire cet accueil contrasté de la critique n'eut guère de répercussions sur l'écho réel des deux livres dans le public. Si l'on en croit les archives de Rirette il restait, au 15 février 1935, 2 200 exemplaires des *Chiens de garde* en stock chez Rieder, pour un tirage de 3036, soit une vente à peine inférieur à celle d'*Aden Arabie*, d'après les mêmes sources [54]. Reste que l'auteur, en passe de quitter l'enseignement pour le militantisme, peut se poser quelques questions sur l'efficacité, le sens de tels travaux. Le premier l'a fait connaître, soit. Il n'était pas destiné à conquérir les foules, il a pourtant fait vibrer quelques harmoniques. Parmi les lettres d'approbation chaleureuse qu'il recevra et, significativement, gardera dans ses archives, figure ainsi celle d'un jeune homme nommé Jules Roy [55]. Mais le second, prosélytique, a tant cruellement ressemblé à un prêche fulminant dans le désert. Qu'il ait, plus ou moins consciemment ressenti les limites atteintes par *Les Chiens de garde*, le risque de stérilité intellectuelle et littéraire qui s'y trouvait inclus, on n'en veut pour preuve que la modification sensible, à partir de là, de son programme d'écrivain.

Suite et fin

Il avait envisagé de poursuivre son travail de salubrité marxiste. Ses papiers inédits témoignent d'un projet d'essai, plus politique encore, sur la propagande (« Les conditions d'efficacité des idées », « considérées comme des objets matériels ») qui fut abandonné. Mais il y eut un manuscrit plus avancé, annoncé même dès 1932. Intitulé *Avertissement aux professeurs*, il aurait poursuivi sur la lancée des *Chiens de garde*, en élargissant la critique à l'ensemble de l'enseignement laïc français, considéré comme institution de la morale bourgeoise triomphante.

On pourra consulter en annexe p. 282 le plan qu'il en dressait. Cette ambitieuse « étude d'éthologie » supposait le dépouillement des principaux textes de Paul Bert, Léon Bourgeois, Ferdinand Buisson, Jules Ferry, Octave Gréard, Pécaut, Spuller, etc. Les notes qui en sont restées prouvent que Nizan avait poussé déjà loin le rassemblement des données, ainsi que l'analyse, très originale pour l'époque, du contenu des manuels scolaires. On retrouvera quelques éléments de cette réflexion dans les quelques articles, favorables, qu'il consacrera à la pédagogie moderne[56] et, surtout, dans sa longue étude *L'ennemi public numéro un*, consacrée à l'offensive de la bourgeoisie contre la fonction critique de l'école, vers 1935. On y voit que Nizan ne nie pas le rôle progressiste de certains enseignants, principalement des instituteurs. Mais c'est qu'ils ont pris au sérieux le discours illuministe de la Troisième République. Quand les gouvernements conservateurs voient les résultats, ils sanctionnent. Comme il faut bien que l'Histoire s'amuse, même dans ces sujets austères, on remarquera qu'à cette occasion Nizan aura à s'en prendre aux « colonels d'Action française » qui « peuvent parler dans un amphithéâtre de l'Université de Paris de la science du commandement », et de citer le poulain du maréchal Pétain, en question, le « colonel de Gaulle, nouveau maître en Sorbonne »...

Mais l'ouvrage global ne vit jamais le jour. A cette renonciation, les explications ne manquent pas. Sans doute y a-t-il à prendre un peu dans toutes, seul le dosage restera impossible. La conscience de certains excès de plume dans *Les Chiens de garde?* C'est l'information que diffuse la revue *Avant poste,* en août 1933, sous la signature de Guterman (« Le bruit court que Nizan ne se reconnaîtrait plus dans *Les Chiens de garde* »), sans qu'il soit possible de la prouver. Elle paraît contredite par la fermeté des propos politiques tenus à la même époque par Nizan, mais elle anticipe véridiquement sur la modération du ton qu'il adoptera désormais pour parler philosophie, ce qui lui sera il est vrai fort rare. Ainsi le verra-t-on en 1936 réhabiliter Descartes [57]. Ainsi le verra-t-on prendre la parole dans le cadre honni de l'Union pour la vérité, le 23 février 1935. Dans les deux cas cependant, la venue à résipiscence est loin d'être complète. Le Descartes soldat, sage militant qu'il reconstruit, s'oppose aux copies dégradées qu'en donne la bourgeoisie installée et la conférence devant l'Union a pour but la présentation de « la philosophique soviétique ». (Dans le public figurait, ce soir-là, Berdiaeff). Sans doute faut-il aussi tenir compte du contexte politique, au temps du Front populaire. Le ministre Jean Zay amorce une politique audacieuse de réforme démocratique, jamais les travaux de Célestin Freinet n'ont bénéficié d'une telle considération. Dans l'Université, le baiser Lamourette est général. La femme de Léon Brunschvicg lui-même devient ministre du gouvernement Blum. Nizan n'en pense pas moins, mais préfère ne pas jeter de l'huile sur le feu.

L'essentiel n'est pas là pourtant. Il est plutôt dans une attirance croissante pour l'écriture de fiction, roman, nouvelle, récit, théâtre. Peut-être en guise de compensation par rapport à un travail militant qu'à l'époque des deux essais il ne vivait pas encore au jour le jour, avec ses gros risques d'aliénation à rebours. Plus encore sans doute par le plaisir qu'il retira de la ductilité et du concret du matériau romanesque, lui qui avait tant reproché à la philosophie bourgeoise son abstraction desséchante. Dans *Les Chiens de*

garde Nizan avait appelé à un grand nettoyage de printemps
des tours d'ivoire philosophiques :

« Il est grand temps de leur demander leur pensée sur la
guerre, sur le colonialisme, sur la rationalisation des usines,
sur l'amour, sur les différentes sortes de mort, sur le
chômage, sur la politique, sur le suicide, les polices, les
avortements [59]. »

Le moins que l'on puisse dire est que les intéressés ne
s'étaient pas mis en quatre pour lui répondre. Eh bien, qu'à
cela ne tienne! Sur tous ces sujets et sur quelques autres, il
parlerait. Mais il y mettrait des formes, les formes romanesques.

La meilleure preuve en est donnée par le texte, très
original, qu'il fait paraître en 1934 dans le numéro quatre de
Littérature internationale : Présentation d'une ville, dont un
court extrait avait déjà été donné en juillet 1933, au premier
numéro de *Commune.* Ce morceau de bravoure d'une trentaine de pages en typographie serrée n'appartient à aucun
genre défini de la littérature traditionnelle. Il s'agit d'une
description par le menu de la structure présente d'une petite
ville de province, où il est facile de reconnaître Bourg-en-
Bresse, son séjour professoral de l'année scolaire 1931-1932.
Tout y passe, depuis l'histoire de la ville, sa topographie, ses
monuments, jusqu'au nombre de livres consultés à la
bibliothèque de lecture publique, en passant par l'exposition
missionnaire catholique de 1931 ou la prostitution dans les
bas-quartiers. Le ton est cependant loin de la sérénité de la
notice administrative.

L'analyse laisse voir sa signification politique, voire
métaphysique, dès les premiers paragraphes :

« La Ville que voici a la mollesse des êtres qui existent avec
incertitude, des êtres et des villes dont on ne comprend pas
facilement l'orientation et le sens. Elle n'inspire pas d'abord
l'amour qu'inspirent les pays décidés, où tout promet l'action
ou les plaisirs. Et ce n'est qu'à la longue qu'elle provoque la
haine... »

Cette sorte de sociologie frémissante, qui n'a pas son
drapeau dans sa poche, maintient le texte dans un équilibre
instable mais fascinant entre l'essai, la thèse et la nouvelle.
Certains éléments s'en retrouveront, très condensés, dans les

passages du *Cheval de Troie* consacrés à la présentation de
« Villefranche ». Au regard de l'histoire littéraire ils annoncent, très isolément et sans filiation sans doute consciente,
certaines pièces du « nouveau roman ». Sur la courte durée ils
préparent surtout aux « points de vue documentés », pour
reprendre l'expression fameuse de Jean Vigo, que tenteront
d'être les trois romans.

Quand une dernière occasion est laissée à Nizan de parler
philosophie, c'est dans un cadre très codifié et dans une
perspective toute positive. *Les Matérialistes de l'Antiquité*
(juillet 1936) pourrait n'être qu'une introduction didactique,
destinée à un « large public », supposé populaire à une série de
courts textes de Démocrite, Épicure et Lucrèce, choisis et,
pour la plupart, traduits par Nizan. On aurait cependant tort
de traiter par le mépris ce petit ouvrage de circonstance, qui
fut peut-être le livre le plus lu de son vivant avec *La
Conspiration*, puisque l'éditeur déclare en 1938 « 6 000 »
exemplaires.

D'abord parce que Nizan y a l'heur, et le plaisir, de parler
enfin, avec un peu d'abandon, de philosophes selon son cœur.
Après les chiens de garde, les grands lions : Démocrite le
fulgurant, Lucrèce « l'homme anxieux », Épicure surtout,
celui « qui n'était pas distingué », « qui se moquait des règles
du jeu ». Ensuite parce que s'y discerne comme la morale
provisoire sous-jacente à son engagement marxiste :

« Épicure apporte une sagesse matérialiste, qui ne demande
qu'au corps et à ses vertus le secret de ne pas mourir
désespéré [60]. »

Il n'est pas indifférent que le Nizan en exercice de
philosophie, forgé de pied en cap dans ses refus par le voyage
asiatique, ait terminé son trajet personnel sur les bords de la
Méditerranée antique, en compagnie de sages réalisant en eux
ce type du penseur dissident et insolent qu'il avait tant
souhaité être, mais dans une tonalité d'apaisement, et non
plus de crispation polémique. Faux ouvrage de hasard, *Les
Matérialistes de l'Antiquité* livre l'une des clés de la démarche
intellectuelle de Nizan. Celui qui citait déjà Épicure dans
Aden Arabie comme le grand Autre, la seule solution
cohérente en face du marxisme, la solution du désespoir.

Celui qui, au milieu de la dénonciation généralisée des *Chiens de garde,* s'arrêtait pourtant pour dire :

« Les philosophes de la Grèce conservaient une intimité admirable avec les forces réelles de la philosophie : ils étaient profondément engagés dans la présence et la matière humaines [61]. »

Celui de 1936, qui se refuse encore à croire qu'il vit une époque d'effondrement aux dimensions de la chute de la cité grecque, et qui s'écrie, sans grand souci du parti et du dogme :

« Ce qu'il y a de fort dans cette sagesse, c'est cette affirmation que l'homme est né pour la joie, que la joie est fondée sur le corps, sur l'unité de la conscience et de la chair [62]. »

Oui, on peut rêver à cette sagesse du Midi, et penser qu'elle pouvait lui servir au moins les jours de doute, ceux où il ne pouvait se contenter de l'hypothèse haute : l'Église.

4.

L'Eglise

« Il n'y a rien à prouver, tu sais,
la Révolution n'est pas une question de mérite, mais d'efficacité, et
il n'y a pas de ciel. Il y a du travail à
faire, c'est tout. »

(Les Mains sales)

Quand Nizan adhère décidément à la « Section française de
l'Internationale communiste », il n'y a pas d'organisation
communiste à l'École normale supérieure. D'abord, parce
qu'il n'y a, lui compris, que trois communistes parmi tous les
élèves [1]. Ce qui explique sans doute que ses deux camarades —
l'un d'entre eux est resté ami fidèle; c'est Jean Bruhat — ne se
soient pas arrêtés au lointain passé valoisiste du catéchumè-
ne. « Il faut bien recruter les communistes dans le civil »,
disait Duclos [2], dans un rapprochement significatif avec
l'armée. Ensuite parce que le Parti de l'époque se méfie des
têtes d'œuf et entend les contraindre à sortir de leur tour
d'ivoire pour les faire militer dans des sections ouvrières. On
retrouvera par exemple Bruhat rattaché successivement à l'ate-
lier des employés municipaux, aux ouvriers de la Halle aux
Vins, aux ouvriers boulangers du XIIIe arrondissement.

La secte

Cette incertitude organique est à l'image d'un Parti dont il
faut aujourd'hui un effort d'adaptation sérieux pour imaginer la faiblesse et la marginalité. Les années qui séparent
1927 de 1934 sont celles pendant lesquelles Nizan travaillera
le plus près de la base. Or elles correspondent exactement à sa
période la plus sombre de l'histoire de l'organisation.
Nombreux sont alors les observateurs qui pronostiquent
sa réduction définitive à l'état de groupuscule et, en effet,
il s'en faudra de peu que le PCF ne connût à cette époque

le destin des partis communistes anglais ou scandinaves.

Aux élections législatives de 1932, il tombera à 785 000 voix et dix députés, dont huit sauvés par les reports de voix socialistes. Encore ne s'agit-il là que de termes de comparaison « bourgeois ». Plus grave pour l'avenir est la désaffection des militants, 110 000 environ en 1921, 30 000 tout au plus dix ans plus tard. Les départs se font parfois en bloc, sur la droite en 1923, sur la gauche en 1927, mais l'essentiel tient dans l'hémorragie continue qui marque le retour à leurs bercails respectifs des socialistes et des anarcho-syndicalistes fourvoyés.

Sommée de Moscou, la prise en main de l'appareil ajoute à la confusion quand elle paraît promouvoir des personnalités médiocres. En 1923 ce fut le malheureux « capitaine Treint », de 1928 à 1931 le groupe Barbé-Celor, plus tard honni (au point que ses deux animateurs se retrouveront l'un et l'autre, sans se réconcilier pour autant, au PPF) mais pour lors imposé par le Komintern.

Le Parti n'a qu'un dirigeant populaire, c'est Jacques Doriot, que Nizan fera contempler un jour, à la fête de *L'Huma,* à Sartre et Simone. Mais Moscou s'en méfie et lui refuse obstinément le poste dirigeant qu'il ambitionne avec une amertume grandissante. Maurice Thorez, porté par l'émissaire de l'Internationale, le Tchèque Fried, dit Klement, commence son ascension mais ne sera distingué du lot que peu à peu.

En attendant « les jours ensoleillés du Front populaire » et le grand renversement stratégique qui donnera soudain à l'organisation l'assise sociale qui lui manquait, le Parti tient plus de la secte que du mouvement de masse. Chômeurs, interdits de séjour pour fait de grève, réfugiés politiques y convergent. L'illégalité est fréquente, la clandestinité périodique. On donne dans un antimilitarisme, un anticléricalisme dignes de l'avant-guerre. Il n'est pas de provocation plus excitante pour les dirigeants du groupe surréaliste, en veine de militantisme, que d'adhérer au Parti, début 1927. Trois ans plus tard, *La révolution surréaliste* devient *Le surréalisme au service de la révolution.*

En face, l'image du bolchevik au couteau ensanglanté entre les dents permet au gouvernement conservateur de frapper

fort, sans soulever de grandes vagues de protestation. Le 9
juin 1928, Thorez est arrêté, à l'issue d'une réunion
clandestine, dans des circonstances rocambolesques. Le 21
juillet suivant le coup de filet ramène cent dix responsables
entre les mains de la police. Vaillant-Couturier, qui a trouvé
refuge dans la maison de Francis Jourdain est débusqué, en
septembre. Nizan se souviendra de cette année chaude dans
les chapitres de *La Conspiration* consacrés à l'équipée du
communiste Carré.

Le voici donc dans l'Église des catacombes. Il en gardera un
besoin périodique de justifier la noblesse de l'adhésion *perinde
ac cadaver*. L'accueil fait par *L'Humanité* à *Aden Arabie* a été
favorable, mais sans chaleur. Le compte rendu, signé
« Intérim », subodore chez l'auteur une adhésion encore trop
exclusivement mentale. Or « un intellectuel marxiste n'est
marxiste que dans la mesure où il est militant ». Nizan sent
bien que, comme dans toute Église, le clerc formé à l'extérieur
doit humilier sa morgue intellectuelle pour être pleinement
admis, surtout si ladite Église est en train de se choisir pour
tête de Turc le parangon de l'intellectuel révolutionnaire,
Léon Trotsky. Le jour où, dans la même *Humanité,* dont il
sera devenu l'un des collaborateurs, il pourra à son tour faire
la critique de ces écrivains communistes « qui vont maintenant vers le prolétariat comme vers un Dieu [3] », ce jour-là il
pourra croire qu'il a gagné : la confiance des militants, celle
de l'appareil, la sienne propre.

A travers toute l'œuvre de Nizan, romanesque aussi bien
que philosophique, court ainsi comme un petit manuel
portatif d'orthodoxie, que n'auraient pas renié un Bernard de
Clairvaux, un Bossuet. Question de vocabulaire, de prémisses.
Là où ceux-ci mettent le ciel, celui-là met la terre; quant au
reste, la dénonciation initiale est la même : celle du tiède, du
satisfait, du prétendu non-engagé, qui avoue simplement par
là son contentement intime de l'état de fait. Le fanatique (le
saint) prend parti parce qu'il se refuse à prendre son parti du
scandale quotidien. « On ne peut vivre qu'au sein d'un
mouvement qui accuse le monde — l'acceptation égale la
mort [4]. »

Nizan est d'ailleurs le premier à faire consciemment ce

parallèle que beaucoup de militants, de tout temps, se refuseront à admettre. Dans *Le Cheval de Troie* il comparera les réunions de la cellule de Villefranche à « des assemblées de fidèles d'un culte presque clandestin [5] », les anarchistes à des « sectaires orthodoxes, protestants [6] ». Carré, vrai dominicain, ou jésuite, des temps nouveaux, reconnaîtra lui-même, dans *La Conspiration* : « Le communisme est une politique, c'est aussi un style de vie. C'est pourquoi l'Église nous redoute et nous mesure sans cesse [7]. »

Voilà bien ce que Nizan demande au communisme : de l'assumer totalement, « respiration, vie privée, fidélités personnelles, idée de la mort, de l'avenir », et de l'accueillir dans une totalité. Le jour de la manifestation des ouvriers qu'en temps ordinaire il commande, l'ingénieur Antoine Bloyé aura fugitivement le crève-cœur de cette communauté dont il a accepté de se laisser exclure : « Antoine la regardait descendre en chantant : il était seul, les grévistes emportaient avec eux le secret de la puissance [8]. » Contre l'impuissance, le Parti. Comme à beaucoup de croyants l'*ecclesia*, l'assemblée est d'abord le moyen de ne pas être seul, plus que d'être avec les autres. Puis une sorte de solidarité s'installe.

« Le sentiment de la solitude partagée créait un lien extrêmement fort, quelque chose comme une complicité charnelle, une conscience presque biologique d'*espèce* : la première fois de mon existence, j'ai senti une grande chaleur m'entourer [9]. »

Dès lors, l'Église vous apporte pitance : les livres sacrés (Nizan lit fiévreusement les classiques du marxisme, dans le texte pour les Allemands), la vie des saints (Nizan griffonne en marge de ses cahiers des mitrailleuses, mais aussi des portraits de Lénine), Rome et l'Inquisition, le cilice et la discipline. Forçant sa voix, l'intellectuel patenté va affirmer, pour se faire accepter, qu'il consent « à se passer de l'âme », à « vieillir sous un numéro d'ordre [10] ». Présentant dans *Le Cheval de Troie* le portrait d'un professeur agrégé tourmenté par le néant, et qui versera *in extremis* dans le fascisme, il énonce même :

« L'intelligence ne servait à rien, elle écartait : c'est ce qu'on appelle les droits de l'esprit critique; il aurait fallu s'élancer dans ce courant et se laisser porter, apprendre à nager avec le fleuve, mais Lange n'aimait pas l'eau, il préférait les sables. »

Ainsi parlent les esprits subtils écœurés par le gavage de dix années d'impératif catégorique et d'éthique transcendantale. Nizan apprit donc à nager avec le fleuve.

Un point d'application de la doctrine était d'ailleurs fait pour lui. Il n'eut aucune peine d'y surenchérir : le refus de toute conception humanitaire, philanthropique, de la Révolution. Comme ses héros de *La Conspiration*, il est « plus sensible au désordre, à l'absurdité, aux scolastiques, qu'à la cruauté [11] ». Sans doute est-ce là qu'il se sépare le plus du croyant religieux, tout en se rapprochant encore des jésuites de la grande époque. Vingt ans avant Sartre, il peut clore *Aden Arabie* sur la formule :

« C'est le moment de faire la guerre aux causes de la guerre. De se salir les mains [12]. »

Un tel homme ne peut que postuler le manichéisme le plus strict, et l'écorché vif n'a aucune gêne à le proclamer, comme dans ces premières pages du *Cheval de Troie* où c'est une métaphore médiévale qui, significativement, lui vient sous la plume pour l'expliciter :

« Ils habitaient un monde divisé, déchiré, un monde qui comportait comme les fonds de tableau des peintres du Moyen Age, des divisions célestes, et des partitions infernales [13]. »

Dans l'un de ses derniers écrits, il dira encore, parlant de Dickens :

« J'aime ce monde manichéen. Le monde est ainsi [14]. »

L'appel à en découdre est la conséquence pratique de telles prémisses. La guerre civile réunit de son fil rouge ses trois grands textes « polémiques », au plein sens du mot : *Aden Arabie*, *Les Chiens de garde*, *Le Cheval de Troie*. Il fut un temps où le bourgeois, quand ses intérêts étaient en jeu, n'hésitait pas devant l'illégalité et la violence. Cela s'appelait le 14 juillet ou la répression de la Commune. Pourquoi le prolétariat aurait-il plus de scrupules? Nizan s'excite à la seule considération du jour, pas trop lointain, il l'espère, où il faudra casser la gueule à ceux d'en face. Ses dernières angoisses s'y trouvent pulvérisées :

« Il ne voulait penser qu'à combattre : un combattant est toujours délivré [15]. »

Devant les policiers matraqueurs du 1er mai, il rumine encore sa rage. On est en 1932, et l'horizon paraît provisoirement bouché :

« On est plein de haine et du mépris que provoquent les seuls visages suffisants, on n'a point de consanguinité avec eux, ils ne sont pas des hommes selon notre espèce et notre règle, et le seul espoir est placé dans les mitrailleuses de la guerre civile. (...) Sans doute notre vie connaîtra-t-elle un temps où nous devrons consacrer plus de temps à la pensée sur les fusils qu'à la pensée sur les pensées [16]. »

« Notre espèce et notre règle » : paroles de croisé. Trois ans plus tard, tout semble possible. La fureur se fait enthousiaste :

« Un chant à propos d'un combat : dans ces rencontres de rues, il y a assez de combats singuliers pour exalter la valeur d'un homme, et il y en aura dans la guerre civile. (...) A quoi bon la pudeur? Pourquoi ne pas chanter? (...) Le sens politique de la journée, c'était peut-être simplement que des milliers d'hommes avaient été capables de colère, après tout [17]. »

L'Iliade, quoi.

Le drame de ce Nizan-là, c'est que ce chant est écrit en pleine ascension du Front populaire : il vient trop tard, ou trop tôt. Lancé sur une certaine orbite politique, le militant va découvrir que des considérations de stratégie mondiale peuvent même mettre la guerre civile au placard. Il aura quelques difficultés à s'y reconnaître. Il y réussira cependant. C'est que si, l'avenir le montrera, ces années d'Église sectaire n'en ont pas fait un simple « numéro d'ordre », il a acquis, au cours d'une traversée rapide de tous les lieux possibles du combat communiste, une formation politique suffisante pour ne plus se fier seulement aux objurgations d'une conscience tourmentée, en règlement de compte personnel avec la vie. Peut-être, même, le doute a-t-il commencé à s'installer en lui.

Ce « messie rouge »

Durant l'année scolaire 1931-1932 les habitants de Bourg-en-Bresse (23 117 habitants au recensement de 1931) eurent droit à une variante modernisée de *Docteur Jekyll et Mister Hyde*. Aux heures de classe le nouveau professeur de philosophie du lycée Lalande — il s'agit de l'astronome, Joseph-Jérôme Lalande, non pas d'André, le professeur abhorré des *Chiens de garde*, mais, enfin, le hasard a de ces ironies — conquiert ses élèves par l'intelligence de ses exposés et la tolérance de sa discipline : pensez, il les autorise à fumer et, même, à l'interrompre pour poser des questions...; mais aux heures du soir et aux jours de congé, ce brillant universitaire, qui s'abstient dans l'exercice de ses fonctions de tout prosélytisme, se métamorphose en bolchevik altéré de sang. C'est plus qu'il n'en faudra pour que de bonnes âmes ne demandent, et obtiennent, son déplacement. Menacé d'être envoyé à Auch, charmante cité au demeurant mais vraiment trop éloignée de la guerre civile, le professeur préférera se faire mettre en « congé d'inactivité, au traitement d'1 franc par an », et partir vers d'autres mutations. Les bonnes âmes avaient donc gagné; la bourgeoisie d'Auch pouvait respirer; un militant à plein temps était gagné par le Parti.

Dans ce court espace-temps, Nizan aura beaucoup appris. Dans le négatif, il aura découvert ses collègues, les enseignants chenus du lycée Lalande, cohorte exiguë d'un enseignement qui ne l'est pas moins. A la date qui nous importe l'enseignement secondaire français sort en effet à peine d'une longue période de stagnation. Contrairement à ce qu'un examen rapide des statistiques scolaires pourrait donner à penser, les lycées et collèges ont été loin de connaître, à partir des lois Ferry, un accroissement continu de leurs effectifs. Bien au contraire, ceux-ci ont à peu près stagné, de 1900 à 1930. Ce n'est pas qu'après l'école primaire obligatoire et gratuite toutes les portes eussent été fermées devant l'enfant du peuple, le boursier méritant mais les portes qu'on lui ouvrit n'étaient pas celles des lycées et collèges; on lui inventa l'école primaire supérieure et les cours complémentaires. Il fallut attendre l'institution de la gratuité des études en sixième au début des années 30, pour voir s'amorcer la démocratisation.

En fonction de quoi les classes terminales d'un lycée de province, vers 1931, ne sont encore qu'un des lieux privilégiés de communication de la petite et moyenne-bourgeoisie locale, et leurs enseignants les fidèles et discrets serviteurs d'une idéologie certes laïque et rationaliste mais scolastique, patriotique et conservatrice, comme en témoigne, entre autres, leur très faible syndicalisation. Le portrait des professeurs du lycée de « Villefranche », dans *Le Cheval de Troie*, n'est guère flatteur. « Ils étaient dans ce lycée pour toute leur vie et cette machine d'enseignement, d'espionnage les rabotait (...) Presque tous haïssaient les enfants (...) C'étaient des hommes qui n'avaient guère que cette passion-là [18]. » A coup sûr, cet individu dont la vie se déploiera plutôt sur des terres qui s'appellent entre-deux-guerres, crise de l'Occident, outre-mer, mouvement communiste international, condition humaine n'était guère préparé, et sans doute disposé, à se costumer en citoyen de la Troisième République, entre Immortels Principes et Café du Commerce.

Il n'est pas seul de son espèce à étouffer dans son coin et à vouloir se battre pour ne pas succomber à l'engourdissement. Friedmann est à Bourges, Lefebvre à Privas, Politzer en Normandie, tant d'autres... Dans quelques années, ils seront des noms sur des livres, quelques-uns deviendront des maîtres écoutés de l'Institution universitaire. Pour l'instant, ils ne sont que de petits empêcheurs de penser en rond, regardés de travers par leurs collègues, mal notés de leurs supérieurs, quelque part en province. La société libérale découvre qu'elle a, une fois de plus, couvé de vilains petits canards.

En attendant, Nizan fait son métier convenablement, sans chercher à se faire remarquer de son proviseur. Tout ce que demande celui-ci, c'est qu'il prépare ses élèves le mieux possible au baccalauréat — et, effectivement, il les y préparera fort bien. Quant au professeur principal de la classe de Philo, il se consolait en pensant que, dans la masse de ses auditeurs, déjà plus qu'à moitié gâtés, quelques-uns prenaient goût « au sang noir que répandaient pour eux des idées, de grands hommes. Il y en avait même qui absorbaient assez de sang pour être assurés de rester toute leur vie parmi les vivants [19] » (on aura remarqué la métaphore du sang noir, exactement contemporaine du livre de Louis Guilloux).

Heureusement pour lui, une autre communauté s'est trouvée toute prête à l'accueillir. Aussi restreinte que celle des professeurs, à tout prendre. Des communistes de Bourg, il pourra dire plus tard, dans sa *Présentation d'une ville* [20], qu' « il n'y a pas 300 personnes dans la ville qui pensent à eux avec amitié »; mais il se satisfait de ces trois cents-là. Sa vraie demeure, à Rirette et à lui, n'est pas l'Hôtel de l'Europe, où ils s'installent d'abord, ni le minuscule garni qu'ils loueront ensuite sur la Reyssouze, avec sa cour-potager et sa galerie de bois, ni même la villa Marguerite, à Ceyzeriat, où, à partir du printemps, ils pourront enfin aménager avec leurs enfants, mais la vieille bâtisse Renaissance qui sert de permanence au Parti, l'arrière-boutique d'un épicier, où ils prennent la plupart de leurs repas, avec des camarades.

Son milieu de prédilection, ce ne seront pas les classes moyennes de cette ville-cité qui, significative en tout, appelle ses habitants les Bourgeois, mais la paysannerie « rouge » de Lent, les ouvriers de la Tréfilerie. Rirette en informe sans ménagement sa mère, dans une lettre au ton plaisant :

« Nous allons de réunion en réunion et nous ne nous couchons jamais avant minuit. Mais je dois ici dissiper à vos yeux une illusion. Il ne faudrait pas croire que toutes ces distractions, toutes ces sorties aient lieu dans la " bonne société ". Je dois vous avouer que nous ne fréquentons plus ni magistrats, ni notaires, ni officiers, ni gros commerçants, ni médecins, ni industriels, ni même professeurs. Nous n'avons pour amis que des ouvriers, des marchands forains, des cheminots et quelques centaines de chômeurs. Nous ne pouvons mettre le pied dans la rue sans que des ouvriers chômeurs nous arrêtent en nous tapant sur l'épaule et nous fassent un bout de conduite en bavardant, tandis que la bourgeoisie de Bourg nous regarde d'un sale œil et chuchote sur notre passage (...) Bref (Paul-Yves) a commencé à mettre Bourg à feu et à sang (toutes proportions gardées) et je l'aide de mon mieux dans cette tâche (...) Quand on pense qu'il y a des gens qui disent que la vie de province est monotone [21]! »

Rirette vient d'adhérer au Parti à son tour. Le mari et la femme s'aiment sans nuages, et Nizan se dédouble avec volupté. Ils s'exaltent aux petits gestes du militantisme quotidien, telle cette nuit d'inscriptions séditieuses sur les principaux édifices publics de la ville, de la Préfecture au Monument aux morts, à la veille du 1er mai, grande occasion de scandale pour les bien-pensants :

« C'était une machine de révolte, mais c'était aussi une machine d'amitié [22]. »

Dans *La Conspiration* Nizan parlera par la bouche de Carré, quand il rappellera avec émotion :

« Le plus beau de ma vie a peut-être été l'époque où je militais en province, où j'étais secrétaire d'un rayon. Il fallait tout faire, c'était un pays qui naissait ou qui renaissait, le comité de rayon faisait un boulot comme dans Balzac le Médecin de campagne [23]. »

Le « boulot » en question n'était pas mince, en effet. Nizan arrivait dans un sous-rayon désorganisé, découragé, à l'abandon. A son propre étonnement, il se découvre, comme à Aden et à Djibouti, capable de prendre en charge une entreprise. La crise économique, longtemps retardée en France du fait même de l'archaïsme des structures économiques, déferle maintenant sur le pays. Nizan commence sa campagne au moment où ses premiers effets atteignent l'industrie locale. Il fait créer un comité de chômeurs, assisté par les rares syndiqués unitaires (CGTU) de la ville, presque tous, au début, postiers ou cheminots. A la première réunion il ne vient que douze chômeurs, mais à la seconde cent. Ils seront bientôt deux cent cinquante. Une, deux cellules d'entreprise, une cellule paysanne sont créées, flanquées de syndicats unitaires des métaux, du bâtiment.

« Il y avait des hommes parmi eux qui n'avaient jamais entendu un autre homme prononcer le mot de camarade [24]. »

Nizan apprend à parler en public, malgré sa voix sourde et sa perpétuelle déambulation de lion en cage.

« Il y avait trop de mots abstraits. Mais ces vêtements qui avaient servi couvraient enfin une volonté, une passion [25]. »

L'Humanité signale avec faveur les résultats obtenus par la nouvelle équipe. Le sommet de son travail militant se situe en mai, quand ce jeune intellectuel sans enracinement local est choisi par le parti communiste comme candidat aux élections législatives des 1er et 8 mai 1932, dans la deuxième circonscription de Bourg. Le voici pérégrinant au petit matin sur les marchés, aux côtés d'un marchand forain communiste, multipliant les réunions publiques, à la limite de l'exténuation. Les résultats seront modestes mais conformes aux prévisions. Le sortant modéré (« gauche radicale ») est mis en ballottage serré par un républicain-socialiste. « Paul Nizan, professeur syndiqué » rassemble, avec 338 voix, un peu moins de 3 % des suffrages exprimés. Comme il se maintient au second tour, sur les consignes de son Parti qui fait passer à cette époque la tactique « classe contre classe » avant la « discipline républicaine », son score tombe à 80 voix...

Cette agit' prop' et, plus encore, ses premiers résultats sur le terrain ouvrier ne sont pas pour plaire aux notabilités locales. *Le Courrier de l'Ain* du 6 février se fait menaçant :

« Si les chômeurs trouvent que l'on ne fait pas assez pour eux et répondent aux bons sentiments par des injures, ils pourraient bien un beau matin, s'apercevoir qu'on va les laisser se débrouiller seuls. »

Le lendemain, il s'attaque directement à la « poignée de détraqués » qui, par leurs agissements, allait finir par « porter le plus grand tort aux chômeurs intéressants » *(sic)*. Pour la première fois Nizan y était clairement désigné comme fauteur de tous les troubles :

« De quel beau cadeau on nous a gratifiés lorsqu'on nous a " collé " ce messie rouge. Et quelle œuvre utile l'on ferait en l'envoyant philosopher ailleurs. »

La menace sera suivie d'effet. L' « agitateur communiste » est convoqué chez l'inspecteur d'Académie. Le syndicat unitaire s'émeut et consacre à cette première, minime, « affaire Nizan », tout un article de *L'École émancipée* du 6 mars. Nizan se défend fièrement, répond au journal, mais se voit mis au ban du lycée : on ne lui confie pas le discours traditionnel de distribution des prix, et il est, comme on l'a vu, déplacé. Maintenu à Bourg, il s'y fût peut-être implanté.

En 1935, repassant par la ville, il constatera sa popularité et entendra même souhaiter sa candidature par des militants locaux [25bis]. Mais la perspective d'un nouveau déménagement lui rappelle par trop le nomadisme paternel. Il s'y refuse. Au mois d'avril, il a assisté à de violentes scènes de rue à Vienne. Il lui devient de moins en moins tenable de se confiner entre quatre murs, fussent-ils ceux de la philosophie. Lui, le pourvoyeur de morale, il se convainc chaque jour un peu plus que « l'homme qui travaille ne moralise pas : il fait une morale [26] ». Depuis le début, d'ailleurs, l'auteur des *Chiens de garde,* sorti en librairie au mois d'avril, se sent en porte-à-faux, censeur de la philosophie universitaire et lui-même prébendé par ladite. Il lui faut pousser la rupture jusqu'au bout, passer résolument aux Barbares.

Près de l'Eglise, loin de Dieu

Bourg avait initié à la quotidienneté, à l'humilité des tâches militantes. Maintenant qu'il a sauté le pas et, à l'instar d'un Politzer mais au contraire d'un Bruhat, accepté de renoncer à la carrière professionnelle pour laquelle il s'était échiné une demi-douzaine d'années durant, il va devoir suivre de beaucoup plus près encore les impératifs pratiques et doctrinaux d'un état-major qui est, lui-même, en pleine phase de réorganisation. Il s'acquittera sans doute fort bien de tout ce qu'on lui demandera, puisque au bout de dix-huit mois on le voit partir pour Moscou, compléter sa formation, à l'instar des plus sûrs, de ceux en qui l'Église met le plus d'espoir. Comme, sur le plan de la création artistique, ces dix-huit mois furent ceux de la rédaction du premier roman, *Antoine Bloyé,* on peut dire qu'ils furent bien remplis. Par contre, au regard de la liberté intellectuelle, il y a fort à parier, textes en main, qu'ils furent les plus pauvres de son existence adulte.

Nizan a pourtant plus de chance que Politzer. Tous les témoins sont formels : cet esprit agile, porté à l'étude critique de la psychologie, se mutila volontairement, sur la demande du Parti et par masochisme intellectuel, en se vouant corps et âme à d'austères et peu concluantes études conjoncturelles d'économie politique. Quand, à l'instigation de Thorez, il fut enfin décidé en haut lieu de le soulager de ces tâches

indéterminées pour lui donner un travail plus en relation
avec ses goûts profonds et, surtout, sa part d'irremplaçable, il
était trop tard : la guerre survenait, et l'œuvre originale de
Politzer manqua définitivement à la construction du
marxisme français.

Nizan, lui, restera dans des eaux familières : le commerce
des livres. Commerce dans les deux sens. Leur fréquentation,
leur commentaire, en tant que traducteur ou critique, mais
aussi leur vente, en tant que libraire. Après un bref retour
aux Éditions du Carrefour, où il travaille d'ailleurs déjà en
militant, il se trouve en effet placé, en compagnie de Rirette, à
la tête de la librairie de *L'Humanité*, 120, rue Lafayette, qui
tient lieu de librairie centrale des publications communistes.
Rirette se rappelle aujourd'hui de la découverte d'une
boutique poussiéreuse et mal gérée, à laquelle son mari
s'intéressera peu, et qu'elle tint avec constance, repeignant la
devanture en rouge, rénovant l'intérieur avec les moyens du
bord. L'arrière-boutique devint une sorte de petit salon
communiste, où le couple aimait à recevoir les camarades.
C'est de ce temps que date l'exploration de cette topographie
coléreuse de Paris que Paul-Yves évoquera dans *La Conspiration :* le Xe, le XIXe arrondissement, la place du Combat, les
bâtiments séditieux de l'avenue Mathurin-Moreau, de la
Grange-aux-Belles, « territoire triste mais exaltant pour tout
homme qui peut y entrer librement [27] ». Son expérience de la
banlieue sud, du XIIIe et de Clignancourt se trouve ainsi
parachevée. Si, par Rirette ou Friedmann, il apprend à
connaître de l'intérieur les beaux quartiers de l'ouest, il
dispose désormais sur le Paris populaire d'un anti-guide
épais, fait de rues à barricades, de terrains vagues bizarres et
de salles à métingues.

L'absentéisme de Paul-Yves avait des raisons. Malgré son
ouvriérisme maintenu, le Parti n'avait nullement l'intention
de le confiner à une place aussi dépendante. En cette rentrée
de 1932 où le jeune intellectuel se met intégralement à son
service, le PCF est en train, sous la houlette de Thorez, de se
ressaisir. L'année 1931 a été celle de la campagne « Les
bouches s'ouvrent », « Enfin on peut discuter ». A son modeste
échelon, le Nizan de Bourg a illustré la nouvelle ligne.

Remonté sur Paris, il va être utilisé à des tâches de plus d'envergure et, surtout, de plus longue haleine dont l'avenir dira le rôle dans la préparation du Front populaire et la renaissance communiste : la mise en place d'un nouvel appareil d'action culturelle et d'agit' prop' — les deux étant nécessairement liés à cette époque —, pour laquelle la bonne volonté prolétarienne ne suffit plus. Des techniciens sont requis, ces « ingénieurs des âmes » dont parlera Staline.

Pas question encore de modifier le contenu; il faudra attendre 1934 pour que se manifeste en France ce que, pastichant la formule de Lénine sur la « Nouvelle politique économique » (NEP), nous avons appelé, dans d'autres études, la « Nouvelle politique culturelle » du Parti communiste français, toute de main tendue, de réintégration patrimoniale. Non, on n'en est pas encore à célébrer Rouget de l'Isle et Mistral. Par contre, il s'agit bien de commencer à former les cadres de la ligne nouvelle, quelle qu'elle soit. A l'automne 1932 s'ouvre, avenue Mathurin-Moreau, l'Université ouvrière, grande école du soir du mouvement communiste, qui va peu à peu s'enraciner dans l'appareil, sous la direction de Georges Cogniot, autre agrégé de l'université passé au militantisme. Politzer y enseigne l'économie politique, Nizan est plus philosophe.

Si besoin est, le professeur, qui a appris à Bourg à passer des auditoires bourgeois aux auditoires paysans dans la même journée, se transformera en pur et simple conférencier, et parcourra la France pour parler de « Marx et la philosophie », ou de quelque chose d'approchant.

Sa principale activité politique est pourtant dès cette date plus près du journalisme que de l'enseignement, même si la préoccupation pédagogique n'en est pas absente. Déjà, début 1931, le Parti avait tenté de l'implanter à *Monde,* l'hebdomadaire d'Henri Barbusse, organe sans doute sympathisant mais rétif aux injonctions de l'appareil. L'opération avait échoué devant l'énergie déployée par Barbusse pour conserver le contrôle d'une feuille qui, dans ses dernières années, se confondait avec son existence, devant aussi le peu d'enthousiasme que sembla avoir mis Nizan à jouer l'œil de Moscou. Il n'y publiera, tout compte fait, qu'un seul article, avant de se retirer, estimant que les communistes dans la ligne étaient traités en « parents pauvres [28] ». Le même souci d'orthodoxie espace, à la même date, sa collaboration à l'autre grande revue des compagnons de route, *Europe,* encore plus ombrageusement autonome, sous la direction de Jean Guéhenno.

En 1932, Barbusse, responsable depuis six ans des rubriques littéraires de *L'Humanité,* où il était secondé par des hommes de talent comme Georges Altman ou Brice Parain, est remplacé par une équipe de purs et durs, moins brillants mais plus solides, où dominent Jean Freville, en passe de devenir le prototype de l'écrivain de Parti — c'est à lui qu'on devra une partie de la fabrication des Mémoires de Maurice Thorez, parues en 1937 sous le titre de *Fils du peuple —,* et René Garmy, autodidacte que le « droitissement » ultérieur du Parti chassera de son secrétariat de rédaction. Du coup, Nizan entre à *L'Huma,* par la petite porte des notes de lecture hebdomadaires. La première qu'il signe est datée du 2 décembre.

Toujours astucieuses, parfois vivement écrites, les courtes analyses qu'il donne alors de la production littéraire contemporaines sont marquées, pendant cette année qui le sépare de son départ pour Moscou, par un sectarisme politique certain, même si elles lui permettent de faire l'éloge des premiers livres d'un Henri Michaux [29], d'un Pierre Jean Jouve [30], ou d'un Jacques Lacan [31]. Dans le même temps, l'essayiste s'efface derrière le traducteur des essais d'autrui.

Aux Éditions du Carrefour il crée l'éphémère collection « Réquisitoires » (bien sûr...), grâce à laquelle il fait connaître au public français *Le Livre brun sur l'incendie du Reichstag* (septembre 1933) [32]. Les relations qu'il noue à cette occasion avec des réfugiés antinazis en feront l'un des premiers et des mieux informés, dans la presse française, sur l'ordinaire de la dictature hitlérienne.

Les Éditions Rieder, en la personne de Jacques Robertfrance, prenaient le chemin d'en faire un traducteur, lui proposant par exemple, en mai 1932, de traduire *Jews without Money,* de l'écrivain progressiste américain Michael Gold. Il refusera, mais pour accepter *Tragic America,* de Theodore Dreiser, pamphlet documenté sur les États-Unis de l'ère républicaine et de la Grande Dépression réunies.

L'accord est conclu en juin, le gros ouvrage (414 pages) sortira en librairie en juin 1933, après une pré-publication partielle dans *Europe*.

Par-delà un système de références intellectuelles assez exotiques et un style assez plat on retrouve dans cette *Amérique tragique* (à ne pas confondre avec le roman du même auteur sorti en France quelques mois auparavant, *Une Tragédie américaine*) certaines notations nizaniennes, depuis la dénonciation vigoureuse de l'*Establishment* jusqu'aux appels à une subversion radicale du système.

Le critique de la revue *L'Économiste européen* [33] ira jusqu'à saluer dans cette traduction l'ouvrage « le plus important qui ait paru depuis dix ans » sur la question, ce qui était sans doute injuste pour André Siegfried mais indiquait bien que, dans un pays enfin touché, à son tour, par la Crise, le regard tourné vers les États-Unis n'était plus seulement d'optimisme et de gourmandise. Sa sortie, contemporaine de l'arrivée au pouvoir de Franklin Roosevelt, le rendait d'une précise actualité. De cette traduction date l'intérêt tout particulier que Nizan portera aux affaires américaines, dont *Chronique de septembre* sera le dernier écho. Rien d'étonnant à cela, de la part d'un communiste, le PCF n'ayant jamais eu à l'égard du New Deal, surtout après 1934, la sévérité qu'il manifestera toujours pour la City londonienne, en un temps où l'observateur rétrospectif demeure surtout frappé par l'ignorance de l'intelligentsia française à l'égard de ce qui est déjà, et plus que jamais, la première puissance économique du monde.

La période 1933-1934 est cependant dominée chez Nizan par la préoccupation soviétique. Elle est à l'origine de sa traduction, en duo avec un Germanopratin frotté de surréaliste, membre de la « bande à Marcel Duhamel », Jacques Baron, de l'épaisse étude de l'Américain Louis Fischer, *Soviet in world affairs (Les Soviets dans les affaires mondiales)*, parue chez Gallimard en juillet 1933. Au sortir de la fréquentation assidue de ces 760 pages, où se trouve analysé le jeu diplomatique de l'Union soviétique de 1917 à 1929, nul doute que la culture diplomatique de Nizan n'ait été solidement lestée, et son séjour à Moscou, habilement préparé.

Ce travail austère fut immédiatement suivi du choix et de

la traduction de 230 pages de textes philosophiques de Marx, pour l'édition Gallimard des *Morceaux choisis*. Lefebvre, qui écrira avec Guterman l'introduction du volume, reconnaîtra plus tard le travail intense fourni par Nizan. Par une copie de contrat sans date [34], signée des mêmes Éditions, on sait qu'un travail analogue était prévu sur des *Morceaux choisis de Lénine* [35]. C'est donc un militant exceptionnellement formé à la théorie et à la pratique du communisme international qui va se trouver placé, à partir de l'été 1933, dans l'orbite du Komintern.

Apparatchik

Nizan commençait en effet à compter aux yeux du Parti. Fini le temps des réunions groupusculaires à la permanence du Ve arrondissement, rue Gracieuse, près de la Maub'. Paul Nizan fréquente désormais chaque jour plusieurs responsables haut placés, des hommes fort accessibles d'ailleurs, au premier rang desquels figure Paul Vaillant-Couturier, sorti d'un demi-exil intérieur pendant la période sectaire. Le rédacteur en chef de *L'Humanité,* fils d'artistes, lui-même peintre et écrivain, est un personnage spirituel et tolérant, que le Parti vient de charger de fonder une vaste organisation culturelle ayant pour vocation de rassembler les intellectuels et artistes non adhérents décidés cependant à lutter au coude à coude avec les communistes contre le « facisme brûleur de livres ».

En décembre 1932, la fantomatique Association des écrivains révolutionnaires s'élargit en une Association des écrivains et artistes révolutionnaires (AEAR), qui enregistre quelques mois plus tard le ralliement de personnalités aussi marquantes et aussi réellement indépendantes qu'André Gide [36], Jean Guéhenno et André Malraux. L'association n'a aucun mandat pour servir de base à un front commun élargi à la SFIO, encore moins aux radicaux, comme le sera deux ans plus tard le Front populaire. En termes de parti, le PCF se refuse toujours, avec les attendus les plus injurieux, à envisager l'unité d'action avec les « sociaux-traîtres ». Mais, sur le plan culturel, l'AEAR va devenir une structure d'accueil pour tous les intellectuels isolés qu'effraye la montée des régimes autoritaires de droite.

A partir de 1934, elle pourra sans grincement majeur —
bien au contraire avec l'assentiment enthousiaste de Vaillant-
Couturier —, s'élargir aussi en termes politiques, et finir par
se fondre dans une grande communauté « main-tendue », la
Maison de la Culture, solennellement vouée par Aragon à
l' « apolitisme ». Mais en 1932, en 1933 — tout est affaire de
chronologie —, elle se contente de pratiquer l'union à la base
« contre la guerre et le fascisme », en corrélation avec la
liquidation, à Moscou, de l'Association, sectaire et ouvriériste,
des écrivains prolétariens (RAPP), prononcée le 23 avril
1932.

Paul et Henriette Nizan joueront leur rôle dans l'installation de l'AEAR. Quand à l'été 1933 celle-ci se dote enfin
d'un organe périodique, appelé à jouer un rôle considérable
dans l'histoire culturelle du Front populaire, la revue
Commune, c'est à Rirette (les historiens ne l'ont jamais
signalé) qu'on devra ce titre, et c'est Paul-Yves qui, aux côtés
d'Aragon et, subsidiairement, de Vladimir Pozner, Pierre
Unik et Gérard Servèze, s'en retrouvera secrétaire de
rédaction.

Sa stature politique, et quasiment mondaine en est
accrue. L'AEAR, en l'amenant à collaborer à la nouvelle
revue soviétique *Littérature internationale,* l'introduit au
voyage à Moscou. La fréquentation d'écrivains aussi illustres
que Malraux ou Gide (qui, pour sa part, ne tarira pas d'éloges
sur l'édition Nizan de Marx, dont il fera son bréviaire en
marxisme [37]), jointe à la rencontre de littérateurs de second
rang mais destinés à devenir ses amis, comme Lise Deharme
ou Simone Tery, lui vaut initiation à la confrérie littéraire.
L'entrée est définitive quand, *in extremis,* il livre au public
Antoine Bloyé, à l'automne 1933. Une voix au Goncourt, nous
y reviendrons : Paul Nizan devient un nom que les éditeurs
recherchent, Gallimard en tête, c'est tout dire.

L'idéologue ne concède pourtant rien sur le fond, bien au
contraire. Ses textes les plus rigides paraissent dans ces
mois-là et constituent comme autant d'attaques frontales, à
boulets rouges, contre la totalité du monde intellectuel
français contemporain, à l'exception bien entendu de l'AEAR,

dont le moindre membre est miraculeusement épargné. Le ton est véhément, presque épique :

« La plaisanterie a assez duré, la confiance a assez duré, et la patience et le respect. Tout est balayé dans le scandale permanent de la civilisation où nous sommes, dans la ruine générale où les hommes sont en train de s'abîmer... », lance-t-il dans les colonnes de la *NRF*, qui n'a pas l'habitude d'en entendre d'aussi dures [38].

Mais la pensée ne sera jamais plus restrictive, conduite qu'elle est à soupçonner dans toute tentative idéologique de troisième force un cheval de Troie fasciste. En quoi il ne se trompe guère quand il diagnostique que « la philosophie de Martin Heidegger peut fournir des justifications théoriques » à une telle doctrine. En quoi il sera partiellement démenti par les faits quand il confond, à dessein, le personnalisme naissant d'Emmanuel Mounier avec le bon vieil individualisme de la solitude bourgeoise [39]. Il est vrai qu'aucun de ses contemporains n'est plus fin clerc, et n'aurait su distinguer qui, du Drieu La Rochelle et du Denis de Rougemont de 1932, deviendrait le fasciste et qui le libéral [40].

Le plus important demeure qu'à cette date charnière, quand une revue songe à donner la parole à un intellectuel communiste autorisé, quand le Parti délègue l'un des siens pour intervenir sur le front des idées, c'est à Nizan que chacun pense. Et Nizan, à quoi pense-t-il? Nous sommes au lendemain de la prise du pouvoir par Hitler. Il pense simplement qu' « il est temps de prendre parti dans ce combat » et que « quiconque ne se range pas aux côtés de l'Union soviétique est contre elle [41]. » Bref, il pense à Moscou, et Moscou vient à lui.

Fut-il un agent du Komintern? Si l'on entend par là qu'il travailla, douze mois, au grand jour, pour un journal des « Éditions littéraires d'État de Moscou », la revue *Littéraire internationale*, c'est incontestable, mais à ce compte il en est de même de tout intellectuel un peu marquant du Parti, depuis Vaillant-Couturier, grâce à qui il part pour Moscou, jusqu'à Léon Moussinac, auquel il succède, dont on peut affirmer beaucoup de choses (qu'il fut un ami médiocre et un excellent critique de cinéma, par exemple), mais certes pas qu'il était l'agent de qui que ce fût.

Si l'on veut dire que son séjour soviétique cacha la formation, à l'Institut Marx-Engels par exemple, d'un informateur privilégié de l'Union soviétique ou d'une future éminence grise, à l'instar de X... ou de Y..., alors, rien ne le prouve; tout, au contraire, dans ses textes comme dans ses actes ultérieurs, l'infirme. Loin d'être l'œil de Moscou, Nizan semble bien plutôt avoir été à Moscou un œil d'Occident particulièrement aigu, aux réactions sensiblement plus subtiles que celles des nouveaux Vieux-croyants.

Il se trouve simplement que l'Internationale a besoin d'un écrivain de langue française pour assurer le lancement de deux périodiques destinés à faire passer sur le plan international la nouvelle ligne culturelle et, vers la mi-34, la nouvelle stratégie du régime. Une grande occasion va être offerte aux plus illustres intellectuels et artistes compagnons de route de faire connaissance avec les nouvelles consignes, et, particulièrement, avec un nouveau terme, appelé à une fortune singulière. L'occasion sera, du 17 août au 1ᵉʳ septembre 1934, le premier Congrès de la nouvelle Union des écrivains soviétiques, créée en remplacement de la RAPP. Le terme nouveau, « réalisme socialiste ». Le couple Nizan, en arrivant à Moscou dès le début de l'année, sera sur place pour préparer la venue de la délégation française. Dans le même temps, les compétences techniques de l'un et de l'autre seront mises à contribution.

La capitale soviétique qu'ils découvrent en ce mois de janvier 1934 n'est certes plus cette Mecque des temps nouveaux qui faisait rêver l'extrême-gauche, au sortir des charniers de la Grande Guerre, cette sorte de Commune qui s'entêterait à durer, au milieu des pires difficultés matérielles mais dans une atmosphère d'exaltation exceptionnelle. Mais ce n'est pas encore tout à fait la ville ample et sinistre du stalinisme triomphant. Ni dans son décor — le fameux métro ne sera inauguré qu'en 1935, par exemple —, ni, surtout, dans son esprit.

A l'heure même, où, après trois jours de train, les Nizan débarquent à la gare centrale, s'ouvre le XVIIᵉ Congrès du

Parti communiste d'Union soviétique, passé dans l'histoire sous le titre de « Congrès des Vainqueurs ». On est à l'orée du deuxième Plan quinquennal. L'espace de dix mois, le régime paraît sourire, s'épanouir, après six ou sept années pénibles et exaltantes qui ont vu, avec la collectivisation des terres, le bouleversement le plus étonnant de toute l'histoire soviétique depuis les Décrets d'octobre.

Staline triomphe au sommet de la pyramide desdits Vainqueurs. Mais il a le triomphe modeste. Les opposants d'hier, de Boukharine à Zinoviev, se soumettent, chantent le « grand architecte du socialisme », mais ils restent à leur poste. Pour certains observateurs, on s'achemine même vers une direction collégiale, au sein de laquelle monte l'étoile de S.M. Kirov, élu au secrétariat du Comité central. Les mesures de détente se multiplient : création du Birobidjan, territoire autonome des Juifs de l'Union, allégement du rationnement, assouplissement du régime électoral, amnistie partielle, dissolution, même, du guépéou...

On sait aujourd'hui ce que cette façade cachait de règlements de compte larvés ou en germe. Sur place, à l'époque, la situation est à peu près indéchiffrable, comme l'expriment les témoignages qui parviennent alors d'URSS : cette année-là, par exemple, en face de diverses légendes roses (Edouard Herriot, *Orient*) ou dorées (Aragon, *Hourra l'Ou-ral*), les opposants français ne sortent que des *Paris-Moscou en avion* ou, mieux, des *L'Amour chez les Soviets,* discrédités d'avance. Le temps des grandes « révélations » n'est pas encore venu.

L'environnement est encore plus opaque à un employé du Komintern absorbé par des tâches multiples. La plus prenante est le secrétariat de rédaction de *Littérature interna-tionale,* édition française (on compte aussi des éditions anglaise, allemande, russe et chinoise [42]). La revue est placée sous le patronage de noms aussi illustres et lointains que ceux de Romain Rolland, Upton Sinclair, Dos Passos ou Kouo Mo Jo. Elle n'en est qu'à sa deuxième année d'existence. Nizan a beaucoup à faire. Mais, placé sous les ordres d'un rédacteur en chef soviétique, Dinamov, et d'un rédacteur en chef adjoint polonais réfugié, Ludkiewicz, il ne dispose pas d'une grande

marge de manœuvre, d'autant plus que le principe de la revue
est de juxtaposer des traductions de textes communs, du
monde entier, à quelques textes spécifiques à chaque édition.

A la lecture du sommaire, il n'est pas nécessaire d'imaginer
d'obscurs complots pour comprendre la part de travail
commandé que s'assigne le secrétaire. Les *Cahiers de la Petite
Dame,* journal parallèle de la confidente d'André Gide, nous
apprennent par exemple que les Soviétiques tiennent beaucoup en 1934 à ce que le célèbre rallié, qui vient d'écrire,
dans son propre *Journal* qu'il était prêt à donner sa vie pour
l'Union soviétique, assiste au Congrès de Moscou. On ne
s'étonne pas de découvrir alors que le numéro de mai-juin de
Littérature internationale s'orne d'un long et subtil article de
Nizan tout à l'éloge du grand homme. Celui-ci, une lettre en
fait foi, en fut charmé (« j'étais heureux que la meilleure
étude sur mon ambition dernière [et je me retiens mal de dire
sur toute mon œuvre], soit de vous, Nizan que, depuis
longtemps déjà, je souhaite tant connaître [43] ») mais il ne
partit pas.

Comme *Littérature internationale* est l'organe officiel de
l'Union internationale des écrivains révolutionnaires, dont
l'AEAR n'est, au départ, que la section française, on retrouve
de la même façon la signature de Nizan au bas de la fameuse
Lettre à l'AEAR, parue dans le même numéro, dernier texte à
contenu sectaire de l'histoire culturelle du PCF, jusqu'à la
guerre. Cette mise en garde contre « toute entreprise culturelle de la social-démocratie » et, plus nommément, contre le
groupe d'Henri Poulaille et tous les indépendants qui, d'Alain
à Guéhenno, « peuvent introduire des conceptions sentimentales du front unique » rend, à plusieurs reprises, un son
assez nizanien. Il confirme que le virage stratégique ne sera
définitivement pris qu'au printemps 1934, quand par exemple le secrétariat du Komintern conseillera pour la première
fois au PCF d'accepter l'unité d'action avec les socialistes. A la
fin de l'année, le ministre des Affaires étrangères soviétique,
Maxime Litvinov, artisan décidé du rapprochement avec les
Occidentaux, sera à Paris pour négocier la première alliance
militaire franco-soviétique. Encore quelques mois et l'on
verra « M. Staline comprendre et approuver la politique de

défense nationale du gouvernement français », ce qui aura
pour effet immédiat de transformer du tout au tout l'attitude
du Parti communiste français à l'égard des questions
militaires. La nouvelle politique culturelle suivra du même
pas.

Mais nous n'en sommes pas encore là, en cette fin d'hiver
exceptionnellement douce. Paul-Yves et Rirette sont tout à
l'apprentissage du russe, et aux divers lieux où leur présence est
réclamée. L'après-midi du mari est généralement consacrée à la
revue, le matin, de 10 h à 14 h, à l'Institut Marx-Engels, où il se
costume de nouveau, et pour la dernière fois, en étudiant et en
chercheur. Entre deux travaux de bureau, Paul-Yves trouve
le temps, on le verra, d'adapter (en français) pour le Théâtre
Juif d'État de Moscou, une pièce d'Aristophane. Rirette
travaille avec la femme de Moussinac, Jeanne, à
récrire en un français digeste divers textes de l'appareil et, en
particulier, à partir de mai, ceux que diffusera désormais
l'édition française du *Journal de Moscou.* Sans s'en douter
elles contribuent à l'histoire mondiale, en fabriquant l'organe qui, on le comprend aujourd'hui, préparera les esprits à
la signature du pacte franco-soviétique. A cette occasion, le
couple Nizan pénètre un peu plus dans l'intimité de
l'intelligentsia soviétique, en se liant d'amitié avec Mikhaïl
Kolsov, directeur du *Krokodil,* dans les locaux duquel le
Journal s'est installé.

Leur tâche est cependant plutôt d'accueillir et cornaquer
les représentants de l'intelligentsia française qui, à l'été,
arrivent pour le Congrès. Gide ne vient donc pas. Il ne sautera
le pas, qu'il redoute plus ou moins consciemment, que deux
ans plus tard, avec le résultat que l'on sait. Mais il présidera,
le 23 octobre, la réunion parisienne au cours de laquelle sera
fait le compte rendu public des journées. En attendant, c'est à
Jean-Richard Bloch, à Vladimir Pozner et, surtout, à Malraux
et à sa femme Clara que se consacrent les Nizan. Arrivé dès le
11 juin, Malraux restera près de trois mois, aux frais du
régime lui aussi, portant dans sa besace, aussi pleine qu'à
l'accoutumée, un ou deux projets de films et plusieurs idées
de romans (le pétrole de Bakou, entre autres). En une série
d'agapes fraternelles où le lauréat du prix Goncourt refusé à

Antoine Bloyé, « soûl de viande rouge » (Rirette), se révèle plus éblouissant que jamais, les deux couples se découvrent une grande sympathie réciproque (qui tiendra jusqu'à l'après-guerre, où l'on verra même Rirette travailler, très éphémèrement, au cabinet du ministre Malraux de 1945).

Le Congrès s'ouvre le 17 août, sous la présidence de Gorki, qui joue plus que jamais au patriarche littéraire. *L'Humanité* et *Commune* rendront largement compte de ses débats. L'intervention de l'obscur Jdanov passe inaperçue. Celle, sectaire, de Radek et celle, plus libérale, de Boukharine retiennent par contre toute l'attention. Les Français présents sont, outre les noms cités jusqu'ici, le troisième couple montant de l'intelligentsia de gauche, Aragon et Elsa, directement reçus par Ehrenbourg. Bloch et Malraux ne sont pas membres du PCF et l'intervention du second, quoique favorable à l'Union soviétique, est loin d'être révérencieuse :

« L'image de l'URSS que nous donne sa littérature, l'exprime-t-elle? Dans les faits extérieurs, oui. Dans l'éthique et la psychologie, non. Parce que la confiance que vous faites à tous, vous ne la faites pas toujours assez aux écrivains. »

Le texte est cependant publié par la presse communiste. L'heure est à la grande récupération. Des portraits géants de Shakespeare et de Balzac ornent les salles. Les Soviétiques envisagent de tirer un film de *La Condition humaine,* comme des *Caves du Vatican...* Nizan lui-même reçoit sa récompense, sous la forme d'un compte rendu élogieux d'*Aden Arabie,* en russe, signé de Fried soi-même, et, surtout, de la traduction soviétique du même livre, précédée d'une préface de l'auteur dans laquelle sont prises quelques distances avec ce premier livre, encore trop intellectuel [44].

Pour que ce soit à l'égard de Moscou que Nizan prenne, cette fois, un peu de recul, il lui faut s'abstraire quelque temps du rythme kominternien. L'occasion lui en sera donnée à deux reprises par l'appareil, bon prince. Pendant l'été, pour un séjour de pure détente sur les bords de la Caspienne et surtout en avril, en Asie centrale. Le prétexte en est l'invitation du gouvernement de la république du Tadjikistan, à l'occasion du congrès tadjik des écrivains, préparatoire au congrès fédéral du mois d'août. Pour le couple, il s'agit surtout de voir, à mille milles de la capitale, ces zones de marches où le socialisme se construit quotidiennement dans la lutte contre la nature. Un membre du gouvernement tadjik les accompagnera, ainsi qu'Isaac Babel et la fille d'Ehrenbourg.

Le départ a lieu de la gare de Kazan le 11, en plein dégel. Le voyage en train jusqu'à Stalinabad dure sept jours. Tachkent, Samarkand, Boukhara... bien des lieux mythiques, et la frontière de l'Afghanistan en prime. Ils seront de retour à Moscou début mai. Une fois de plus, l'exotisme vient à la rencontre de Nizan, mais celui-ci, il veut l'assumer, dans ce pays de l'utopie réalisée.

Nous verrons plus loin que la transcription littéraire de cette expérience rend un son ambigu. Dans l'immédiat, le croyant en vacances peut s'abandonner sans remords aux délices de la nature et de la culture, aux champs de tulipes rouges à perte de vue, aux poèmes déclamés par les écrivains tadjiks dans les champs de coton des kolkhozes, entre deux semis. A quelques milliers de kilomètres au nord, dans la Taïga sibérienne, Dovjenko commence à tourner *Aerograd*, épopée lyrique à la gloire du monde nouveau. Nizan datera de « Stalinabad » le début de la rédaction de son second roman, *Le Cheval de Troie*.

Il n'est pas sans signification que cette œuvre, qui sera la plus explicitement engagée de sa trilogie romanesque, ait été ébauchée dans cette grande datcha russe, au moment même où il se force à croire qu'il vit l'accomplissement d'une vie réintégrée, même si, dans les rues de terre battue du grand village fraîchement promu capitale des Tadjiks, dans les beuveries grandioses et inquiétantes de ses compagnons, d'imperceptibles failles sont en train d'apparaître.

La faille s'élargit un peu encore, en novembre, à la veille du retour en France, le soir de la première des *Aventures de M. Pickwick*, par le Théâtre d'Art de Moscou. Les spectateurs attentifs découvrent avec anxiété que les loges des officiels se dégarnissent peu à peu, dans un remue-ménage suspect. A l'orchestre, des hommes se lèvent, gagnent la sortie à leur tour. Il plane soudain sur la salle une atmosphère de veille de déclaration de guerre. Et c'en est bien une : le Tout-Moscou est en train d'apprendre qu'on vient d'assassiner Kirov.

En pleine nuit, Staline réveille le peuple de la capitale. Dans le hurlement des sirènes et l'entrecroisement des projecteurs, il annonce, avec des sanglots dans la voix, la mort de son meilleur ami, qu'il a sans doute fait exécuter.

Aragon, qui est lui aussi à Moscou, décrira l'extraordinaire mise en scène des funérailles. Le grand massacre commence. Des décrets ont été pris dans la nuit même, légalisant le jugement et l'exécution sans recours et sans délai des « affaires d'État »; les premiers suicides, vrais ou faux, de Vieux-bolcheviks, sont relatés. Dans la seule région de Leningrad on comptera 80 000 déportations en quatre ans sous prétexte de complicité dans l'assassinat de Kirov. Dès le 15 décembre, Zinoviev et Kamenev sont impliqués. Vedettes du congrès d'août, Radek et Boukharine restent provisoirement en place, mais leur tour approche.

Paris. « Ça a été un séjour extrêmement corrupteur », dira Nizan à Sartre et Simone d'un ton négligent, tout en se rongeant les ongles de plus belle. Sartre, lui, rentre de Berlin, où il a été pendant un an pensionnaire de l'Institut français et, en tant que tel, observateur lui aussi de l'installation d'une dictature. Habitués au langage sibyllin de Nizan, ses amis se demanderont toujours s'il fallait y voir une appréciation à double sens, et pas seulement une allusion à des conditions de séjour privilégiées, wagons-lits et vins de Kagor.

Du moins avouera-t-il au même Sartre, en confidence, que sur un point au moins, il revient de Jérusalem volé : à la question naïve et vitale qu'il n'a pu s'empêcher de poser aux jeunes Soviétiques : « Avez-vous encore peur de la mort? » ceux-ci ont répondu oui [45]. Rirette a conservé un carnet à la couverture rougeâtre qui avait été achetée à Moscou (n° 525^I). Au milieu d'exercices linguistiques en russe, on n'y trouve guère que des notations sur la mort ou la vie future. Dans leur obscurité même certaines pages vont dans le sens des révélations sartriennes :

« C'est drôle de penser { mourir dans son lit — non
que l'on peut { mourir pour la cause — oui

« Kirov chacun de nous serait prêt à mourir pour Kirov.

« Peur de la mort. Nouvelle cause. Parce que mes enfants?

Les enfants sont leur famille. Chaque jour nouveau peur de mourir *sans avoir vu ce qui viendrait après* C'est un problème de mourir la vie capitaliste n'a rien donné on n'a pas vécu le pas *terminé fini* mais pas à 30 [46]. »

Sans être moins marxiste, Nizan rentrait d'URSS plus métaphysicien qu'en y allant.

La preuve par le Pamir

S'il y a une clé du séjour soviétique, peut-être faut-il la chercher dans ce journal dispersé, fragmenté qu'est toujours chez un écrivain la suite de ses textes, même les plus anodins. Non qu'on puisse y trouver une quelconque critique directe du régime, inconcevable et d'ailleurs sans doute, à cette date, informulable. Plusieurs écrits de circonstance confirment au contraire sa parfaite orthodoxie : l'URSS est en train de concocter un homme nouveau régénéré, et Staline, plus terrien, plus nature que Trotski, y prend, avec l'aide de Barbusse, des airs de grand « humaniste » [47]. Ils sont cependant de peu de poids à côté des deux reportages lyriques qui constituent aujourd'hui les seuls vestiges du grand livre consacré à l'Union soviétique qu'il semble avoir envisagé à son retour [48] : *Le Tombeau de Timour,* qui parle du voyage vers l'Est, et surtout *Sindobod Toçikiston* (Vive le Tadjikistan! [49]) qui parle du séjour.

Nizan est parti pour cette dernière fuite orientale avec le rêve inassouvi d'un « univers sans mystification et sans ruse, délivré enfin des relations de duplicité [50] ». Il a souhaité vivre, ne serait-ce qu'un instant, au contact d'un monde auquel il peut dire oui sans honte : « Le temps arrivera où l'esprit ne redoutera plus ses propres adhésions », avait-il prophétisé dans *Aden Arabie* [51]. Dans *La Conspiration,* on verra l'écrivain Régnier confier à son journal :

« J'imagine une époque où la grandeur sera moins dans le refus que dans l'adhésion [52]. » Or Nizan gardera le silence sur Moscou, sur le lieu même du pouvoir, plus que jamais domaine réservé, cité interdite, et le spectacle qu'il nous offre de l'Asie centrale est loin d'avoir le lissé lumineux des images pieuses qu'en ramènent les autres communistes.

Nulle contrée n'est en ce temps-là, comme sans doute dans

le nôtre, plus chargée de mythes que l'Asie centrale. Far-East du grand cinéma soviétique, terre des pionniers rouges, où moins que les koulaks et les trotskystes, les ennemis s'appellent le froid, le chaud, le vent, la sécheresse, les sauterelles : voici pour le militant. Mais pour l'Occidental rêveur, c'est aussi le pays de Boukhara et de Samarkand, et pour tout homme de l'Eurasie ce nombril de l'univers d'où, d'après certaines légendes, tout vient.

Ce voyage vers le Pamir prend alors des airs de retour aux sources.

« On était en Asie, on guettait les paysages comme lorsqu'on revient dans un pays natal. » *(Timour.)*

Il ne l'écrira pas, mais Rirette s'en souvient fort bien : quand ils arrivèrent à Boukhara, elle crut soudain reconnaître la ville. Pour mettre ce sentiment troublant à l'épreuve, elle entraîna Paul-Yves dans un dédale de rues. Sans avoir jamais vu un plan de la vieille cité, elle pouvait annoncer à l'avance ce qu'ils allaient trouver. Vaguement effrayé de lui-même, le couple préféra s'arrêter, après quelques minutes, rebrousser chemin vers les lieux civilisés et rationnels, les hommes du Gosplan et du Guépéou. Mais ils avaient eu chaud.

Ce n'est pas pour rien que *Sindobod Toçikiston* s'ouvre sur un départ perpétuellement remis et finalement avorté pour le Pamir :

« C'est ainsi qu'on parlait du Pamir, mais il n'y avait jamais moyen d'y partir vraiment. »

Là, « à des milliers de kilomètres de toutes les mers » *(Sindobod)*, sur la terre la plus « ferme » qui se puisse trouver, en ce centre initial et final à la fois où les secrets symétriques d'hier et de demain sont enfermés, l'intellectuel angoissé ne trouve pas l'apaisement, malgré (ou à cause de) la fébrilité qu'il met à saisir les images qui passent, à emmagasiner sans les commenter les instantanés, comme s'il se contentait de publier les tablettes d'une écriture encore indéchiffrée, pour mémoire.

Ébranlé par les confidences des jeunes Soviétiques, il se trouve soudain confronté, avec une conscience beaucoup plus crue qu'à Aden, à l'omniprésence de l'animalité, du désert, de la mort, tout ce qui est absence de l'homme. Il a beau s'attendrir sur ces « vainqueurs de Timour », le nomade sanguinaire, que sont les secrétaires du Parti, les commandants de l'Armée rouge, les ingénieurs surtout, sortes d'Antoine Bloyé réussis, qui construisent des ponts pour le peuple et font reculer les terres vierges par l'irrigation, le serpent est dans l'Eden.

Il gît dans l'horreur sacrée, incompréhensive, la répugnance invincible qui le saisit, et en même temps le fascine, devant ce successeur de Gengis Khan, tout possédé de « la haine des établissements de l'homme », devant la frontière d'Afghanistan, « genre de paysage inquiétant », devant la mer d'Aral, « qui est la mer la plus effrayante du monde », devant la steppe, plus océanique encore :

« Nous éprouvions le même genre de sentiment que sur le pont d'un navire en mer : des sentiments qui n'étaient pas du genre de la sérénité » *(Sindobod).*

Paradoxalement, Nizan parle beaucoup de la mer, en ces lieux si continentaux. C'est que la mer, chez lui, est avant tout un paysage qui ne porte pas les traces de l'homme, qui « nous échappe ». Il essaime son récit d'atrocités tadjikes et, après les moustiques, les sauterelles et les varans, s'arrête, inquiet, sans réponse, devant un insecte sans nom, particulièrement répugnant :

« Il y a une question de l'insecte et de l'homme. »

La page finale de *Vive le Tadjikistan* ne réinstalle pas la sérénité. Trois scènes s'y trouvent en collision, dans un raccourci qu'on peut trouver assez hégélien. N° 1 : A Kourgan-Tubé, des paysans chantent en travaillant un hymne à la collectivisation. N° 2 : Au passage du Vakhch un vieil homme pleure devant le cadavre de son fils, qui a eu la tête écrasée par le bac. N° 3 : A Stalinabad, dans la nuit, c'est la fièvre : on est à la veille du 1er mai. Des dépêches arrivent du monde entier, qui parlent des luttes ouvrières. Traduisons. Thèse : Qu'il est beau de travailler pour une société réconciliée. J'ai même vu, dira-t-il plus tard, des kolkhoziens planter un jardin pour le plaisir... Antithèse : Plaisir ou pas, la mort la plus absurde est toujours là, à rôder. Synthèse : Prolétaires de tous les pays, unissez-vous. C'est la lutte finale...

Le passage de la muscade n'est pas si évident, et le lecteur reste plutôt sous le coup de la mort du jeune tadjik, comme des

nombreuses autres anecdotes cruelles ou troublantes qui
parsèment le récit. Même celles qui font sourire demeurent
franchement ambiguës; ainsi de ce vieux devin soûl, symbole
des anciens temps, emmené au poste par un milicien, et qui se
termine par « comment prédire l'avenir quand le Gosplan
s'en charge? » Il n'est pas certain que cette réponse suffise à
Nizan. On a dit que l'humour était la politesse du désespoir. A
la lumière de ce récit, c'est toute la littérature de Nizan qui
pourrait recevoir cette définition. Ce stalinien continue à se
ronger les ongles.

L'entrée dans une Église a toujours quelque chose d'une
auto-dissolution. Mais il y a parfois du résidu, un noyau, qui
résiste. Chez Aragon, cette résistance donnera l'ambiguïté du
Monde réel et surtout, plus tard, *La Semaine sainte, La Mise à
mort, Matisse roman...* Chez Nizan, le résidu s'appellera
Antoine Bloyé, Le Cheval de Troie, La Conspiration. Le temps
des essais, dans les deux sens du mot, est clos. Place aux
réalisations romanesques. L'inachèvement du témoignage
soviétique, comme celui du témoignage bressan, sont bien
autant de signes; désormais, quand il voudra s'investir
profondément dans l'écriture, c'est la fiction qui, spontanément, viendra sous sa plume. Ce qu'il ressent toujours en lui
d'appel vers le constructif, il pourra le réaliser dans le
militantisme quotidien de la presse communiste; ce qu'il
conserve, cultive en lui d'angoisse et de doute, il le mettra
dans ses romans.

On peut même penser que la conjoncture politique
française, à son retour d'URSS, l'y encourage. La dernière
phrase d'*Aden Arabie*, écrite en 1930, annonçait sans le savoir
le 6 février 1934, avec ces « hommes en veston noir, les bras
ouverts sur le pavé, au milieu de la place déserte de la
Concorde ». Tout le drame politique de Nizan est que si cette
scène a bien eu lieu, les acteurs en ont été fort différents de
ceux auxquels il songeait alors : les hommes en veston noir
n'auront pas été des flics abattus par la révolution prolétarienne en marche, mais des manifestants petit-bourgeois de
droite, abattus par la police républicaine. L'Histoire, décidément, est trop compliquée pour les intellectuels.

Dans *Le Cheval de Troie*, le lecteur découvre insensiblement qu'après un temps où les militants ne voyaient l'avenir que comme « un grand piège angoissant [53] », la France s'est mise à bouger.

« Soudain, sur ces places, les pierres volaient, les chevaux galopaient, les matraques sonnaient sur les têtes, les revolvers tiraient (...) C'était une époque qui rappelait la formation des guerres de Religion lorsque les granges des protestants brûlaient, lorsque les hommes partaient sur les routes pour combattre [34]. »

Or ce n'était qu'une hypothèse, et pas la bonne. Achevé au printemps 1935, à Grimaud, le roman était immédiatement contredit par les faits. Il n'y eut pas de guerre civile, de guerre de religion, et Jacques Duclos, quelques semaines plus tard, allait réconcilier, à la stupéfaction générale, le drapeau rouge et le drapeau tricolore, *La Marseillaise* et *L'Internationale*.

Mais, du même coup, il n'y avait plus de « piège angoissant ». Une inquiétude était née, peut-être, du côté du Pamir inaccessible, mais en France c'était 1936. L'abandon lyrique à la victoire populaire, la gauche au pouvoir, les premières réformes, le parti communiste plus puissant que jamais pouvaient l'équilibrer sans trop de peine. Nizan accepta que fût payée d'une sensible modification stratégique une telle approximation de son « oui » rentré.

Dans *La Conspiration* il fait cet aveu troublant, qu'un jeune homme « est le seul être qui ait le cœur de tout exiger et de se croire volé s'il n'a pas tout. Plus tard, il n'y aura plus que des contrats, des échanges [55] ». Le temps du Front populaire fut sans doute pour lui celui d'un tel contrat, d'un tel échange. Mais l'air du temps le rendait aussi plus libre de verser dans son écriture contrôlée les rumeurs de ses inquiétudes, de son mauvais esprit, ou, plus gaiement, de sa fantaisie.

Cela donna, l'espace de trois, quatre années, le plus grand romancier politique français, et l'un des plus brillants journalistes. Au plus fort de sa période sectaire, il était allé jusqu'à écrire que la culture du peuple, assez riche de sa généalogie progressiste, n'avait « besoin ni de romans, ni de sonnets [56] ». Elle n'en avait peut-être pas besoin, après tout. Mais lui, si.

5.

Écrire

> « Longtemps j'ai pris ma plume
> pour une épée : à présent je connais
> mon impuissance. N'importe : je
> fais, je ferai des livres; il en
> faut. »
>
> *(Les Mots)*

En cherchant bien, on peut trouver chez n'importe quel romancier la théorie de sa propre littérature : il suffit de s'armer de patience, d'une loupe et de ciseaux. Nizan, écrivain doublé d'un penseur militant, n'échappe pas à ce genre d'investigation. Fort heureusement, il n'échappe pas non plus à la règle qui veut que la pratique contredise ou assouplisse périodiquement la théorie. Il faut dire qu'il n'aime pas beaucoup les étiquettes. Certes, il lui arrive de parler doctement du romancier révolutionnaire, mais les crises durent peu, et il laisse à Aragon le copyright du vocable « réalisme socialiste », que celui-ci acclimate en France à partir de 1934. Sa façon de définir la « littérature responsable » reste des plus traditionnelles : l'écrivain, chez lui, a « pour fonction de définir et de révéler aux hommes leurs plus hautes valeurs morales et leurs plus vastes ambitions [1] ». C'est en faire évidemment un médiateur privilégié, presque sacré. Vision d'un clerc, parlant d'une littérature de clerc : « On n'apprend aux hommes que des choses qu'ils savaient déjà sans se douter de leur science. L'exposition de ce savoir latent est une des missions de l'écrivain [2]. » Chaque livre devient alors instrumental; un roman finirait par se confondre avec un essai.

Mais il faut imaginer un clerc en révolte : la littérature nizanienne n'est prise de conscience que parce qu'elle est d'abord « mise en accusation du monde » et par là « volonté de le changer ». Ses personnages cessent de faire la concurrence à l'état civil pour devenir autant de problèmes incarnés. Fini pour longtemps le romanesque de la vie privée : « Depuis 1914, toute vie est publique [2]. » D'où le paradoxe de l'écrivain révolutionnaire :

« On ne peut écrire sur la politique que si on la vit, et on se dit que si on la vit on n'aura point le temps de l'écrire. (...) Le problème du romancier est peut-être aujourd'hui de trouver un rythme alterné d'action et de création qui le fasse passer de l'engagement dans la politique à un récit sur la politique. Ce rythme fut celui des romanciers de l'amour [4]. »

Ce sera celui du Malraux de *L'Espoir*, en qui il verra la plus juste approximation de son idéal.

De tout ce qui précède, le lecteur non prévenu attend la défense et l'illustration d'une littérature prêcheuse. Nizan en a suffisamment conscience pour multiplier les garde-fous. Sa définition du réalisme — « une littérature possédée du désir de l'actuel [5] » — est assez fougueuse et assez vague pour ne fermer aucune porte. Son refus d'assimiler l'impact d'une œuvre d'art à sa timidité formelle va à l'encontre du jdanovisme montant :

« L'efficacité la plus grande étant du côté de la plus grande découverte, le lecteur adhérant à l'œuvre d'art dans la mesure où il gagne en conscience ce qu'il perd en facilité [6]. »

Qu'on ne s'attende donc pas à ce qu'il se satisfasse d'une littérature satisfaite, qu'elle soit signée Maurois ou Cholokov. « Ce consentement révolté à la présence terrible du monde [7] » qu'il reconnaît dans son propre regard n'est pas fait pour les petites natures :

« On se demande comment il pourrait y avoir actuellement dans le monde une littérature *authentique,* qui ne soit pas une littérature déplaisante [8]. »

Nizan distinguera un jour deux écritures possibles : celle de la colère, comme au Siècle d'Or, et celle de la ruse. Les essais participaient certainement de la première; la fiction tiendra plutôt de la seconde.

« La littérature révolutionnaire est la forme moderne de la tragédie [9] », soit. Voyons un peu comment il ruse avec la tragédie.

Sans doute est-il nécessaire pour la clarté du propos
d'envisager la production littéraire de Nizan comme une suite
de textes vivant leur propre existence d'une manière relati-
vement autonome l'un par rapport à l'autre. Rien cependant
n'indique de véritable solution de continuité. A considérer la
seule chronologie des rédactions, l'enchaînement est à peu
près permanent. Tout s'est sans doute enclenché à la mort du
père, en février 1930, dans la ville de Nantes où il s'est retiré
depuis à peine cinq mois. Le destin de cet enfant du peuple
mort dans la peau d'un technicien habile, vieilli avant l'âge,
hante plus que jamais l'esprit du fils, qui juge maintenant
avec l'œil du militant l'enfant affolé des nuits de 1917.

L'article *Secrets de famille*, qu'il publie le 14 mars 1931
dans *Monde*, évoque déjà, en termes politiques, son propre
héritage familial, confronté au sens général de l'histoire
contemporaine. Un soir, de retour à Nantes, où il doit donner
une conférence sur « Marx et la philosophie », il est reçu par
son camarade Bruhat, alors en poste au lycée de la ville. Il est
lancé. Toute la nuit, ou presque, il va lui raconter l'histoire de
son père. Cette nuit-là, *Antoine Bloyé* s'est construit, comme
un grand arbre. Reste à l'écrire. Après *Les Chiens de garde* et
la mise en congé de l'université, double rupture avec l'*alma
mater*, l'adieu à l'autre famille originelle devient une
nécessité. Ainsi ce passage à la fiction se fait-il comme tout
naturellement. Œuvre de transition, *Antoine Bloyé* aura
encore quelques traits de l'essai en forme de roman, un *Aden
Arabie* du père à peine transposé.

La petite maison Rieder aurait bien aimé publier des
romans, mais sa réputation est toute intellectuelle. Elle
accepte que Nizan lui fasse des infidélités [10], sans grande
illusion sur le retour de l'enfant prodigue. Jean Guéhenno, lié
à Rieder par *Europe*, est d'abord auteur et directeur de
collection chez Grasset. Il recommande Nizan, dont le
manuscrit reçoit un excellent accueil des lecteurs attitrés de la
maison, au premier rang desquels Gabriel Marcel. Le contrat
est signé le 13 mars 1933; le livre sort le 25 octobre. Dès cette
date, *Présentation d'une ville*, paru fragmentairement dans le
premier numéro de *Commune*, a montré que Nizan était gros
d'un second témoignage autobiographique centré, non plus
sur un être, mais sur une communauté, deux même,

imbriquées mais de densité différente, la ville de Bourg-en-Bresse et, en son sein, la petite phalange communiste.

La vacance dense et ambiguë d'Asie centrale lui permet de se mettre à l'établi. On a vu qu'il date de Stalinabad le début de la rédaction, information confirmée par une lettre à sa mère en date du 2 juin 1934. Entre des dizaines de conférences, d'articles, il réussit à boucler l'ensemble à Saint-Tropez et Grimaud, vers la mi-avril. « Mon roman est fini et il est parti », annonce-t-il à sa mère le 22. Il ajoute benoîtement, histoire de troubler la pauvre Clémentine : « Très révolutionnaire avec des combats de rue, des morts, etc. Je crois, très réussi [11]. »

Sorti de là, trois années paraissent s'étendre jusqu'à la remise du troisième et dernier manuscrit romanesque, celui de *La Conspiration*, ce qui, compte tenu de son rythme de travail, peut paraître long. L'ampleur des tâches journalistiques qui fondent sur lui à cette date suffirait à expliquer cet écart. Mais ce serait oublier la plus grande complexité formelle de ce dernier texte et, surtout, la multiplicité et la diversification, entre-temps, de ses exercices littéraires : adaptation d'une pièce d'Aristophane, commandée en 1934 mais jouée seulement en février 1937, éditée un peu plus tard, une nouvelle, *Histoire de Thésée*, divers contes, *Les Matérialistes*.

Compte tenu de la place qu'occupera désormais chez lui l'écriture du reportage, descriptive et ponctuelle mais participant souvent du romanesque, on peut dire que l'activité fictionnelle de Nizan n'a jamais connu d'interruption réelle. On en trouverait une preuve supplémentaire dans les entretiens qu'il accorde à la sortie de *La Conspiration*, où il parle déjà du prochain roman. Titre, cadre, plan général en sont connus. Un an plus tard, sur le front, alors qu'il rédige cette suite il évoquera de la même façon l'hypothèse d'un volume supplémentaire.

Au-delà de cette continuité organique, la lecture de ce flux romanesque permet d'en mieux reconnaître la communauté profonde dans le propos et dans le ton, jusque dans la spécificité de leurs démarches. *Antoine Bloyé*, à l'instar du

Jacques Aron de Friedmann, est le livre du père écrit par le fils. Plus habilement construit que celui-ci, il encadre l'évocation de ce destin, à peu près chronologique, dans la méditation d'une veillée funèbre :

« La dernière nuit, le fils resta seul [12]. »

De ce rapport doublement intense — liens du sang et lieu de la mort — naît le tableau, recomposé par le regard sans indulgence du survivant, moins pourtant coléreux qu'attristé, d'une vie longuement gâchée.

Ce qu'on y découvre — à peu de chose près, la biographie de Pierre Nizan — n'a rien d'exceptionnel. L'événement le plus grave de cette vie — jusqu'à la mort, qui fait de l'existence la plus plate une existence tragique — est le limogeage de 1915 : il faudrait beaucoup de bonne volonté pour le transformer en cataclysme romantique. Une sensibilité d'écorché vif découvre pourtant dans ce père un drame en deux actes, comme deux morts successives, insidieuses, qui n'ont plus laissé à la troisième, la « bonne », qu'une dépouille vide, un sépulcre blanchi à embarquer vers le cimetière.

Le premier acte tient dans la trahison de la classe ouvrière natale dont s'est rendu coupable le jeune boursier promu par le travail et la compétence, ce qu'on appelait au XIe siècle le « talent », à la petite bourgeoisie, aux plaisirs chiches du sous-commandement industriel. Le franchissement de la ligne ne s'est pas fait en un jour, mais la mutation est évidente. Plutôt que d'être un homme, Antoine Bloyé a choisi d'être « quelqu'un » : il a dû payer. La seconde béance commence à s'ouvrir quand l'homme mûr accède à une conscience, obscure, inaboutie, de ladite trahison. Parcouru de paniques glauques, il ne se relèvera jamais de ce coup-là :

« Il avait tout le temps vécu sa mort [13]. »

Par là, le banal itinéraire Bloyé devient exemplaire, comme si un nouveau personnage venait d'être admis dans la Danse de Mort, entre le laboureur et le négociant. La seconde moitié du XXe siècle y reconnaît sans mal, au ras de l'interprétation, le drame du « cadre » contemporain, en perpétuel porte-à-faux social. Mais ce récit méticuleux d'un homme mutilé, stérilisé, réifié (« tout le monde pouvait le manier comme une pièce [14] ») par le travail, c'est-à-dire par lui-même, prend aisément une portée universelle. C'est en ce sens qu'il faut comprendre l'épigraphe, malheureusement en allemand non traduit (dernier reste d'affectation normalienne), extraite de *L'Idéologie allemande* :

« Si le communisme veut supprimer aussi bien le " souci " du bourgeois que la détresse du prolétaire, il est évident qu'il ne peut le faire sans supprimer la cause de l'un et de l'autre : le travail. »

La figure de Bloyé s'érige en symbole de l'homme aliéné.

Les moyens mis en œuvre ajoutent à la rigueur de ce qui, sans eux, ne serait qu'une démonstration désincarnée. On ne saurait, comme l'ont fait certains critiques de l'époque, lecteurs rapides par nécessité, les qualifier de « naturalistes ». Certes la description des étapes franchies, des milieux géographiques et sociaux traversés a la transparence d'un exposé. Abusé par l'exactitude de l'enquête menée par Nizan auprès des collègues de son père, un critique ira même jusqu'à supposer que l'ouvrage avait été écrit par un véritable cheminot [15]... Mais il y passe toujours, par le choix des mots, des épithètes, les raccourcis, les correspondances dressées, les maximes cristallisées ici et là, le frémissement de révolte qui soulève toutes les autres parties.

Dans ce premier exercice romanesque, l'auteur fait déjà feu de tout bois. Le tableau de la naissance de Saint-Nazaire a quelque chose d'une épopée de l'ère industrielle. Le chapitre dédié au destin absurde et affligeant de la « petite Marie », fille aînée des Bloyé, morte à six ans, est en soi comme une courte nouvelle atteignant à l'horrible par la simplicité des moyens, presque leur nudité. Enfin, face à Antoine, se dresse fugitivement l'image d'une femme et d'un quartier, Marcelle, la tenancière rousse d'un café dressé au plus profond de la misère parisienne, dans le XIII\e arrondissement de Léo Malet, face à la sinistre rue Watt. L'homme signe son arrêt de mort intime le jour où il renonce au côté-de-Marcelle, « le côté du grand vent [16] », pour le côté-d'Anne-Guyader, abrité de tout, respectable et spongieux. Il y a une couleur d'*Antoine Bloyé*, sourde et triste comme les couleurs de ce tournant de siècle, où la lèpre des bas-quartiers ferroviaires n'est pas moins sombre que le brou de noix des intérieurs petit-bourgeois.

Cette couleur plut. Une note de Gabriel Marcel à Bernard Grasset fait de ce premier roman, qu'il vient de lire pour avis, « sans aucun doute possible le meilleur manuscrit qu('il ait) lu depuis des mois [17] ». Les archives Nizan nous apprennent que c'était aussi l'opinion du vieux colonel Mayer, homme Protée préoccupé de mille choses et, par exemple, de typographie : on apprécie comme elles le méritent les ironies de l'histoire quand on découvre que cet officier anticonformiste, qui était devenu à la même époque le conseiller stratégique de De Gaulle, a été chargé par Nizan de la relecture (formelle) de son manuscrit, en vertu du principe :

« Léon Blum m'a raconté l'autre jour qu'il s'est amusé à refaire la ponctuation de quelques pages de Marcel Proust et qu'elles y avaient beaucoup gagné » (...)

On ne sait pas si *Antoine Bloyé* a beaucoup gagné aux conseils typographiques du colonel. Toujours est-il que la critique fut des plus favorables, à commencer par l'illustre et puissant André Thérive, titulaire du rez-de-chaussée du *Temps* [18].

Comme il arrive souvent, les défauts qu'on trouva au roman touchaient moins à ce qu'on y lisait qu'à l'idée que chacun se faisait des intentions de l'auteur. Jean Fréville, dans *L'Humanité* [19], fut assez froid : la thèse marxiste n'était pas assez explicite. Inversement, l'extrême droite littéraire, avec Jean-Pierre Maxence [20], parlera d'un « Paul Bourget du marxisme » : les deux critiques s'annulaient l'une l'autre et constituaient le meilleur hommage au talent de l'auteur. Plus intelligent, et plus artiste, Aragon saura, quelques mois plus tard, dans un contexte moins sectaire [21], récupérer l'intégralité de l'œuvre dans le sens voulu par l'appareil. En se présentant au public en costume d'écrivain de Parti, Nizan s'exposait d'ailleurs à être jugé sur la cohérence intellectuelle de son propos, qui ne préoccupait guère chez la plupart de ses confrères. Sans doute était-ce seulement là que le bât blessait : à partir des éléments fournis par l'auteur, ne pouvait-on pas interpréter, la détresse de Bloyé sous l'angle psychologique individuel, sans recourir à la lutte de classes? Poser la question du roman en ces termes, comme le fit par exemple

Pierre-Henri Simon, c'était là prendre au sérieux le personnage principal, lui reconnaître une réalité singulière : indice des romans réussis.

Le Cheval de Troie

On ne saura jamais dans quelle mesure Nizan avait été sensible au reproche d'insuffisant engagement et d'excessif individualisme avancé par les plus sectaires de ses camarades. *Le Cheval de Troie* y répond en tous les cas implicitement. Drame cerné par le temps d'une semaine et l'espace d'une ville de province, il raconte en effet l'irruption de l'Histoire, du mouvement historique dans la vie collective d'une cité. Avec *Antoine Bloyé* un fils ramenait son père au monde, comme pour un jugement premier. Ici une ville, symboliquement nommée Villefranche, accouche, dans le sang et la douleur, de sa révolution.

Le site, les personnages doivent une fois de plus beaucoup à l'expérience de l'auteur. Villefranche-sur-Rhône est un composé de Bourg, de Vienne, de Villefranche-sur-Saône, les communistes et les bourgeois qui y sont décrits, les enseignants du lycée au premier chef, avaient souvent des traits reconnaissables des contemporains locaux. Ce qu'on y dit de la vie d'un rayon communiste de province ou de la répression d'une manifestation ouvrière doit à l'évidence tout au travail du militant et du candidat de 1932, au journaliste politique de 1935. Mais, bien entendu, l'essentiel n'est pas là.

Il est dans la composition rigoureuse du roman, où les divers personnages typés — les quelques militants communistes et le professeur de lycée Lange — convergent insensiblement vers cet après-midi de dimanche 1932 où chacun connaîtra enfin la figure de son destin. Là où *Antoine Bloyé* déroulait lentement le fil d'un drame solitaire, *Le Jour de la colère* (titre d'abord proposé par Nizan; quand le roman sera traduit, quelques mois après, en Union soviétique il sera intitulé *Le Jour des morts*) se noue autour d'un moment d'intensité collective : une manifestation du Front commun dispersée par la police, au milieu de violents combats de rue entre extrémistes des deux bords.

La perspective politique, et même partisane, est cette fois

des plus claires. Les héros positifs existent, et ce sont des militants communistes. La manifestation, l'événement sont leur œuvre, exclusivement. Le livre se termine sur l'exaltation redoublée du combat sans pitié contre les ennemis, au nom de la vengeance des morts. Voici l'élan sauvage d'Albert, l'ouvrier, qui se jette dans la mêlée après avoir appris la mort de sa femme :

« La justice, la misère, la mort n'étaient pas des adversaires visibles, mais les gardes étaient des ennemis charnels : son désespoir fondait, il avait une sortie, il se faisait fureur [22]. »

Voici la guerre civile aux portes :

« Un monde naissait. La France entrait dans le jeu des nations, pour elle aussi la violence qui refait l'histoire commençait. Plus de projets, d'attentes dans cet avenir incroyable où on ne compterait un jour les victimes qu'en gros, où personne n'aurait le temps de remarquer spécialement telle ou telle mort : ce serait comme un cataclysme naturel, un cyclone, un raz de marée. Ils pensaient vite. Maillard dit :

« — Imaginez-vous. Quand on dira peut-être : à Marseille, ou à Lille, ou à Toulouse, il y a eu deux cents morts, il y a eu quinze cents morts... » Voici la vie des militants justifiée par la mort de l'un d'entre eux :

« — Et après? dit Berthe. On mourra quand même, on finira toujours par le trou...

« — Si nous disons cela, dit Bloyé, nous ne serons plus des hommes. J'y pense souvent... On peut détruire d'abord toutes les façons injustes de mourir, et ensuite, quand on n'aura plus affaire qu'à la mort dont personne n'est responsable, il faudra essayer aussi de lui donner un sens [23]. »

Rien pourtant d'un simple appel à l'insurrection et au meurtre. La manifestation est réprimée, un communiste reste sur le carreau. Dans le même après-midi Catherine meurt seule dans sa cité ouvrière, d'un avortement clandestin. Quand, dans les rues de la ville, le professeur Lange, jusque-là indifférent aux êtres et aux choses, choisit son camp, c'est celui du fascisme. L'indéterminé grippe la machine, la mort frappe à l'aveuglette. Il y a du blanc et du noir, mais aussi du néant, qui n'a pas de couleur. C'est que ce sont des hommes qui se débattent là, pas des principes, et pas seulement des « problèmes ».

Ce roman, où l'auteur a renoncé à adopter un point de vue privilégié, après, semble-t-il, y avoir songé [24], réussit à typer plusieurs personnages avec plus de force qu'*Antoine Bloyé*. Les visages les plus émouvants sont sans doute ceux des trois femmes, de celles qui ont renoncé à être belles parce qu'elles vivaient dans le monde où les corps ne sont pas égaux : Berthe, lasse et volontaire pourtant, Marie-Louise et son mal d'être ce jeune animal qu'on prétend encager (« Tout est défendu, disait-elle. Ce n'est pas une défense sur les murs, il n'y a pas d'affiches, c'est un étouffement [26] »), Catherine surtout, et sa mort abandonnée. Le couple qu'elle compose avec Albert est loin d'être parfait. Lui trop souvent mâle dominateur, elle acculée par la gêne à sacrifier son enfant : plusieurs années avant les scènes des *Chemins de la liberté* un avortement tient le centre d'un récit politique. Mais le roman s'ouvre et se ferme sur un couple vivant, pas encore démoli, celui de Bloyé (tout porte à croire que c'est le fils d'Antoine) et de Marie-Louise.

En face de la communauté communiste se dresse l'autre engagé corps et âme, Lange, déchu, bien sûr, l'un des personnages les plus complexes de toute l'œuvre de Nizan. Sartre s'y reconnaîtra. Nizan s'en défendra mollement, parlera de Brice Parain. Il est certain qu'on pense à cette *Nausée* que le petit camarade était en train d'achever quand on lit que Lange « imaginait un livre qui décrirait uniquement les rapports d'un homme avec une ville où les hommes ne seraient que des éléments du décor, qui parlerait d'un homme seul, semblable à un îlot désert [27] ». Mais là n'est pas la question : après tout, Lange est professeur au lycée de Villefranche et il se ronge les ongles. Spectateur tragique, behavioriste conséquent mais malheureux : il serait facile de retrouver en lui autant du Nizan de 1925 que de Roquentin ou de Meursault. Il va glisser insensiblement du nihilisme au fascisme comme il aurait fini par glisser dans l'alcoolisme, le suicide ou la littérature. Ce qui demeure, par la place que ces réflexions et situations tiennent dans le roman, c'est le

tableau d'une conscience engluée dans le solipsisme, une sorte
de néant portatif :

« Le scandale », lancera-t-il haineusement à son collègue
Bloyé, « c'est qu'il existe des mondes... Vous travaillez à
fabriquer un monde où je ne serais pas moins seul... [28] »

Lange est un intellectuel bourgeois qui se refuse à trahir sa
classe, tout en ne croyant plus en elle. Cet esprit cultivé, à
force de démystifier le Système, se trouve incapable de
participer au mouvement corporel d'une foule ouvrière,
dressée par la misère et l'humiliation. Quand il sera enjoint
par le sort de prendre parti, dans un monde désormais
manichéen où son abstraction n'a plus de place, il choisira sa
classe, et tirera sur les « salauds » d'en face dans un orgasme
explicitement suggéré (page 175). Dans la galerie, assez
courte, des héros fascistes de la littérature française, Lange a
plus de cohérence que Gilles et plus de vraisemblance
qu'Aurélien. Sans l'avoir cherché (mais après tout *Le Cheval
de Troie* est contemporain des plus longs entretiens que Nizan
ait eus avec Malraux), il réalise le personnage-problème posé
un jour par l'auteur de *La Condition humaine* : le fascisme,
pessimisme actif.

Roman en apparence le plus sectaire de son auteur, *Le
Cheval de Troie* réussit à être aussi, et d'abord, celui où
l'analyse psychologique du fascisme et la dénonciation sociale
de l'aliénation féminine sont poussées le plus loin. Mais cette
présence de quelques individus, campés sans bavardage dans
les moments les plus intenses de leur vie, ne rend pas moins
plausible le personnage collectif du rayon communiste,
parcouru d'émotions, de coups de bourdon, de colères,
d'activités fébriles, qui ne sont pas la simple juxtaposition des
psychologies autonomes de Bloyé, Maillard, Levent, Marie-
Louise, Berthe, Albert, Paul... Elle rend surtout plus convaincante la vision unanimiste du dimanche final, où du même
mouvement Villefranche se découvre « un cœur capable de
passion [29] ». Le flux de sang de la femme avortée et du militant
assassiné en pleine rue, dans sa concordance, établit un lien
indissoluble entre l'individuel et l'historique.

Le roman se termine comme commençait *Antoine Bloyé* :
sur une méditation funèbre des militants autour du corps,
d'abord présent puis métaphorique, de Paul, l'assassiné. Le

ton qu'ils adoptent confirme le sens du récit heurté de la manifestation : *Le Cheval de Troie*, comme son nom l'indique assez bien, est une épopée. Les dialogues des personnages respectent la règle épique que définira Nizan deux ans plus tard, à propos d'un roman de Tristan Rémy : « Chaque parole importante des personnages comporte la référence à l'avenir [30]. »

Antoine Bloyé avait plus d'épaisseur, *La Conspiration* aura plus d'éclat, mais c'est *Le Cheval de Troie* qui a le souffle. De tous, c'est sans doute celui qui se rapproche le plus de la construction cinématographique; on pense, par endroits, à Malraux. Mais il garde bien à lui la fulgurance des formules, la cruauté des portraits, la hantise de la mort, l'ambiguïté de Lange et l'opacité de certaines scènes, comme celle de la mort de Catherine ou de la déambulation du professeur dans le passage du Théâtre, la nuit.

Sa réputation de texte de propagande, d'exercice de style « réaliste socialiste », dont il est fort loin, a fait beaucoup de mal au *Cheval de Troie,* qui a surtout fait peur aux deux camps, effrayés du tableau terrible qui leur était présenté de leur avenir. C'est pourtant peut-être des trois celui qui mériterait le plus de durer, par la rigueur de sa construction, la variété de ses perspectives, la cohérence de la forme et du fond. Mais on comprend que *La Conspiration* plaise plus aux âmes distinguées. *Le Cheval de Troie* était une Iliade, c'est une Odyssée.

La Conspiration

Avec elle, Nizan accentue les libertés prises déjà dans *Le Cheval de Troie* avec son autobiographie. On y trouve sans doute des souvenirs de la *Revue marxiste* ou , par ouï-dire, des deux revues antérieures, mais seul un esprit prévenu (Henri Lefebvre, par exemple) pouvait y chercher un quelconque documentaire sur une aventure intellectuelle à vrai dire assez secondaire. A peine si l'on peut y reconnaître aussi l'écho d'anecdotes racontées par Rirette, dans l'aventure d'un jeune homme et sa belle-sœur, par Politzer, dans le personnage d'un philosophe devenu flic, le souvenir d'événements politiques des années 28 et 29 dans l'arrestation d'un militant communiste clandestinement installé dans un pavillon de banlieue, etc : Nizan ne parle pas plus des « autres » que Balzac ne parle d'autrui dans *Les Illusions perdues*.

La seule influence extérieure dont il faille sans doute tenir compte ici ou là est celle d'écrits antérieurs. Un peu le diptyque de Friedmann, qu'en 1932, dans sa première chronique littéraire marxiste, Nizan qualifiait de « document sur une jeunesse dont les recherches peuvent aujourd'hui paraître assez comiques », et où figure aussi une séquence intitulée « Extraits d'un cahier noir ». Beaucoup *Les déracinés* de Barrès, qui raconte l'éducation sentimentale et politique de sept élèves et où l'on rencontre, comme dans *La Conspiration*, une panthéonisation, la visite à un « maître », un journal intime, une aventure amoureuse, une déchéance criminelle... J'arrête ici cette énumération, qui n'attend plus que son raton-laveur. Comme on s'en doute, ce qui fait le charme, aujourd'hui encore, de *La Conspiration*, ce ne sont pas ses « sources ».

Sans doute tient-il au mélange, complexe, faussement nonchalant, des niveaux où il se déploie, et des tons adoptés pour en rendre compte. Non pas que le style en soit éclectique. Il garde sa fermeté, il est toujours, comme au premier jour, à la première ligne du premier essai, capable de maximes, de raccourcis cinglants. Mais le monde dont il rend compte a perdu l'évidence de celui de Villefranche. L'amertume s'y fait douce, parfois pince-sans-rire, la pente générale est, au sens fort plein du mot, à l'ironie.

Le récit enchevêtre l'aventure éphémère d'une revue révolutionnaire, rédigée par une petite équipe d'étudiants en philosophie, à trois ou quatre équipées personnelles, de longueur et d'importance variables, toutes nées du tronc central mais dont les ramifications poussent dans toutes les directions : la branche Bernard Rosenthal, la branche Simon, la branche Serge Pluvinage, la branche Philippe Laforgue, plus un vieux bois sec rapporté, la branche Régnier. A bien des égards, *La Conspiration* se tient à égale distance des deux premiers livres. Par la durée des événements racontés — un an et demi environ —, leur situation dans le temps — juin 1928-décembre 1929 —, la multiplicité des points de vue, entre le narrateur quasi unique d'*Antoine Bloyé* et sa dilution

complète dans *Le Cheval de Troie*, sa structure, enfin, qui,
tout en épousant la chronologie, retrouve le sens des
harmoniques et des symétries propre au second roman.

A ceux qui aiment les formules bien balancées, on pourrait
lâcher cet os à ronger : après *Antoine Bloyé* roman du père, *Le
Cheval de Troie* roman de la mère (Catherine-Parti-
Villefranche), voici donc le roman des fils. Qui dit roman des
fils dit évidemment roman d'initiation. Les deux premiers
l'étaient implicitement, celui-là le proclame. Comment sort-
on de sa jeunesse? (et en quel état?), voici son problème, le
problème de ses héros. Répondre à cette question, c'est
raconter le livre, et raconter le livre c'est beaucoup plus que
pour *Le Cheval de Troie*, raconter les personnages.

La réussite du roman est dans cette maîtrise de tant de
destins, dans la richesse que récèle chacun d'eux, même
fugitivement évoqué, le tout resserré dans un récit finalement
assez bref ou qui, plutôt, donne l'impression de la brièveté.
On reconnaît le métier acquis par l'auteur à la puissance
conférée à deux figures qui lui sont en apparence des plus
éloignées, Rosenthal (« Rosen ») et Pluvinage, alors que
Laforgue, dont la situation sociale, familiale, l'esprit et les
préoccupations lui sont si proches, n'est évoqué qu'*in
extremis*. Sa comédie humaine s'élargit au tableau de la
grande bourgeoisie, jusque-là absente, par le jeu équivoque
qui aura finalement raison de la révolte romantique de
Rosen. Son tragique prend une épaisseur un peu poisseuse, un
air de fatalité oppressante inaccoutumés dans la longue
confession écrite de Pluvinage, hommage implicite au Dostoïevski des *Possédés*.

Les scènes Rosenthal sont vécues dans le chatoiement
d'attitudes, de défis, d'éclat et d'éclats. Un voyage lumineux à
Naxos, un amour passionné pour sa belle-sœur Catherine,
autant que sa manière de mener ses camarades de la revue, de
soutenir avec fierté le jugement familial donnent le ton de
l'atmosphère dans laquelle il se meut. Le suicide seul, mais il
met fin à tout, le fait tomber de son haut dans les espaces
glauques où, au contraire, dès la naissance baigne Pluvinage.

Serge, ou comment on devient un traître parce qu'on « s'est
cru d'avance raté [31] ». Il a été le premier à entrer dans le
communisme : ce sera pour découvrir que la police aussi peut

être une religion, celle du jeu caché. Pluvinage est un stalinien qui s'ignore. Le méchant procès qu'on a cherché après sa mort à Nizan, en se fondant sur cette partie du roman, est, en soi, un hommage rendu à la force littéraire de cet espace de désespérance sans issue, où le personnage du commissaire Massart, père supposé de Serge, finit par avoir, dans sa passion d'intellectuel-flic, une présence diabolique des plus troublantes. C'est que dans *La Conspiration* le monde des adversaires n'a plus la simplicité du *Cheval de Troie*. Quantité de degrés, de circulations s'y distinguent. L'adversaire-flic ne se confond plus avec l'adversaire-agent de change. M. Rosenthal est un bourgeois honteux et Pluvinage un communiste traître.

Situé au sein de *La Conspiration* comme Lange l'était au sein du *Cheval de Troie*, l'écrivain Régnier est une figure complexe, où le petit jeu des devinettes relèverait ici quelque chose d'Aragon, là de Barbusse, ailleurs de Drieu. Pour Nizan il apparaît surtout comme un solennel raté de l'autre avant-guerre, empêtré dans ses problèmes d'autobiographie, un ancien combattant mal reconverti dans l'égotisme. Bref, un être « trop paresseux pour la colère [32] ». A l'instar de Lange, c'est un impuissant, jeté dans un monde de puissances affrontées. Il ne termine pas fasciste, mais morose. Il ne se suicide pas, mais il tient un journal intime. Chacun devine que ça ne vaut guère mieux. Une note le peint tout cru : « Un homme ne se recommence guère que par une femme. Ou par la guerre, la révolution. Écrivons des livres [33]. »

En lisant ce portrait, combien d'autres d'auteurs NRF se sont-ils reconnus? On ne le saura jamais. Après tout, Nizan était un écrivain maison.

Dans toute cette galerie, seul le dirigeant communiste Carré présente un visage lisse, l'air d'un héros soviétique, somme toute rafraîchissant. Mais l'auteur n'a pas eu envie de s'éterniser sur son cas, et son témoignage, auquel il tient, manque de poids face aux traîtres et aux tourmentés qui se meuvent autour de lui. Carré ne bouge pas; il a cette immobilité après laquelle Nizan — et Bernard — soupirent, tout en faisant sans cesse le contraire de ce qu'il faudrait pour l'atteindre. C'est qu'ils ne le veulent pas.

La diversité des points de vue multiplie aussi les coups de sonde dans des veines jusque-là inexplorées. *La Conspiration* est ainsi le seul texte de Nizan où le problème juif soit abordé explicitement, même si on ne peut pas dire qu'il le soit de front puisque tel n'est pas son propos. C'est aussi son plus beau texte amoureux. L'importance, la richesse du personnage de Rosen tient en grande partie à la confluence de ces deux thèmes.

Le mari d'Henriette Alphen peut se permettre d'aborder la question juive sans les précautions en usage chez les goys honteux. Mais prendre l'ironie sans indulgence du regard qu'il porte sur la bourgeoisie assimilée des beaux quartiers pour de l'antisémitisme, comme l'a affirmé un article récent [34], dénote une ignorance foncière de toute la littérature nizanienne, doublée d'une tendance largement délirante et typiquement terroriste, à soupçonner d'ethnocide tout discours mettant en scène la mort d'un frère de race. Rosen n'est pas éliminé par une famille *juive* et en tant que *Juif,* pas plus qu'Antoine Bloyé ne traîne après lui une fatalité *bretonne.* M. Rosenthal est aux antipodes de Jéhovah, et son fils aîné, jeune gandin d'extrême droite, n'est qu'un jeune gandin d'extrême droite. La parution du Statut des Juifs aurait peut-être causé quelque trouble à cette honorable famille, mais l'éditeur du *Livre brun* était mieux placé que beaucoup d'autres pour subodorer qu'elle en aurait été plus peinée qu'horrifiée et aurait d'abord cherché à transiger, pour la conservation de ses droits acquis. Bernard meurt d'un mal de famille dont l'aryen Nizan a failli crever. Ils sont frères de cette race-là.

Ils sont aussi frères dans l'amour passionné et possessif qu'ils portent à « leur » femme. Jamais l'image romanesque du couple n'a été si pleine chez Nizan. Sans doute le point de vue redevient-il essentiellement masculin, la Catherine de *La Conspiration,* image inversée de la Catherine du *Cheval de Troie,* un bel animal imprenable dans les lacets du matérialisme dialectique. Mais la prise de conscience qui est la sienne après le suicide de son amant — prise de conscience qui vaut celle, plus sociable, de Laforgue à la fin du livre, et qu'on oublie généralement de relever — annonce des suites dont *La Soirée à Somosierra,* nous le savons aujourd'hui, était largement remplie.

Sachons nous satisfaire de ce que le destin nous a laissé. *La Conspiration* est un livre qui approche la synthèse si rarement réussie entre les nécessités du discours politique (ici : « Que la révolte n'est pas la révolution ») et celles de la création romanesque, nourrie d'aléatoire. Une demi-douzaine d'êtres y prennent définitivement forme humaine, une demi-douzaine de lieux s'y imposent avec force, tels qu'on peut les imaginer aisément, les yeux fermés (ou grands ouverts) : La Muette, Clignancourt, La Vicomté, Naxos... Sa construction, qui nous paraît si simple aujourd'hui, après tant d'expérimentations littéraires omnidirectionnelles, recelaient à l'époque assez de pièges pour que cette « forme fragmentée » *(fragmentary form)* servît d'argument à un éditeur américain pour en refuser la traduction [35]. La convergence du *Cheval de Troie* a fait place à une sorte de composition musicale ternaire, où chacun des trois mouvements arpège autour d'un leitmotiv personnel. Le style alterne savamment la fulgurance et le nonchaloir. Moins emporté que dans l'épopée de Villefranche, il joue sur un registre plus en demi-teintes, plus diapré aussi :

« C'est ainsi que Laforgue et ses amis restaient si tard éveillés, comme pour multiplier leurs chances. Mais à deux heures du matin dans Paris, on ne peut plus guère compter que sur le raccolage d'une fille qui aura les jambes tellement rompues par sa garde et tellement envie de dormir que ce n'est pas dans sa chambre qu'on devra attendre grand-chose de la vie, pendant, qu'elle se déshabillera en bâillant, et sans penser à ces gestes angoissants de coquetterie, d'humilité qu'ont les femmes éveillées pour cacher un défaut de leurs seins, un repli de leur ventre, une cicatrice, ou l'âge, ou les signes mous du malheur.

« Ils rentraient tous les soirs volés [36]. »

Sur le fond, l'auteur se réserve toujours la faculté de juger, mais il n'en use que par éclair, au profit d'une ironie active qui, en n'épargnant pas les héros ne s'épargne pas elle-même. C'est peut-être ce propos délibéré et répété de démystification, droit venu du premier essai, qui empêche *La Conspiration* de dater, mais qui, en même temps, conduit à se poser des questions sur la situation présente (1938) des rapports de Nizan avec son idéologie-refuge.

Plusieurs commentateurs ont surtout retenu du roman l'image globale de l'échec. Nizan pouvait leur répondre qu'ils avaient tort, puisque aussi bien Catherine et Philippe, Simon lui-même, sans parler de Carré, s'affermissent dans l'épreuve, passent avec succès l'examen d'entrée dans ce qu'on appellera, pour simplifier, la vie. Mais il est bien vrai que leurs expériences pâlissent à côté des deux destins également irréversibles de Rosen et de Serge, cristallisés dans les deux seuls actes qui ne connaissent point de remède : le suicide et la trahison.

La manifestation communiste de 1924, où les jeunes gens se plongent avec volupté et prennent, pour la première fois, conscience de leur rapport au « monde réel », est sans lendemain, malgré son intensité. L'efficacité révolutionnaire de leur revue, romantiquement intitulée *La Guerre civile,* est discutable, celle de leur « conspiration » militaire, nulle. A la première épreuve du temps qui passe, le groupe éclate. Les héros de *La Conspiration* sont sympathiques et dérisoires parce qu'ils croient encore possible d'expérimenter tout de suite une vie où l'on serait « absolument délivré de la peur de mourir [37] », parce qu'on les saisit dans les premières pages à un âge où ils n'ont pas encore compris le fin mot de l'histoire : « Comme c'est lourd et mou le monde! [38] », « Comme c'est puissant et inflexible, une famille! [39] »

La question est, évidemment, de savoir pourquoi Nizan a éprouvé le besoin d'écrire, vers 1936, sur l'échec d'un certain gauchisme. Il avait dit :

« Personne n'est capable d'écrire en 1935 la suite des livres de 1933. Nous vivons dans un temps qui presse chacun de choisir une position politique : on verra peut-être un jour que le 6 février 1934 établit un plan de clivage dans les lettres comme dans la politique [40]. » C'était pour justifier *Le Cheval de Troie.* Mais cela pouvait s'appliquer à « la suite ». Or la grande kermesse de 1936 était bien faite pour troubler cet esprit inquiet. Sans doute a-t-il ressenti alors le décalage cruel entre sa logique de la guerre civile et celle de la main tendue. Ce hiatus n'enlevait pas un gramme de la qualité intrinsèque du texte de 1935, pas plus que les convictions catholiques et légitimistes du Balzac de 1840 n'en font un romancier illisible en 1980. On pourrait même postuler le contraire. Mais c'est ici un point de vue de lecteur. L'auteur-militant jouait sa vie sur d'autres cartes. En prenant un peu de recul par rapport à l'actualité politique, il découvrait la deuxième période cruciale de son existence, après la mort du père : l'entrée dans le ventre de l'Église. *La Conspiration* fut un adieu aux armes romantiques, dans l'attente perplexe d'un avenir redevenu flou, sans être encore tout à fait opaque. Il était plus facile de reconnaître comment et pourquoi on avait été trompé à vingt-cinq ans, que de savoir si on allait l'être derechef à trente-cinq. Les romanciers ne sont pas plus des démiurges que les hommes ne sont des saints. S'il en était autrement, il n'y aurait plus de littérature.

Celle-ci était donc fort bonne. L'accueil de la critique fut à la dimension de l'ambiguïté. Jamais aucun livre de Nizan ne recueillit pareille presse. Sartre [41] fut peut-être le plus réticent, en ne trouvant pas assez de complicité entre l'auteur et ses personnages, point de vue sartrien s'il en fut mais d'application nulle à la littérature du petit-camarade, qui en est, à tout prendre, aux antipodes. Mais ses éloges l'emportaient convenablement sur les réserves. Aucune définition du style nizanien, en particulier, n'avait été plus fine :

« Sec et négligent, ses longues phrases cartésiennes, qui tombent en leur milieu, comme si elles ne pouvaient plus se soutenir, et rebondissent tout à coup pour finir dans les airs... »

Les autres stentors furent enthousiastes à souhait. Aragon s'emballa sur « le roman terrible [42] », en le comparant à Courbet, « ce naturalisme qui ne craint pas un certain fantastique surmonté ». On subodore que cette formulation alambiquée et, finalement, restrictive, satisfit moins l'intéressé que l'appréciation de l'officiel Thérive :

« Voici un des livres les plus remarquables qui aient paru depuis quelques années (...) Je n'hésite pas à penser que *La Conspiration* marque un art beaucoup plus délicat, un talent mieux assuré que celui de M. Aragon, dont *Les Cloches de Bâle* ou *Les Beaux Quartiers* figurent les classiques dans la littérature du Parti (...) M. Malraux, en grand visionnaire qu'il est, aurait eu du mal à composer un livre aussi simplement humain [43]. »

L'avis général fut que *La Conspiration* était le meilleur des trois romans. C'est communément celui de la postérité. J'ai dit plus haut que si j'étais acculé à choisir, je prendrais plutôt le second. Mais peu importe. Il n'est pas certain que Nizan ait fait « des progrès » d'un livre à l'autre. Pourquoi d'ailleurs considérer son œuvre comme une carrière à la Bloyé, un cursus à la Laforgue? Les trois romans auxquels le destin a voulu que son œuvre s'arrêtât ont chacun un univers spécifique, nullement interchangeable. Comprise comme un seul roman synthétique, la trilogie a peut-être des chapitres « forts » et « faibles » : ce qui compte, c'est l'équilibre général. Une série de points forts, cela ne s'appelle pas un chef-d'œuvre, mais une anthologie.

Il y a donc un grand roman unique signé Paul Nizan. Ses grands personnages sont la Famille et la Mort, en face desquels les fils n'ont d'autre choix que la révolte ou l'abandon. Les familles peuvent s'appeler société capitaliste, entreprise, foyer, parti, secte, même famille. Elles collent à la peau des individus, avec la même évidence que leur anéantissement final. Le tragique naît de ce que personne ne s'y sauve impunément. La révolte est toujours justifiée mais la faiblesse, la trahison, la déchéance ne sont jamais loin. Les héros nizaniens, pétris de mort mais sans remords, foncent dans la vie avec rage. Ce qui les empêche d'être purement et simplement transformés en fanatiques — et, par là, en personnages romanesques fort ennuyeux — c'est que « temporels jusqu'aux os », ils ont gardé une carcasse bien trop métaphysique pour rendre tout uniment le mal pour le mal. De cela un texte témoigne. Composé du voyage à Naxos de *La Conspiration*, de la comédie des *Acharniens* et de l'*Histoire de Thésée*, on pourrait l'appeler « le texte grec de Nizan ».

La lumière grecque

1934, 1938 : contemporain des *Matérialistes de l'Antiquité*, il en est comme la correspondance en manière de fiction. Tous les thèmes familiers s'y retrouvent, mais épurés, mis à nu par la lumière crue de la Méditerranée. Le récit le plus ambigu, le plus troublant, est aussi celui qui touche au plus profond de la mythologie. *L'Histoire de Thésée* [44] est censée nous raconter une nouvelle fois l'affrontement du grand

héros d'Athènes et du Minotaure, la fameuse victoire initiale
où la civilisation naissante écrasa la bestialité qui dévorait sa
substance. Mais il faut prêter attention au titre : c'est, pour la
première fois, l'histoire qui va nous en être donnée, non la
fable. Or, que voit-on? Un Minotaure émouvant, au fin corps
de jeune homme, tué dans l'abandon du sommeil par un héros
sans panache. Thésée n'est pas vraiment un couard, mais il
est loin de faire preuve de caractère. Ariane, qui a perdu le fil,
connaîtra elle aussi des défaillances, mais à l'heure où, à bout
de forces, son compagnon sombre dans la terreur, c'est elle
qui aperçoit la lumière du jour, et les sauve.

On retrouve dans ces quelques pages l'entreprise démysti-
ficatrice commencée au retour d'Aden. Ce mythe originel de
tout un discours humaniste appelait la hache du démolisseur.
Mais l'ensemble rend un son plus proche de l'amertume que
de la jubilation agressive. On est loin de la juvénilité des
premiers essais. En tant que tueur du dernier être fabuleux,
Thésée fonde l'ère humaine, l'Histoire, mais c'est là précisément que tout se complique :

« Il ne se doutait pas que le temps des monstres était passé,
que les hommes ne connaissaient plus que leurs lions, leurs
hydres, leurs dragons intérieurs et qu'il serait moins facile de
les tuer. »

Ariane, tout aussi anxieuse, fragile que son compagnon,
mais à sa manière, a du moins sur lui une supériorité
considérable, où l'on retrouve le fond de l'image féminine
chez Nizan : elle est là pour témoigner que le monstre a été
tué sans combat, sans noblesse. Elle connaît l'imposture
originelle sur laquelle va se fonder l'aventure humaine. Elle
ne dit rien, mais sa présence, son sourire suffisent. C'en est
déjà trop pour Thésée, qui l'abandonne sur Naxos : deuxième
ignominie fondatrice. Le monde civilisé commence bien. Le
monstre et la femme, deux gêneurs, en sont exclus, ou
marginalisés. Rien là, on le voit, de très mobilisateur. Tout,
même, d'une critique diffuse des présupposés épiques régnant
à l'époque du *Cheval de Troie* et de ses héros positifs, comme
une confirmation de l'hypothèse basse de *La Conspiration* : le
grand soir n'est plus pour demain.

C'est là le chapitre cruel de la leçon grecque. Le chapitre de
la volupté, de l'abandon au plaisir siège, on l'a vu, aussi sur
cette île de Naxos, où Bernard Rosenthal découvre auprès de

sa sœur Marie-Anne (Ariane?) la simplicité des choses : leçon
de choses.

A égale distance de l'une et l'autre expérience se tient la
comédie des *Acharniens,* mise en scène bouffonne de l'épi-
curisme, où un Nizan sans contrainte redit son fait à la bêtise
humaine, tout en ne s'arrêtant pas à endoctriner.

A Moscou, en 1934, Léon Moussinac avait adapté *Les
Trente millions de Gladiator,* de Labiche, pour la troupe
yiddish du Théâtre juif d'État. Le normalien Nizan connaissait le grec; jusque-là peu attiré par le théâtre, il venait de
découvrir avec émerveillement le travail de Meyerhold [45] :
Moussinac lui commanda pour le même théâtre l'adaptation
d'une pièce d'Aristophane. *Les Acharniens,* première comédie
de l'auteur, était peut-être la moins connue. Son thème
principal — la défense de la paix — était d'une évidente
actualité : les associations culturelles des compagnons de
route ne se créaient-elles pas « pour la paix et contre le
fascisme »? Nizan se mit à la tâche avec un plaisir visible,
qu'on retrouve dans la gaieté de son adaptation. Il y acquit,
accessoirement, une connaissance assez intime du théâtre
aristophanesque pour en faire plus tard le sujet d'une
conférence, que j'ai eu la chance de retrouver dans les
archives de Rirette [46].

Malgré son parti pris d'énormité, *Les Acharniens* illustrent
à merveille cette littérature du bonheur dont l'hypothèse gît
en permanence, comme en creux, dans l'œuvre de Nizan.
Quand il l'évoque, fugitivement, dans ses comptes rendus
critiques, c'est pour citer certains passages de Dickens, le
Tolstoï de *Guerre et Paix* et « quelques comédies de Shakespeare [47] ». Il aurait pu ajouter celles d'Aristophane.

« Les chasses, les courses dans la neige, les masques et les
déguisements des jeunes filles, les déclarations nocturnes, les
voix qui chantent dans la nuit » : ainsi dessine-t-il le bonheur
tolstoïen. La fraîcheur des sources au cœur des oliveraies, les
hymnes à Dionysos, les banquets à l'ombre des tonnelles :
voici venir le bonheur grec, sur les pas de Dicéopolis, paysan
d'Athènes.

Notre homme, las des misères de la guerre, de la
bouffissure des marchands de canons (ou de cuirasses) et de

l'arrogance des fier-à-bras, a décidé de signer pour son seul compte un traité de non-belligérance avec Sparte, l'ennemi héréditaire. Une troupe d'anciens combattants cacochymes, venue d'Acharnis, tente de lui faire passer le goût de la paix, mais elle doit reculer devant l'énergie de sa riposte. Dicéopolis commence à faire des adeptes. La paix revenue sur son micro-climat, la prospérité afflue. La dernière scène montre dans un parallèle malicieux le sabreur Lamachos rentrant éclopé et geignard du champ de bataille, et Dicéopolis sortant de table, somptueusement éméché, soutenu par deux filles de joie.

On voit que la satire trouve son compte dans cette *Guerre de Troie n'aura pas lieu* comique, exactement contemporaine de l'autre, et que Nizan peut avoir des façons plus drôles de démystifier l'héroïsme que *L'Histoire de Thésée*. Mais seule la lecture de sa pièce peut rendre ce « mouvement presque continu de poésie consacré à la nature, au travail rural et à un érotisme sans détours » qui a séduit le pèlerin de Naxos. Il y a dans cette adaptation comme dans l'avant-propos qui la présente au public du Front populaire[48] la nostalgie — et aussi l'espoir — d'un art de communion, fondé sur le dialogue avec la nature, sur les grandes masses et la simplicité des moyens. *Le Cheval de Troie* le disait dans la fureur, *Les Acharniens* le suggère dans l'allégresse : la révolution sera aussi une fête, ou ne sera pas.

Vienne le temps des doutes et des désillusions, le plaisir du jeu demeure, le consentement à soi et à quelques autres s'épanouit. Cette ligne ludique, cette ligne de l'acquiescement n'éliminait pas les autres. On peut simplement penser qu'elle était en train de prendre de l'importance, quand le destin arrêta les frais. On sait peu de choses sûres du quatrième roman, *La Soirée à Somosierra* (on trouvera en Annexe p. 288 le seul document qui, à ma connaissance, en témoigne directement.) Assez cependant pour pouvoir dire qu'il aurait représenté une étape supplémentaire dans cette voie. N'est-ce pas Nizan lui-même qui le définissait, dès le départ, comme « un roman sur le bonheur[49] » ?

L'amour des deux personnages les plus stendhaliens de *La Conspiration*, Catherine et Laforgue, y occupait, semble-t-il, le devant de la scène tout au long de la première moitié, intitulée *Les Amours de Septembre* :

« Les choses se sont un peu arrangées hier entre Catherine et Laforgue, qui se conduisent avec une franchise et un cynisme bien déplaisants et piétinent avec beaucoup de légèreté la mémoire de ce pauvre Rosenthal [30] », indique Paul-Yves, dans une lettre de guerre à Rirette.

Il n'est pas sans signification que le statut de médiateur personnel soit ainsi passé, insensiblement, de Pierre Bloyé, dans les deux romans du début, à Philippe Laforgue, dans les deux derniers. Le second n'est pas moins révolté contre l'intolérable que le premier, mais il y met moins de crispation, d'acrimonie, plus d'humour. Il y a un temps pour tuer les pères, un temps pour aimer les femmes. Bien loin de surenchérir sur la mauvaise conscience, la montée des périls approfondit le rapport de Nizan à la plénitude. Chanter la guerre civile en plein cœur de la farandole, puis ne plus paraître occupé que du plaisir en entrant dans la guerre mondiale : décidément, ces écrivains n'en font jamais qu'à leur tête.

Un bonheur n'arrive jamais seul. Écrivain en pleine possession de ses moyens, Nizan atteint dans le même temps à la célébrité. Renommée toute relative, bien sûr, celle de l'homme de lettres primé à la rentrée d'automne. Mais cette reconnaissance par la corporation compte toujours beaucoup pour un marginal : il ne sert à rien de cracher dans la soupe, si l'on n'est pas soi-même un chef.

Dès la première tentative, l'institution littéraire, à vrai dire, ne lui avait pas été cruelle. Le 7 décembre 1933, à la grande surprise du militant encore mal disposé au compromis avec le siècle, *Antoine Bloyé* recueillit la fameuse « voix au Goncourt » qui dans le métier console tant de grandes douleurs muettes. Sans doute la presse l'avait-elle cité parmi les candidats en piste, mais au milieu d'une foule. L'écurie Grasset, à elle seule, jouant la fringance, ne présentait pas moins de six nouveaux venus pour le grand steeple-chase d'automne, parmi lesquels Robert Francis et Jean Blanzat.

Un compère en anticonformisme vint à la rescousse. Son nom était Lucien Descaves (1861-1949). Un vieux de la

vieille, déjà, un membre de l'Académie depuis les origines.
Mauvais esprit de l'autre siècle, l'auteur des *Sous offs* a sans
doute retrouvé dans *Antoine Bloyé* quelque chose de la grogne
naturaliste qui avait fait sa réputation, déjà bien évaporée à
l'époque. Comme il boudait les séances de l'Académie depuis
plusieurs années, il se contenta d'envoyer son vote par
correspondance, avec consigne de le maintenir à tous les
tours. Eût-il été présent, Nizan aurait peut-être eu plus d'une
voix ; il ne l'aurait, de toutes les façons, pas emporté. Le
vainqueur, cette année-là, avait des titres de plus grand poids,
littéraires et commerciaux. Il s'appelait André Malraux, et
son roman, *La Condition humaine*. L'AEAR elle-même
n'avait pas à se plaindre : Malraux en était, lui aussi. La
présence de Nizan au communiqué final, même pour un
modeste accessit, surprit assez les chroniqueurs habituels
pour que les dépêches d'agence, embarrassées devant cet
inconnu, en écorchassent complaisamment le nom, qui
devint selon les cas Nizon ou Nisant.

Cette apparition inespérée d'un premier livre, sanctionné
par une vente honnête, attira les bons faiseurs. Nizan était un
auteur Grasset, tenu en main par un contrat classique. Gaston
Gallimard, qui savait mettre à récupérer un auteur échappé
l'obstination et la vigueur qu'il consacrait ensuite à le
promouvoir, n'eut de cesse qu'il n'eût attiré à lui le jeune
espoir. On retrouve dans les papiers de celui-ci quelques
traces de l'opération. Nizan y apparaît très vite séduit. Le
tout, comme pour Marcel Proust en 1914, fut de trouver un
argument suffisamment solide pour rompre avec Grasset sans
perdre la face.

Il semble qu'il ait expérimenté deux tactiques, où se
mêlaient astucieusement politique et littérature. Dans un
premier temps, il chercha à inquiéter son éditeur par
l'annonce d'un second roman sensiblement plus « rouge » que
le premier. Un tel argument ne convaincra jamais un éditeur
pour peu que celui-ci soit persuadé que ledit ouvrage à
scandale fera recette. Le 24 octobre, Pierre Tisné, collaborateur de Bernard Grasset, le « rassure » :

« Pour votre roman, plus il sera violent, plus je crois qu'il
répondra à votre tournure d'esprit actuelle. Donc sa qualité
ne peut qu'en être accrue [51]. »

La rupture surviendra au printemps suivant, sur un deuxième prétexte : celui de l'orientation « fascisante » des publications Grasset, où, pourtant, à côté du colonel de La Rocque et d'Henri de Man continuaient à être publiés Jean Guéhenno ou André Chamson. Louis Brun, autre collaborateur de la rue des Saints-Pères, ne s'y méprit pas :

> « Mon cher Nizan,
>   « Je n'apprécie guère le ton de votre lettre. Comment prendre au sérieux ce que vous dites de la soi-disant orientation de la maison vers le fascisme? Notre maison est tout simplement éclectique [52]. »

A cette date, d'ailleurs, le manuscrit du *Jour de la colère* était déjà approuvé par la NRF, à laquelle un contrat de traduction d'essais liait Nizan depuis le 19 octobre 1933. Le 21 mars 1935, il écrivait même à sa mère, pour la rassurer sans doute, car à cette époque le manuscrit n'était pas encore achevé :

> « La NRF veut essayer avec lui le prix Goncourt [53]. »

Cette année-là pourtant il n'eut même pas droit à la voix de Lucien Descaves. Le livre promu à bout de bras par l'intelligentsia de gauche fut *Le Sang noir*, de Louis Guilloux, qui n'était d'ailleurs pas sans avoir quelques points communs avec *Le Cheval de Troie*. L'Académie préféra couronner un Joseph Peyré bien oublié aujourd'hui, juste devant un Maxence van der Meersch qui ne l'est pas moins. Les organisations culturelles du Front populaire conduisirent une vigoureuse campagne en faveur du Guilloux. On alla même jusqu'à envisager l'attribution d'un contre-Goncourt. Tout ce bruit, joint à la qualité intrinsèque de l'ouvrage, fit le plus grand bien à sa réputation, mais contribua un peu plus à l'obscurité du *Cheval de Troie*.

La demi-revanche de Nizan, trois ans plus tard, fut assez ambiguë. Le prix Interallié est par principe attribué à un journaliste. En l'espace de ces trois années, Nizan était devenu une personnalité en vue de la presse parisienne. Ses chances étaient des plus sûres et, effectivement, le résultat fut acquis très rapidement, face à un autre auteur Gallimard, Pierre Frederix. Mais cette année-là l'Interallié fut décerné non pas après mais la veille du Goncourt. On peut se demander si pour ce dernier les chances de *La Conspiration* n'auraient pas été sérieuses, avec des concurrents nommés François de Roux, Théophile Briant et même Henri Troyat (le vainqueur final). Inutile d'épiloguer. Chacun sait que lesdits prix ne couronnent pas en règle générale les romans que confirmera la postérité : ce lendemain d'Interallié, *La Nausée* ne recueillit qu'une voix au Renaudot, qui alla à un certain Pierre-Jean Launay.

L'essentiel était d'avoir été enfin lauré. Le Goncourt serait pour la prochaine fois, comme le diplôme d'études supérieures était venu après la licence, et l'agrégation après le diplôme. Ce jeune garçon avait tout l'avenir devant lui. C'était bien ce que pensait le Parti. Jamais celui-ci ne l'avait autant remarqué. *L'Humanité* hissa la première page et de fraternelles agapes réunirent autour du premier communiste lauréat de l'Interallié une douzaine de camarades fidèles, au premier rang desquels Thorez lui-même, qui depuis son *Fils du peuple* faisait un peu partie de la corporation.

Il ne manqua même pas à Nizan ce petit quelque chose de plus qui fait les écrivains arrivés : la puissance des relations. C'est par lui qu'avait transité, en 1936, le manuscrit de *La Melancholia* de Sartre, en partance pour les éditions Gallimard. Sa recommandation n'avait pas suffi à le faire accepter dès la première lecture, mais l'ouvrage avait finalement été accepté moyennant un changement de titre : *La Nausée* sortit en mars 1938. En juillet de la même année *Le Mur* paraissait dans la *N.R.F.*, avant d'aller rejoindre, une dizaine de mois plus tard, les autres nouvelles qui constitueraient le recueil homonyme. Il n'était pas jusqu'à Simone qui ne se piquât d'écrire.

Avec le plaisir que l'on devine, les deux complices pouvaient maintenant s'échanger des clins d'œil, comme au bon vieux temps. Paul-Yves fit le compte rendu de *La Nausée* pour son journal, Jean-Paul celui de *La Conspiration* pour la *N.R.F.* Dans le roman du premier, on voyait apparaître un « commandant Sartre », dont la seule caractéristique était de « n'avoir pas le sens des visages [54] ». Dans *L'Enfance d'un Chef*, l'une des nouvelles du *Mur*, un « général Nizan » se révéla être l'ombre du séduisant et provocateur Bergère.

Sartre a raconté dans son *Avant-Propos* la scène du cocktail Gallimard de juin 1939, au cours de laquelle Léon Brunschvicg, prenant Sartre pour Nizan, le félicita pour ses *Chiens de garde*, dans lesquels, ajoutait-il sans acrimonie, il ne l'avait pourtant guère ménagé. Personne ne le détrompa. Nizan sourit, et ce fut tout. Sartre cite l'anecdote pour montrer à quel point leurs deux personnalités pouvaient se confondre dans l'esprit de certains. Mais c'est aussi une belle image, presque trop belle, pour dire adieu à la compagnie.

Une vingtaine d'années plus tôt, deux lycéens ambitieux se juraient l'un à l'autre qu'ils sauveraient le monde, et pour commencer eux-mêmes, par l'écriture, qu'on entendrait parler d'eux et qu'on n'avait qu'à bien se tenir. Et les voici, fêtés comme ils le méritent, dans cette antichambre de l'Hôtel des Grands Hommes, le coquetèle Gallimard. Les voici une dernière fois confondus dans leur image de mauvais esprits brillants sujets, auxquels on pardonnera toujours beaucoup au nom du talent. Il fut un temps où une telle scène aurait fait grimacer le jeune intellectuel préoccupé des fusils-mitrailleurs. Mais le manichéisme se porte mal, quand M. André Thérive, du *Temps*, et M. Léon Brunschvicg, de l'Institut, sont d'accord pour vous congratuler, quand Radek et Boukharine, les orateurs vedettes du Congrès de Moscou, sont accusés d'avoir voulu assassiner Lénine, Kirov, Gorki, Staline et quelques autres, quand la presse communiste annonce — ou n'annonce pas — la « disparition » des amis Babel, Pilniak, Meyerhold. On est heureux et on est triste à la fois, comme toujours. Mais à un degré supérieur. On est là, au bord du gouffre, un peu embarrassé de soi-même, ne sachant s'il faut parler ou se taire. Alors, comme le malheureux Régnier, floué par la vie, on écrit des livres.

Dire

« Ce n'est pas à moi d'écrire
l'histoire, puisque le gouvernement
s'obstine à ne pas la faire et que le
public n'en veut pas. A chacun son
métier : la grande histoire aux
historiens, aux grands quotidiens,
le quotidien. »

(Nekrassov)

« A trente ans, c'est déjà fini, on s'arrange [1]. » S'arrange-
t-il? Ce n'est pas évident. Quelque chose vient de se mettre en
branle, enfin, qui l'exalte, à défaut peut-être de le convaincre,
de le combler. L'urgence des temps n'a jamais été aussi grande
à gauche depuis 1920, jamais la révolution plus proche.
Jamais il n'aura autant « travaillé » — au sens où l'on entend
généralement communément le travail : nuits courtes, air
affairé, agenda surchargé. C'est le temps du Brunet des
Chemins de la Liberté, dont Sartre envie l'apparente plénitude, sans s'y rallier : « Sa vie était un destin. Son âge, sa
classe, son temps, il avait tout repris, tout assumé [2]. »

Le mouvement fait appel à lui sans cesse, pour monter au
créneau avec ses armes spécifiques : articles, conférences [3],
cours, interventions, secrétariat d'association ou de périodique. Du cinéma au camping, de la muséographie à l'urba-
nisme, les associations culturelles se mettent à pousser comme
champignons après la pluie, avant même la victoire de 1936.
Le Parti n'a pas trop d'artistes et d'intellectuels sûrs pour,
selon les cas, diriger ou influencer leur cours.

La belle saison

Comme l'esprit est désormais à l'ouverture, voici que les
clercs communistes reçoivent, avec des responsabilités
accrues, des consignes chaque jour plus libérales. Même celui
qui resterait attaché à une certaine rigueur de principe ne
peut manquer d'apprécier à sa juste valeur ce moment de

grâce, où le pouvoir se met à avoir des airs de plaisir. Quant à
ceux que leur éducation, leur caractère ou, tout simplement
leur conviction profonde porteraient à ne se soumettre
qu'avec chagrin aux consignes sectaires, ils respirent profondément et « tendent la main » avec volupté.

Vaillant-Couturier achève prématurément sa vie à l'apogée
d'un ample mouvement de rénovation qui, en l'espace de trois
années, a changé du tout au tout le visage de la presse
communiste. Au congrès du Parti tenu en Arles à la fin de
1937 — le dernier jusqu'à la guerre —, le vieil ami Bruhat
s'illustre en proclamant, lyrique :

« Il nous plaît de voir les ouvriers et les paysans communistes (...) s'arrêter devant le portail de Saint-Trophime pour
admirer les sculptures d'inspiration si ardemment populaire.
Mais oui (...) les communistes montent la garde autour de
Saint-Trophime et ce sont eux qui chassent de ce pays les
pillards modernes des Alyscamps [4]. »

Après dix années de cure, où son style s'est affermi au
contact du militantisme, Nizan s'ébroue dans le jeu du texte.
De vieux cousins de la famille naguère oubliés sont de
nouveau accueillis. Une synthèse inattendue s'ébauche entre
Marx et Stendhal, fragile mais fructueuse. On en trouvait déjà
quelques traces dans *La Conspiration*, mais c'est la production journalistique qui en témoigne le plus clairement.

L'axe central en est la collaboration aux deux principaux
organes du Parti : *L'Humanité*, de juillet 1935 à décembre
1936, et *Ce soir*, de sa fondation, en mars 1937, à la guerre.
Ce dernier journal a été lancé par le Parti pour faire pièce au
Paris Soir de Pierre Lazareff. A sa tête, Thorez a placé
Aragon, qui reçoit récompense pour son intuitive compré-
hension des moindres variations tactiques de l'organisation,
quatre ans seulement après être entré à *L'Humanité* par la
petite porte, six mois, ce qui ne gâte rien, après un troisième
séjour en Union soviétique, dont il devient un habitué. La
direction est partagée, en théorie, avec Jean-Richard Bloch.
Ainsi s'ouvre-t-on au public des simples sympathisants,
Ce soir ne se réclamant officiellement d'aucune étiquette
politique. L'objectif est particulièrement ambitieux : enraciner un journal populaire ayant le cœur à gauche, sans trop

C'était vers 1900. Yvonne Nizan n'avait traversé la terre des hommes que six années : une vie privée de sens.

Un destin plus illustre mais à peine moins absurde attendait le frère qui, aux yeux des parents, prit sa place : Paul-Yves.

Il ne fera pas l'X, mais ne reniera pas non plus son ascendance bretonne, encombrée de vieilles jupes et de soutanes. Il placera sa ténacité ailleurs.

Pesant sur lui, une généalogie exemplaire : le grand-père passé de la ferme au chemin de fer, le père ingénieur, lui-même promis à Polytechnique.

L'enfant doué de la petite bourgeoisie choisira l'École Normale et sa première façon de s'affirmer s'appellera le dandysme.

A l'âge des fuites, il croira trouver dans
l'exotisme mercantile d'Aden une échap-
patoire à son étouffement.
Ses camarades de la rue d'Ulm (ici, sur
les toits, Nizan siège au sommet) n'avaient
pas tort de penser qu'il leur reviendrait.

Mais il revenait transformé, converti. Il épouse
"Rirette", entre au parti communiste. Il ne sera
ni cinéaste, ni pédagogue : il mettra en scène
la révolte, il enseignera le refus.

A Granchamp, dans un décor du Bauhaus, il écrira *Aden Arabic*, *Les chiens de garde*, *Antoine Bloyé*.

Mais c'est à Bourg-en-Bresse qu'il vivra la solidarité du *Cheval de Troie*.

De *la Revue marxiste* de 1929 (avec Georges Friedmann en soldat de l'armée bourgeoise) au congrès du Front populaire (Aragon, Bloch, Gide...) : l'itinéraire d'un "intellectuel de gauche" typique.

Il a cru trouver au PCF (ici, à *L'Huma*, avec Vaillant - Couturier accueillant Maryse Bastié) la communauté à laquelle il aspirait.

Rirette s'épanouit, "Pa et "Bonnett grandissent

A l'époque de *Ce soir* le lauréat du prix Interallié 1938 peut s'imaginer toucher au port.

En l'espace de neuf mois, tout s'écroule. Le Pacte, la guerre, la mort, et déjà la calomnie. Sur sa tombe anglaise : "Honny soit qui mal y pense".

céder sur la qualité rédactionnelle. Malgré la collaboration régulière de signatures prestigieuses, comme celle de Jean Renoir, on peut dire aujourd'hui que c'est la première préoccupation qui, très vite, l'a emporté dans l'ordinaire du quotidien, où Maurice Chevalier est certainement plus souvent cité que Karl Marx. Le tout sanctionné par un succès quantitatif incontestable.

Sous les deux titres Nizan travaille à la rubrique de politique étrangère, mais si dans le premier il est placé sous la houlette de Gabriel Péri, dans le second c'est lui qui dirige l'ensemble du service. A *L'Huma*, il continuera à fournir son contingent hebdomadaire de notes de lecture, jusqu'au mois d'août 1937, avant de les transporter elles aussi à *Ce Soir*. Pendant quelques mois, cette même année 1937, il assumera même, dans ce dernier journal, la fonction, toute technique, de secrétaire général. A cette occasion, il approchera quotidiennement le rédacteur en chef, Elie Richard, vieux routier de la presse à grand tirage, peu soucieux d'idéologie, qui lui découvrira le monde des « professionnels » du papier-journal.

Ce n'est pas tout. A partir de juillet 1937, et chaque mois jusqu'à la guerre, il va codiriger avec l'écrivain pacifiste Luc Durtain (1881-1959), autre compagnon de route peu encombrant, une brillante revue destinée en priorité aux lycéens et étudiants, *Les Cahiers de la Jeunesse*, « revue théorique de la jeunesse démocratique ». L'homme qui a prononcé en son temps le réquisitoire le plus vif et le plus convaincant contre les mystifications dont peut être victime la jeunesse intellectuelle se retrouve donc sur le terrain de la propagande culturelle de luxe. Il remplit excellemment son contrat, et fait de son mensuel, où il écrit fort peu, un lieu de confrontation brillante de l'intelligentsia antifasciste. Renoir y avoisine Mauriac, Giono, Anouilh et Pablo Neruda, Santiago Carrillo; Elie Faure y parle de Chaplin, Lucien Febvre de Rabelais, Edgar Snow de la Chine — et Montherlant du sport [5].

Dans tout ce mouvement, il réussit encore à donner des textes à diverses publications liées, plus ou moins officiellement, au Parti : l'hebdomadaire illustré *Regards*, héritier direct du grand prototype mondial *Vu* et préfiguration de

Match, très lu dans les foyers ouvriers, que dirige l'ami
Moussinac, *La Russie d'aujourd'hui,* magazine en plein essor
des Amis de l'URSS, le nouveau *Clarté,* organe fort ennuyeux
du Comité mondial contre la guerre et le fascisme, *Commune,*
dont Aragon assure désormais seul la rédaction en chef, *La
Correspondance internationale,* etc. On retrouve même, en
1937, sa signature au sommaire de la revue américaine *New
masses,* animée par Theodor Drayer, pour des articles sur
l'actualité politique européenne.

Dans les périodiques indépendants de l'Église, il est plus
que jamais chargé de témoigner d'une présence communiste,
une figuration intelligente en quelque sorte. On l'a placé dès
son retour de Moscou à *Monde,* dont les animateurs n'ont plus
rien du « groupe des traîtres » de 1932. Il y tiendra le
feuilleton littéraire jusqu'à la mort du journal, le 10 octobre
1935, consécutive à celle de Barbusse, au cours d'un séjour en
Union soviétique. Un mois plus tard, son nom figure déjà au
sommaire du premier numéro de *Vendredi,* le grand hebdomadaire du Front populaire, lancé en toute indépendance
financière par le trio symbolique du radical Chamson, du
socialisant Guéhenno et de la communiste Andrée Viollis.
Pour couronner le tout, quand il en a le temps, il se paye le
luxe d'une contribution à la *NRF.*

A la surprise de l'intéressée, il réussit à convaincre sa
femme de se joindre au métier. Sans l'avertir, il la propose,
début août 1935, au rédacteur en chef du futur *Vendredi,* le
catholique de gauche Louis Martin-Chauffier, comme responsable de la page féminine. Colère de Rirette, qui finit par
accepter. On la charge alors de recruter une équipe de femmes
« progressistes » — il n'y a pas à l'époque de réel mouvement
féministe : les plus radicales s'expriment au sein des partis de
gauche traditionnels, et dans les associations culturelles
sympathisantes. Pendant trois ans elle tiendra ainsi chaque
semaine la rubrique intitulée modestement « La tapisserie de
Pénélope », commandera des articles à Lulu Jourdain, fille de
Francis et sœur de Frantz (« Lulu » et « Rirette » seront, on le
sait, les noms des deux héroïnes de la nouvelle contemporaine
de Sartre, *Intimité,* publiée dans *Le Mur,* sans autre rapport,
d'ailleurs, avec la réalité), Anne Green (sœur de Julien), Erta

Liebknecht, descendante de Karl, Edith Thomas, Mme Lahy-Hollebecque... De Simone Tery à Marianne Oswald, les artistes et les intellectuelles militantes apprennent le chemin de Grandchamp, de la rue Méchain.

Ayant révélé à elle-même et aux autres ses dons de rédactrice en chef, Rirette se verra quelques mois plus tard choisie par le Parti pour seconder Danielle Casanova quand celle-ci lancera l'Union des jeunes filles de France et son journal *Jeunes filles de France*. Le courrier du cœur des jeunes filles romantiques et les bonnes recettes ménagères, « Tante Mirabelle » ou « Cousine Prune », ce sera elle.

Ainsi Mme et M. Nizan noircissent-ils le papier à qui mieux mieux. Ils deviennent un couple remarqué de la presse parisienne, sans passer pour autant dans le Tout-Paris. Paul-Yves, qui gagne sensiblement moins à *L'Huma* que s'il était resté professeur, commence à atteindre l'« honnête aisance » grâce à *Ce soir* (3 000 francs par mois environ) et aux mensualités de Gallimard. Nourri des expériences contrastées de Paris et de Moscou, de *Bifur* et de *Commune,* du quotidien populaire et du mensuel estudiantin, le métier commence à entrer. Le Nizan de 1933 était encore au marbre un militant en service commandé. Celui de 1938 a professionnalisé son goût hégélien du « c'est ainsi ». Sa curiosité insatiable s'attache sans douleur apparente aux objets souvent dispersés qui s'offrent à lui, ou qu'on lui signale. Sa concentration, il la retrouve dans l'écriture qui, même bousculée par le temps, écrasée par le descriptif, l'informatif, demeure ferme, nette. Comme tous les bons journalistes, Nizan s'expérimente progressivement comme écrivain du quotidien; en quoi ceux-ci se distinguent du simple scribe. Comme tous les bons militants, il s'ingénie à doubler sa vie professionnelle d'une vie de prosélyte.

Bons offices

Ramenée aux seules activités professionnelles et militantes, la biographie de Nizan (du couple, souvent) pendant les trois années du Front populaire pourrait figurer comme un portulan des principaux lieux où se joue le sort du rassemblement antifasciste. Le Parti tente de rallier les intellectuels : Nizan prépare le congrès *ad hoc*. Le Parti tend la main aux spiritualistes : c'est Nizan qu'il envoie dialoguer avec les catholiques. En Espagne le Frente popular se trouve entraîné dans une guerre qui anticipe le conflit mondial : Nizan en est l'un des premiers observateurs. En France, une polémique s'ouvre pour la première fois à gauche sur la nature du régime soviétique : Nizan est sur la brèche.

On le retrouve même en 1937 coscénariste avec André Wurmser. Le film est on ne peut plus officieux : produit par l'Association des Amis de l'URSS, il est envoyé comme une sorte de cadeau cinématographique à Moscou, pour le vingtième anniversaire de la Révolution d'Octobre. *Visages de la France* (réalisateur : André Vigneau, directeur artistique : Jean Lurçat; musique d'Honegger, *lyrics* de Desnos) est présenté dans la presse comme un documentaire lyrique sur l'histoire du « peuple de France ». Il est malheureusement, à l'heure actuelle, introuvable. Des recherches sont en cours. Peut-être une copie en subsiste-t-elle à la Cinémathèque de Moscou... En l'absence du film lui-même, on se gardera de toute extrapolation [*]. Ce que l'on conserve des autres participations, plus tangible, suffit amplement.

Le « Congrès international des écrivains pour la défense de la culture » s'ouvre à la Mutualité le 21 juin 1935. Cinq jours durant, des dizaines de personnalités prestigieuses y débattront de l'avenir de la culture, des menaces que les fascismes font peser sur elle, et des moyens de promouvoir en face d'eux une culture par et pour le « peuple », maître mot de l'époque. La littérature universitaire sur cet événement a été depuis quelques années particulièrement prolifique. Pour y avoir naguère contribué à mon échelle, je n'ai nullement l'intention de reprendre ici par le menu l'analyse de ce débat par ailleurs fort instructif, véritable instantané de la situation de l'intelligentsia occidentale, à la veille de la Seconde Guerre mondiale. Nous importera seulement ici la figure qu'y fait Nizan.

Ce ne fut pas celle d'un orateur attendu ou révélé. Le thème de son intervention *sur l'humanisme*, sans être en porte à faux par rapport au ton général des échanges, remarquablement feutré, appartient encore à la ligne de ses essais, on l'a vu. Il témoigne de la continuité, de la cohérence de la pensée théorique nizanienne, mais ce n'était pas ce qui intéressait le plus ni le Parti ni les contemporains. Le plus important se produisit en coulisses et, plus précisément, en amont du spectacle.

S'il est bien un exemple de l'intérêt des biographies individuelles pour l'élucidation de l'histoire générale, c'est bien celui-ci : seule la comparaison serrée du travail imparti, à une année d'intervalle, à Nizan par le Parti, à Moscou en 1934, à Paris en 1935, nous permet de comprendre à quel point l'opération de la Mutualité, assumée officiellement par l' « Association internationale des écrivains pour la défense de la culture », a été en fait portée à bout de bras par lui, en relation étroite avec Moscou.

Une lettre de Nizan conservée dans les archives d'André Chamson ne laisse aucun doute sur le rôle organique qui lui fut confié dès son retour d'Union soviétique. Cornac en 1934, rassembleur en 1935 :

« Cher Chamson, je vous envoie un petit texte que je vous prie de lire soigneusement : il est de la main de J. R. Bloch, revu par Durtain, Ehrenbourg, Malraux, moi-même. Il s'agit d'un congrès prévu en principe pour le 27 mai avec des étrangers importants (les deux Mann pour l'Allemagne, Gide pour la France, Huxley, Foster, Mrs Woolf pour l'Angleterre par exemple). Nous pensons que la meilleure procédure consiste à envoyer des invitations signées d'un groupe de vingt écrivains, qui prennent l'initiative de l'entreprise. » Suivent les noms des signataires sûrs ou probables, parmi lesquels Barbusse a droit à un « il le faut bien malheureusement » qui en dit long sur leurs rapports.

A l'exception de l'anodin Luc Durtain, on aura remarqué que le groupe concepteur initial est directement issu du voyage de 1934, et que Nizan y est le seul membre du Parti. En 1933, c'était lui qui prenait langue avec Bloch pour l'amener à collaborer à *Commune*, premier pas vers une entrée chaque jour plus décidée de l'écrivain socialiste de 1919 dans la vaste et séduisante machinerie internationale du Komintern. On voit que deux ans plus tard son travail de recruteur se poursuit, avec un plein succès. Le mouvement donné, le militant peut s'effacer : on retrouve Nizan parmi les observateurs ou participants des congrès ultérieurs de l'Association, en 1936 à Londres, en 1937 en Espagne, par exemple, mais le devant de la scène est désormais occupé par des compagnons de route plus neufs.

C'est dans la même perspective d'ouverture que Nizan ébauche à l'été 1935, en compagnie du critique René Lalou et du vieil ami Lévy, un projet de collection, d'introduction aimable aux grands classiques, marquée au sceau du nouvel esprit de réintégration patrimoniale. Intitulée significativement « Nos héritages », ou « Héritages », elle aurait vu, par exemple, Marcel Aymé parler de Rabelais, Giraudoux de La Fontaine et Montherland de Montaigne... Gide, le premier, accepta. Le projet n'eut pas de suite sous cette forme précise, mais un an plus tard l'autre vieil ami Friedmann pouvait annoncer dans les colonnes de *L'Humanité* une collection du même style aux Éditions sociales internationales : c'était « Socialisme et Culture », où parurent *Les Matérialistes de l'Antiquité*, à peine moins éclectique, puisque Raymond Aron y était prévu pour parler de Feuerbach...

A cette date, il est vrai, la « défense de la culture » prenait un sens particulièrement dramatique, avec le défi de la guerre d'Espagne. Un hasard objectif, une fois de plus, mit Nizan aux premières loges. L'insurrection éclate le 17 juillet 1936. A la date du 18 paraît dans *La Correspondance internationale*, hebdomadaire d'information internationale des partis communistes, le dernier d'une série de dix articles sur la nouvelle Espagne, résultats d'un premier séjour, au printemps, dont certains détails se seraient sans doute retrouvés dans *La Soirée à Somosierra*. Cette coïncidence mit en valeur le caractère prémonitoire de certaines études sur l'armée espagnole ou la *guardia civil*. Sacré expert, Nizan fut renvoyé en Espagne à la fin du mois. Le séjour, partiellement raconté dans ses articles de *L'Humanité* et de *Regards* [8], fut romanesque à souhait, et convenablement dangereux, depuis le passage de la frontière sans laissez-passer jusqu'aux fusillades incertaines de Valence, où Paul-Yves et Rirette crurent un moment à la mort l'un de l'autre. Leur amie Gerda Taro, cinéaste et photographe, épouse de Robert Capa, périt, elle, un peu plus tard, sur le

front de Brunete. Le troisième voyage espagnol de Nizan, cette
année-là, fut pour ramener en France le corps de Gerda.

A la lumière des combats espagnols, les débats et polémiques français pouvaient paraître à Nizan, hanté comme
Malraux du complexe de l'intellectuel armé, bien dérisoires. Il
y participe cependant à deux reprises, sur ordre, et sans
enthousiasme excessif. Au moment du Congrès de 1935 le
Parti l'avait chargé d'entrer en contact avec les quelques
intellectuels catholiques dont la première réaction face à un
communiste n'était pas d'appeler un exorciste. Emmanuel
Mounier, dans ses *Carnets,* note, à la date du 20 juin
1935 :

« Nizan a dit ici et là qu'il avait fait fausse route à notre
sujet et qu'il le dirait publiquement ². »

Il avait fait sans doute fausse route, mais on ne conserve
aucun texte où il l'affirme. Par contre, son entreprise de
séduction commence. Pourquoi le Parti l'a-t-il choisi? Peut-
être estime-t-on en haut lieu qu'il est l'un des rares clercs
communistes à posséder un bagage, même défraîchi, de
culture métaphysique; peut-être, selon un procédé classique,
veut-on mettre à l'épreuve la ductilité de cet anticlérical
déclaré, qui a parlé, un an auparavant encore, en termes
cuisants de *L'Église dans la ville,* à partir de l'exemple de
son expérience bressane.

Nizan entrera donc en relation avec quelques laïcs
accessibles et quelques religieux marginaux, au premier rang
desquels le Père dominicain Maydieu (1900-1955). Le personnage est haut en couleur, et bien propre à séduire
l'anticonformiste. Cet ingénieur de Centrale, ancien Camelot
du Roi, est devenu depuis quelques années l'âme des Éditions
du Cerf et des groupes avoisinant la revue *Sept,* où il milite à
sa façon pour un dialogue des catholiques avec le monde
ouvrier, les athées, les révolutionnaires. Truculent, sans
respect humain, il est un peu l'image inversée de Nizan, dans
sa passion prosélytique d'orateur de banlieue, accoutumé au
spectacle de la misère, mal disposé à l'égard du monde
bourgeois.

Les deux hommes auront de l'estime l'un pour l'autre, mais le débat n'ira pas très loin. A l'heure où Nizan découvre avec inquiétude les procès de Moscou, la revue *Sept*, de son côté, doit se soumettre aux remontrances de la hiérarchie, à la suite de la publication d'une déclaration anodine demandée à Léon Blum. Elle disparaît pour laisser la place à *Temps présent*, où les religieux joueront un moins grand rôle (et dont, soit dit en passant, Charles de Gaulle sera le lecteur sympathisant). La guerre d'Espagne, d'autres urgences recomposent le tableau.

Du point de vue de Nizan, il ne restera de cette ébauche de dialogue que deux occasions manquées. La première est la réunion contradictoire organisée, sans doute par lui, le 2 juillet 1936 à la Maison de la Culture sur le thème « Christianisme et Communisme ». A notre connaissance, ce fut la seule rencontre de ce type (publique et officielle) de tout l'entre-deux-guerres. Le président de séance était Malraux, les deux orateurs catholiques, Jacques Madaule et Louis Martin-Chauffier, les deux communistes, Vaillant-Couturier et Nizan. Dans ses *Carnets* Mounier, présent, résumera ainsi l'intervention de notre homme :

« Pour le chrétien, la vie commence à la mort, pour le marxiste, toute l'aventure humaine est antérieure à la mort. »

Il ajoute :

« Revenu longuement avec Malraux et Nizan à la sortie [10]. »

On peut rêver à ces rues de Paris, dans la douceur de juillet, dix jours avant les grandes fêtes triomphales du Front populaire, où, déambulant, André Malraux, Paul Nizan et Emmanuel Mounier discutaient pour la première fois des rapports entre marxisme et christianisme...

On voit assez, par le raccourci qu'en donne Mounier, combien la pensée sur la mort continuait, même en cet instant de grâce, à déterminer la réflexion de Nizan, et combien il était peu disposé à partager la thèse du compromis sur le fond, prônée à la même époque par le petit groupe des « chrétiens-communistes », souvent protestants d'ailleurs, de *Terre nouvelle*. Il aura une dernière occasion de s'en expliquer, l'année suivante, en rendant compte dans *L'Hu-*

manité du principal livre paru à l'époque sur le problème, *Catholicisme et Communisme*, de Robert Honnert, publié, significativement, par les Éditions sociales [11]. La position de Nizan est claire. Elle abonde tout à fait dans le sens du Père Maydieu, cité dans l'article, le jour où il déclarait à Nizan :

« Ce qu'il y a de grave entre vous et nous, c'est que les uns et les autres nous jouons sur la certitude de la victoire. »

En foi de quoi il n'est pas question de chercher entre deux camps irréconciliables un compromis boiteux, mais de demander à l'Église de se débarrasser enfin des mauvaises habitudes contractées à l'époque de Constantin et de Théodore. Que le christianisme abandonne enfin toute prétention à régenter le pouvoir civil et se redéploie sur le plan d'« un combat uniquement spirituel ». Son dernier mot sur la question lançait une formule dont l'avenir allait illustrer toute la fécondité : « Dans un pareil État (socialiste), pour la première fois réduite à la nudité de son dogme et de sa foi, (l'Église) pourrait réellement jouer avec ses seules armes la partie de Dieu. On pourrait aller jusqu'à dire, sans aucun paradoxe, que seuls une société et un État athées donnent à l'Église toutes ses chances... »

Dans l'espace compris entre ces deux interventions, Nizan avait été appelé à prendre position sur une question tout aussi fondamentale, et beaucoup plus douloureuse. Le *Retour de l'URSS* de Gide est sorti dans les librairies le 30 octobre 1936. En moins d'un an cette mince plaquette sera tirée à 146 300 exemplaires [12]. Le Parti fait donner contre elle et ses suites le ban et l'arrière-ban. Nizan servira sur le front des compagnons de route, à *Vendredi*. Son compte rendu paraît le 29 janvier, juxtaposé à un texte louangeur de Pierre Herbart. Son argumentation reproche essentiellement à Gide d'avoir compté pour quantité négligeable, tout en la reconnaissant, la fin de « l'exploitation du plus grand nombre pour le profit de quelques-uns », et d'extrapoler, à partir d'expériences exiguës, une vision carcérale du régime soviétique. Cependant Nizan ne nie pas explicitement l'exactitude des faits cités. Son article tranche par sa modération sur la littérature communiste contemporaine, vite déchaînée. On comprend que l'intéressé lui-même, au risque de le compromettre aux yeux de ses camarades, ait cité, dans ses *Retouches à mon Retour de l'URSS*, Nizan parmi les « quelques critiques de bonne foi » avec lesquels il acceptait de poursuivre la discussion. Il n'y eut pas de suite. Nizan ne parla jamais des *Retouches*, sans s'exprimer désormais plus clairement sur le stalinisme.

Il est bien placé depuis 1934 pour avoir lui aussi quelques craintes sur l'évolution du régime, mais il se refuse visiblement à en déduire la faillite du dogme. Il peut se permettre de ne pas insulter Gide dans la mesure même où il considère sa position comme injuste et non pas malhonnête. Il ne sent pas ses convictions touchées dans leurs œuvres vives, pas plus que par l'apparition de chrétiens progressistes. En fin de compte, tous ces textes témoignent pour un équilibre, une maturité qu'on pouvait ne pas attendre de l'auteur des *Chiens de garde* et qu'on trouverait rarement parmi ses pairs, dans ces années de l'immédiat avant-guerre.

Il faut assurément une bonne santé physique, intellectuelle et politique pour conserver un tel sang-froid devant la montée des périls. Bien que de plus en plus centré dans ses activités professionnelles sur *Ce Soir*, Nizan conservera jusqu'au bout cette faculté d'intervention multiple. Ses trois derniers mois de militant en 1939, jusqu'à son départ pour des vacances qui allaient se conclure comme on sait, ne le prouvent pas moins que les autres : le trimestre commence en mai par une dernière prise de parole dans un congrès international sur le thème d'urgence : « Les gouvernements des démocraties doivent assister les peuples menacés », et se clôt, en juillet, sur une enquête consacrée... aux menées des fascistes et pro-Allemands français, autour d'Otto Abetz et de Brinon, sous le titre, vraiment prémonitoire et cruel, de « La France trahie ». Entre-temps, il avait, de la même plume, continué jusqu'à la fin à rendre compte de la vie littéraire.

Les écrits restent

Le premier texte de Nizan qui ait paru fut une critique littéraire. Depuis lors, il en avait donné plus de cent soixante, réparties dans une vingtaine de périodiques. Sans avoir jamais été son activité exclusive, ni même principale, cette confrontation avec la production écrite de ses contemporains et de quelques grands Anciens choisis, s'étendit ainsi, avec des éclipses, sur une quinzaine d'années, de *La Prisonnière* de Proust à *La Nausée* de Sartre. Il est peu de romanciers français de renom qui aient consacré une aussi large part de leur vie à cet exercice aride, ambigu et souvent stérilisant. On ne saurait en sous-estimer l'importance, même s'il a fallu attendre 1971 et la parution du recueil *Pour une nouvelle culture,* pour que les professionnels découvrissent un nom de plus à mettre à une place de choix dans la galerie de leurs ancêtres.

Place de choix, mais difficile à définir. Assurément Nizan n'est pas un Thibaudet, un Thérive, un Brasillach. L'ambition de tenir le « rez-de-chaussée » littéraire d'un organe de haute prétention intellectuelle ne lui est jamais venue. Ce n'est pas non plus un expert en écritures, à la frontière des sciences sociales et de la psychologie, habile à spéculer sur le non-dit, le je ne sais quoi et le presque rien. Il a certes quelques idées précises sur la littérature, mais leur exposition en grande largeur ne figure pas parmi ses préoccupations immédiates. On lui connaît quelques variations du second style, à commencer par son premier compte rendu, en 1924, dans *Fruits verts.* Péché de jeunesse. Quelques brillants exercices sur le premier, telle sa longue analyse du Gide 1934, dans *Littérature internationale.* Mais enfin ce n'est pas là son déploiement ordinaire.

Le Nizan critique est un écrivain qui milite, plume en main, et qui annote les écrits des autres. Le risque est évident de se trouver devant une série de copies corrigées par un professeur en marxisme scolastique. L'avantage n'est pourtant pas à négliger, qui est d'éviter, au profit d'une considération permanente des enjeux historiques, la frivolité, feinte ou réelle, d'un « moi je » dont la seule raison d'être réside dans une certaine facilité à mettre les grands plats dans les petits. Dans ses années de noviciat communiste, Nizan, en pleine possession de l'avantage, n'échappera pas toujours au risque.

A l'époque du Front populaire il sera de plus en plus difficile de le surprendre en flagrant délit de sectarisme

littéraire, ce qui ne veut pas dire que ses jugements en aient
été aseptisés, bien au contraire. Quand dans *Ce Soir* il
disposera de l'autonomie dont il bénéficie par ailleurs en tant
que chef de rubrique diplomatique, son style ramassé fera
souvent mouche. Les seules limites imposées tiendront plus
au surmenage qu'à la censure. Ajoutons, et c'est là peut-être
l'essentiel, que ne faisant pas métier de critique il pouvait
d'autant plus aisément échapper aux pressions du sérail et
regagner ici ce qu'il perdait là.

Cette situation intermédiaire explique que Nizan écrive sur
tout, de *Fantomas* au *Discours de la Méthode*. Il lui arrivera
même, fugitivement, de dire son mot sur le théâtre et le
cinéma. On regrette qu'il n'ait pas eu le temps d'y revenir
plus souvent quand on le voit choisir, à propos d'O'Neill, le
camp de Calderon, Lope, Gogol, Becque — en un mot Molière,
contre le symbolisme d'un Ibsen ou d'un Maeterlinck :

« Pas un symbole chez Molière, pas une théorie, chaque fois
qu'il est au plus haut de son art, comme dans *Don Juan :* la
thèse n'apparaît que dans les comédies les plus faibles, comme
Les Femmes savantes [14]. »

Quant au cinéma, qui fut un temps son rêve, il se voit,
d'une certaine façon, assigné la place ainsi refusée au théâtre
« poétique. » Nourri, à Paris et surtout à Moscou, de projec-
tions d'Eisenstein, Dovjenko ou Vertov, il tend à faire de
l'esthétique de celui-ci, analysée en 1935 à l'occasion de la
sortie en URSS des *Trois chants pour Lénine*, la dramaturgie
filmique selon son cœur. Au cinéma « le traitement poétique
du son et de l'image », à la littérature écrite « le traitement
psychologique des sentiments et des pensées [15] ». Confronté,
dans la réalité de la production française, aux films du
« réalisme français » et aux pièces de Giraudoux, on comprend
qu'il ait été en général plus porté à parler de littérature que de
spectacle.

Il lui arrivera de soutenir à bout de bras, surtout dans les
débuts, une œuvre médiocre, pour peu qu'elle fût signée d'une
ouvrière en textile ou d'un soudeur communiste. Mais, en sens
inverse, sauf un article de l'époque sectaire où *Le surréalisme
au service de la révolution* est vivement épinglé pour sa
prétention à « poser des problèmes post-révolutionnaires [16] »,
on ne peut guère relever que des sévérités entérinées par

l'avenir. Bien entendu, on ne tiendra pas compte ici des récupérations au second degré. Ainsi Nizan n'a-t-il à l'égard du feuilleton policier [17] ou de la littérature enfantine [18] aucune des indulgences émues des surréalistes d'hier et des amateurs de rétro de demain. Il y voit tout crûment de vastes entreprises d'aliénation où, le policier, l'aventurier ne sont plus que deux types humains qui caractérisent la morale bourgeoise de la répression et du risque. *Fantomas* devient alors « le plus célèbre des écrits destinés à exalter la bourrique. » Georges Simenon lui-même, auquel il reconnaît un « don d'atmosphère qui annonçait un romancier authentique », cesse de trouver grâce à ses yeux du jour où son œuvre se trouve encombrée de l'« ignoble et sentimental commissaire Maigret [19] ».

Sa position en la matière est d'autant plus cohérente qu'il peut alors se payer le luxe de distinguer, le moment venu, dans le Pierre Very de *Goupi mains rouges* l'écrivain populaire selon son cœur [20]. Et de rappeler les lettres de noblesse d'un genre qui faisait les délices de Karl Marx : Edgar Poe, Conan Doyle, déjà dégradé, les premiers Gaston Leroux. En rendant hommage, en 1937, à Dashiell Hammett, que chacun s'entend aujourd'hui à saluer comme le fondateur du roman noir contemporain, il montrait assez qu'il se tenait au courant d'une production dont, au témoignage de Rirette, il consommait surtout la variété enfantine : son livre de chevet était communément un roman de la Comtesse de Ségur.

En matière de jugement littéraire, Nizan ne change pas. S'il a inauguré sa carrière en disant du bien du dernier Proust ou du Gobineau romanesque [21], il n'en dira jamais de mal : il se contentera de n'en plus parler. Quand un auteur qu'il a aimé avant sa conversion continue à se produire sur la place, il le dissèque avec sévérité, mais sans plus. Il faudra attendre 1939 pour qu'il dresse l'acte de décès du Giraudoux de sa jeunesse :

« M. Giraudoux abuse décidément du droit qu'on peut avoir d'animer des fantômes poétiques » (...) Disons-le : « M. Giraudoux est devenu un romancier ennuyeux [22]. »

Nizan ne surprend plus personne aujourd'hui en accablant

sous les sarcasmes un André Maurois ou un Jacques de
Lacretelle. Il s'écartait pourtant en cela de la majorité de la
critique contemporaine, beaucoup plus révérencieuse à
l'égard des valeurs consacrées de la littérature académique,
même quand il s'agissait d'exprimer à son égard quelques
réserves. Nizan n'a pas de ces pudeurs corporatistes. André
Maurois, dit-il en 1933, « plaît aux femmes de la bourgeoisie
en leur donnant habilement l'impression qu'elles sont
intelligentes [23] ». Que l'occasion lui soit donnée de revenir
plus tard sur un tel auteur, et le verdict se fait plus subtil, plus
aigu, par là plus cruel encore : l'André Maurois de 1935
manifeste alors « un certain effacement de pensées, une façon
de rabotage des idées qui caractérisent très vite un homme
soumis à la politesse. La politesse, vice d'André Maurois [24] ».
Quant à Julien Green, il offre ce spectacle « consternant » :
« un esprit naturellement distingué [25] ». Traduisons : un réel
talent d'écriture appliqué à une « affreuse sécheresse de
sentiment ». On voit que Green, Maurois et tant d'autres ne
sont là qu'à titre d'exemples, et que son propos les dépasse de
beaucoup. Il s'agit de parler de « cette littérature de gens du
monde qui parlent uniquement de leurs relations [26] ».

Au-delà de ces enfants dégénérés du proustisme, c'est toute
la « culture bourgeoise » qui se trouve jugée et condamnée en
beaucoup moins de mots qu'il n'en a fallu pour l'écrire.

Quand l'objet mal-aimé est de meilleure venue, l'analyse
prend la peine de s'affiner. Nizan n'aura guère l'occasion de
parler de Mauriac lorsque l'engagement de celui-ci aux côtés
des antifranquistes aura commencé à lui attirer les bonnes
grâces du parti communiste. Il ne doit donc qu'à son instinct
de le classer parmi les quelques bons romanciers de l'autre
camp. Celui qui, voulant faire l'ange, fait la bête. Bien
entendu, il a dès l'abord reconnu en lui l'un de ces hommes
qui seront « quelque jour de l'Académie des généraux, des
ambassadeurs et des penseurs-flics. Il ne déparera pas cette
assemblée [27] ». Mais, pour le reste, il se contente de démontrer
ses ambiguïtés au fond, non de postuler sa mauvaise foi, en
des termes qui le rendent presque sympathique.

Mauriac est un frère, tiré comme lui à hue et à dia par les
nécessités de l'écriture et de l'idéologie.

« Mauriac est un grand romancier que ses limites étouffent. Il voudrait affirmer Dieu partout, mais il ne le peut jamais que (...) dans une conclusion en trompe-l'œil. Il perd donc sur le tableau religieux. Mais il perd en même temps sur le tableau romanesque [28]. » « M. Mauriac pourrait être un très grand romancier révolutionnaire », va-t-il jusqu'à dire, mais... « c'est alors que le chétien intervient (...) M. Mauriac se fait violence. Cela ne vaut rien pour les romanciers [29] ».

Poussant plus loin l'analyse, il diagnostique :

« C'est un homme que le ciel ennuie. Il est romancier beaucoup plus infernal que céleste. »

Et termine par une nonchalance féroce :

« Naturellement, les pages purement terrestres du livre sont comme d'habitude remarquables [30]. »

On sait que Mauriac sera fortement ébranlé par l'article qu'en 1939 Sartre consacrera aux contradictions internes de sa technique romanesque; le texte de Nizan, plus rapide, moins dogmatique, va peut-être plus loin dans la critique radicale du projet malagarien.

Un brelan d'excommuniés

Cette sympathie inquiète pour un autre soi-même qu'il craint de voir se « perdre » rend particulièrement extra-lucide le jugement que Nizan porte sur le romancier beaucoup plus ambigu et beaucoup plus considérable que fut Céline. Pas de doute, pas de demi-mesure : *Le Voyage*, à sa sortie, est bien « une œuvre considérable, d'une force et d'une ampleur à laquelle ne nous habituent pas les nains bien frisés de la littérature bourgeoise [31] », mais, en même temps, du même mouvement, est posée la limite, détecté le danger, à une date où certains parlent du « bolchevisme » de Céline — dans trois ans Jacques Duclos lui lancera même un appel à rejoindre les rangs du Front populaire.

« Céline n'est pas parmi nous : impossible d'accepter sa profonde anarchie, son mépris, sa répulsion générale qui n'exceptent point le prolétariat... Nous verrons bien où ira cet homme qui n'est dupe de rien. »

Nizan, qui a voulu n'être dupe de rien, a fini par rejoindre le communisme. Mais il sait qu'il y a au moins une autre solution.

Quand, au *Voyage* succède *Mort à crédit*, l'affaire est entendue. Céline prétend qu'il va se mettre à raconter des histoires « telles qu'ils reviendront après pour me tuer des quatre coins du monde » : la réponse de Nizan ne tombe pas dans le piège tendu par le polémiste retors. Il se contente de statuer froidement :

« M. Céline se vante. Les gens bien achèteront ses livres. On ne le tuera pas [32]. »

L'essentiel de son article est ainsi consacré, non à répondre sur le fond à un auteur gagné par le délire de la persécution, mais à dynamiter ses prétentions littéraires. Il est le premier et aujourd'hui encore l'un des rares à toucher le point sensible.

A provocateur, provocateur et demi : l'article de Nizan n'est ni plus ni moins intitulé : « Pour le cinquantenaire du symbolisme » et consacré à une démonstration serrée de Céline comme symboliste attardé. Simplement, « là où le symboliste des années 90 écrivait azur, M. Céline écrit merde ». Rien de rabelaisien chez lui, tout de mallarméen [33]. Or « il y a un style Rimbaud, il n'y a pas de style Mallarmé ». Là où certains saluent la naissance d'une langue fulgurante, libérée, Nizan ne voit qu'imitation dégradée du *Voyage*, fabrication laborieuse, un texte-machine truffé de vers de huit pieds inavoués dont il donne quelques exemples savoureux.

Il met la même économie de moyens au service des textes qu'il aime. Assez affranchi des consignes pour saluer ici un Breton [34], là un Cocteau, ailleurs un Montherlant [35], pour crier le holà au Giono « penseur » de l'immédiat avant-guerre [36] ou sourire des contradictions de Julien Benda, pourtant compagnon de route [37], il peut prophétiser sans erreur que *Terre des Hommes* restera comme le meilleur Saint-Exupéry [38], que des quatre ou cinq romans-fleuves en cours *Les Thibault* « est celui qui a les chances les plus importantes de durer [39] », ou que *La Condition humaine* est « l'une des œuvres de notre temps qui paraissent le plus solidement assurées de durer [40] ». Il se paye même le luxe de signaler à deux reprises l'intérêt de l'œuvre d'un certain « Docteur Lacan », dont tel livre sur *La psychose paranoïaque*, tel article sur le style et la paranoïa lui paraissent traduire « une influence très certaine et très consciente du matérialisme dialectique [41] ».

Quand le petit-camarade se met à faire des siennes, il s'amuse à user du ton le plus distant pour dire le plus grand bien de *La Nausée,* le tout à grands coups de « M. J.-P. Sartre, qui est, je crois, professeur de philosophie et à qui l'on doit un livre excellent sur *Les images* » et de « grande ville bourgeoise, où il nous semble reconnaître Le Havre ». Mais cette parodie du style *Revue des deux Mondes* a le temps de comparer Sartre à Kafka (« si sa pensée n'était entièrement étrangère aux problèmes moraux »), d'en faire « un romancier philosophe de premier plan » et surtout, d'en prédire l'engagement ultérieur, fort peu discernable à l'époque :

« M. Jean-Paul Sartre (...) a des dons trop précis et trop cruels de romancier pour ne pas s'engager dans les grandes dénonciations [42]. »

La même remarquable machine intellectuelle fonctionne à l'égard de la littérature étrangère, particulièrement l'anglosaxonne, qu'il peut lire dans le texte. Il révèle au public communiste cette « grande et singulière littérature américaine [43] », encore plus méconnue, d'ailleurs, du public non communiste : Caldwell, Dos Passos, Faulkner, Hammett, et son avant-dernière critique est pour saluer la première traduction française de Steinbeck [44]. Ce n'est pas là simple curiosité sans préjugé. Nizan reconnaît en la plupart de ces écrivains du nouveau monde quelque chose comme des pairs.

Toute entreprise critique finit par construire son réseau spécifique de correspondances, de complicités. C'est ce qui explique la place que vont finir par prendre chez lui deux figures d'écrivain dont le rapprochement donne sans doute une intéressante image du Nizan des profondeurs : Drieu La Rochelle, Dostoïevski. On devine les points communs avec le premier : même circulation entre l'essai et le roman, même préoccupation de l'engagement, même attirance pour les solutions extrêmes. On voit mieux encore les divergences : l'âge, qui fait de Drieu un parfait représentant de la génération flouée de 1914, l'étalement des contradictions, le dilettantisme... Restait, du moins au début de leur dialogue, le talent, j'entends ici celui de Drieu. Dans la grande confraternité des chercheurs d'absolu, Nizan n'oublie pas d'y rendre hommage. Analysant *Socialisme fasciste* à son retour de Moscou, il a assez de recul pour reconnaître, en connaisseur :

« Drieu a singulièrement progressé dans le sens de la technique... Il est actuellement l'écrivain qui a trouvé le ton le plus adapté à l'essai. Il n'y a guère de doute que le style de Drieu ne soit parfois le meilleur style de l'essai français d'aujourd'hui [45]. »

Mais ces attendus ne sont là que pour mieux souligner l'impasse intellectuelle dans laquelle il lui paraît s'enfoncer. Jadis source d'énergie, au temps des grandes hésitations baroques des années 20, la contradiction vivante nommée Drieu La Rochelle, cette multiplicité d'êtres qui dans son corps « sont tous occupés à des travaux différents et à la solution de divers problèmes », est en train de démolir une personne. Comme si Nizan se mettait maintenant à donner des leçons au jeune homme divisé qu'il était lui-même dans les mêmes années 20.

Aussi, par-delà l'image qu'il y voit de la « faillite de la pensée bourgeoise », ne peut-il s'empêcher de s'attrister, et de lancer un dernier appel à cet homme dont on sent qu'il aimerait l'appeler son frère :

« Il y a dans Drieu des accents qui font regretter qu'un homme qui était en lui se soit perdu et qu'il y a de moins en moins de chances de le voir se retrouver. Drieu ne sera pas la seule victime des temps de l'après-guerre prête à se transformer en domestique des bourreaux [46] ».

Par la suite, Nizan reviendra à plusieurs reprises sur le cas Drieu, comme s'il se sentait, au sein de l'Église communiste, le premier interpellé, provoqué par ses écrits. C'est lui qui, par exemple, répond, dans *Vendredi* [47], aux deux articles nébuleux parus les 9 et 30 novembre 1935 dans *Révolution?* (le point d'interrogation fait partie du titre), où Drieu, poursuivant ses rêves d'avant la crise et Hitler, avait lancé, en préfiguration du PPF, un appel au rassemblement, autour de Doriot, de tous les communistes de gauche hostiles à la stratégie de Front populaire, autrement dit ceux « qui ne veulent pas rentrer dans le sein de la social-démocratie » :

« Je ne vois point de lien possible avec Drieu, ses infidélités, ses grands jeux, ses défaites, ses amours, ses grâces, ses livres » répond durement Nizan, avec la hargne du dépit amoureux, « Drieu nous fait la charité de son alliance, de son fascisme », la charité de Sorel, de Nietzsche, de Goebbels. Ce sont des charités qu'on refuse. Sans aucune politesse. (...) « On ne tolérera pas la vengeance sur la jeunesse des hommes trompés. »

Débat strictement idéologique, dira-t-on, où ne parlent plus que deux militants? Ce serait oublier à quel point pour ces deux-là l'écriture est une morale, politique faite verbe. Ce serait se refuser à voir combien Nizan pouvait frapper juste — parce qu'il savait de quoi il parlait — en concluant en 1935 sur la morale :

« Les idées de Drieu me paraissent moins politiques qu'érotiques (...) Il faut que Drieu en prenne son parti. Son parti logique, à défaut de son parti pris, de parti politique : il mourra seul [48] ».

Et en 1937 sur le style : le mensonge du rapport de Drieu au peuple « entraîne du même coup le mensonge de son art et comme la ruine finale de son talent [49] ».

Entre-temps, l'Histoire venait de fournir une belle métaphore de ce croisement de destins qui avaient tous les deux rendez-vous, à l'intervalle d'une guerre, avec la mort. En 1935 Drieu, cohérent jusqu'à l'absurde dans sa recherche de la conciliation des inconciliables, a résolu de se rendre à Moscou. Et c'est Nizan lui-même qui s'offre à lui faciliter les démarches. Cela donne un billet, daté du 5 septembre : Drieu y remercie Nizan « de l'humaine attention » dont celui-ci a fait preuve « mais Malraux a pu déjà faire le nécessaire. Et je pars. » Suit la phrase fatale : « Toutefois je passerai d'abord par Nuremberg où j'assisterai au congrès nazi. » *In extremis* en effet il vient de recevoir, par l'intermédiaire d'Otto Abetz, une invitation officielle. Au programme du voyage allemand figurera, entre autres, la visite d'un camp de travail modèle, près de Munich, appelé Dachau... Drieu rentrera de son séjour rallié. Le billet se terminait par un appel, lui aussi :

« J'ai lu de vos écrits et j'aimerais vous rencontrer [50] ». La rencontre n'eut pas lieu.

Il était plus facile à Nizan de rencontrer un mort, fût-il

ambigu, comme Dostoïevski. Et voici sans doute le grand
œuvre qui, jusqu'aux jours de la guerre inclusivement,
hantera son esprit. L'auteur des *Possédés,* que Nizan annote
avec passion [51] avant de s'en inspirer pour *La Conspiration,*
siège au plus haut de son panthéon personnel. Archétype du
romancier problématique tel qu'il aspire à le devenir, il
annonce et domine les saints annexes nommés Kafka,
Faulkner et Malraux.

Peu importe ici l'écart des idéologies; les a-priori théoriques et techniques de Dostoïevski sont les siens. Il lui
reproche d'ailleurs moins son utopie intégriste et slavophile
que le pessimisme de son « monde des impasses [52] », sa
conception d'une déchéance consubstantielle à l'homme,
indestructible par des moyens terrestres. En d'autres termes,
le plus beau titre de gloire de Dostoïevski est d'être, vraiment,
« le plus grand romancier du malheur. »

Cet absolutiste a parfois le pressentiment d'une solution
autre, quand, par exemple, il fait dire à Kirillov que « Dieu est
la souffrance que cause la peur de la mort [53] », ou quand il
laisse longuement la parole au Grand Inquisiteur, mais il
succombe avant le port sous le poids de la tradition religieuse.
Sur le fond, tout romancier révolutionnaire sera donc un
anti-Dostoïevski radical. Mais la technique romanesque de
celui-là devra tout à l'homme qui a dit qu'on ne pouvait plus
guère écrire que « des mémoires, documents pour l'avenir. » A
son exemple les romans authentiquement enracinés dans le
contemporain seront peuplés de héros moins « singes de types
réels » qu' « incarnations de problèmes. » Le réactionnaire
Dostoïevski devient ainsi l'archétype du romancier actuel, en
même temps que la part maudite de Nizan, son vrai Mister
Hyde, bien différent de celui imaginé plus tard par quelques
militants imbéciles.

Critique philosophe et philosophe romancier, Nizan ne
pouvait évidemment pas oublier sa formation intellectuelle.
De la même façon que Sartre aimait *Terre des Hommes*
comme « la meilleure illustration possible, la plus concrète, la
plus convaincante des thèses de Heidegger [54] », de même notre
agrégé en rupture de ban ne pouvait s'empêcher de rapprocher *La Condition humaine* de *Sein und Zeit,* et de faire de
Dostoïevski l'idéal du romancier pré-moderne. Mais comme

il écrivait tout cela dans un quotidien populaire, et d'une
plume pleine d'alacrité, on peut dire qu'il témoignait pour
une forme de critique nouvelle, plus doctrinaire que la
traditionnelle, mais assez lisible pour amadouer les classiques. Certains de ses lecteurs, et non des moindres, en eurent
obscurément conscience, et pensèrent à lui donner plus large
carrière.

Nous savons aujourd'hui, par une note des *Cahiers de la
Petite dame* [55] en date du 23 octobre 1936, que Gide songea à
« pousser Nizan à la *NRF*, un peu pour remplacer Thibaudet. » Remplacer Thibaudet, même « un peu » : la gloire. Une
fois de plus, comme pour l'École d'Athènes, comme pour la
société Besse, ce Nizan possible ne vit pas le jour, un Nizan
arbitre des élégances, admis au sein du club littéraire le plus
prestigieux des deux avant guerre.

Le retour de l'URSS rompit sans doute les ponts. Décidément, Staline ne fit aucun bien à ce pauvre Nizan... A la mort
de celui-ci, son œuvre critique n'avait eu le temps et les
moyens que d'être brillante.

Période tweed

Critique ou prosélyte, l'ancien normalien poursuivait sur
une vieille lancée. Rien par contre ne laissait prévoir, vers
1933, qu'il serait cinq ans plus tard l'une des personnalités en
vue de la presse diplomatique internationale. Son goût pour le
tweed, l'amitié de Vaillant-Couturier, la tactique habituelle
du Parti, qui faisait d'un philosophe un expert en économie
politique et d'un ouvrier-pâtissier un agent du Komintern,
enfin et surtout le séjour à Moscou expliquent sans doute le
choix de 1935, qui amènera l'auteur d'*Aden Arabie* à
consacrer désormais le plus clair de son temps professionnel à
la lecture des dépêches internationales, à la fréquentation des
coquetèles d'ambassades et à la déambulation dans les
couloirs des grandes conférences. Caprice du sort et des
appareils bien estimable, qui plaçait Nizan (on pourrait
presque dire « notre héros ») en un point d'observation tout à
fait éminent, l'année même où, avec le plébiscite sarrois, le
pacte franco-soviétique et l'affaire d'Éthiopie, la machinerie
qui allait aboutir à la guerre mondiale se mettait décidément
en marche. S'il fut un temps où, par exception, la politique

étrangère occupa plus souvent qu'à son tour la première page des journaux, ce fut bien celui où Nizan fut occupé à la commenter.

Lui qui avait fustigé le voyage de fuite et l'exotisme de bazar pourra goûter à petites doses les courts déplacements qui, sans rompre le cordon ombilical avec la rédaction parisienne, lui permettent de prendre l'air d'une capitale en état de siège ou d'une organisation internationale en émoi. Des lieux mythiques s'ouvrent devant sa carte d'accrédité, le Quai d'Orsay, la SDN. Quelques amitiés se nouent avec les rares confrères résolument anti-hitlériens, comme l'Anglais Alexander Werth, sans doute le meilleur observateur étranger de la vie politique française de cette époque, ou la Française Geneviève Tabouis, du journal *L'Œuvre*. Débarqué dans un milieu apparemment à mille milles de son présent univers mental et de celui de ses lecteurs, il ouvre grands les yeux, prend des notes en vrac et se paye quelques fantaisies littéraires.

En temps ordinaire l'envoyé spécial ou le chef de rubrique d'une presse désormais en vue sur la place [56] prend tout à fait au sérieux sa tâche d'informateur international et d'illustrateur officieux de la position diplomatique du PCF, qui se confond avec celle de l'Union soviétique. Ce qu'il apprend à voir en Espagne dans les premiers jours de l'insurrection (août 1936), à Bruxelles au moment des succès rexistes (octobre 1936) ou à Prague pendant la crise de l'automne 1938 n'a rien, à vrai dire, qui fasse sourire.

On sent même que le professionnel se plaît à respecter les lois du genre et à renchérir, dans la forme, sur le « ton ambassade », pour mieux le subvertir dans le fond. Quand le sujet en vaudra la peine, il en composera même un livre : ce sera, à l'orée de 1939, *Chronique de septembre,* d'abord intitulé *Histoire de septembre.* La substitution des termes éclaire le propos de l'auteur, qui entend bien se livrer à cette occasion à une sorte d'exercice de style historique. Et si ladite *Chronique* s'attache à raconter, textes à l'appui, les trente jours de la crise de Munich, son introduction a tous les traits d'une leçon de méthode journalistique, digne d'une école professionnelle.

Conscient de la mission historique remise en quelque sorte par le public entre les mains des experts du commentaire diplomatique, le conjoncturiste entend permettre à celui-ci de juger enfin sur pièces, et non dans la parcellarisation et le trucage permanents des articles au jour le jour. Poussant à ses extrêmes limites le relativisme, il énonce, avec une certaine solennité, que le journaliste, point différent en cela de l'historien, n'a finalement des faits qu'une connaissance indirecte, « à savoir fondée sur des *traces* [57] ». Suit un ouvrage d'une froideur remarquable, peuplé d'entités dénommées « M. Hitler » ou « M. Chamberlain », qui se déploient dans une forêt de gros communiqués compacts, cités *in extenso*.

Parcouru superficiellement, l'ouvrage paraît austère, solide et, surtout, fort peu partisan. Les sympathies de l'auteur ne s'y font jour qu'*in extremis*, et plusieurs de ses adversaires politiques auraient pu prendre son livre comme ouvrage de référence, sans y trouver à chaque page des jugements de valeur malsonnants. On est loin du ton des *Chiens de garde*. Les marxistes orthodoxes peuvent même lui reprocher de ne faire aucun sort particulier au contexte économique et social du drame, les experts en stratégie pourraient trouver insuffisante la considération des données militaires.

S'arrêter à un tel jugement serait méconnaître l'économie du texte, le sens qu'entend lui donner son auteur. Sur le fond, c'est s'aveugler sur le choix clair qu'il y fait d'une stratégie d'alliance des démocraties occidentales avec l'Union soviétique, la Petite Entente et les États-Unis. La diplomatie de Nizan, à l'automne 1938 est visible, cohérente. L'avenir proche lui donnera raison, sans permettre d'annuler les effets de l'erreur de septembre. Le gouvernement conservateur d'A. N. Chamberlain, aveuglé par son anticommunisme et sa russophobie, a conduit ses alliés français et centre-européens à s'incliner devant les grondements de « M. Hitler. » En abandonnant la Tchécoslovaquie, les deux grands Occidentaux commettent une faute considérable : ils perdent un allié de poids sur le revers allemand; ils donnent raison à une tactique de chantage; ils restaurent pour quelque temps un régime italien plus fragile qu'il n'y paraît; enfin ils humilient le Soviétique et, subsidiairement, l'Américain, dont les propositions de participation au règlement pour l'un, de bons offices pour l'autre ont été traités par le mépris.

Je viens de dire qu'il s'agit ici de la position diplomatique de Nizan, et avec lui d'une minorité d'hommes politiques, de diplomates et de journalistes; ce n'est pas celle du parti communiste français : leur attitude respective un an plus tard, face à l'effondrement du rêve de sécurité collective France-Royaume Uni-URSS témoigne en faveur de la logique anti-hitlérienne de celui-là, prosoviétique de celui-ci.

Mais, après tout, il importe peu que Nizan ait été plus lucide. Nous sommes à la recherche d'un destin, pas d'une vie de saint. Il suffit que *Chronique de septembre* administre la preuve que les commentaires quotidiens du nouvel expert se fondaient sur une analyse affinée de la conjoncture, qui n'avait rien à envier aux vieux routiers de la profession.

Le plus important de l'ouvrage, aujourd'hui, est ailleurs, dans le sens même de sa forme, où, abstraction faite des annexes, se succèdent quatre parties de très inégale longueur mais d'égale importance : un court exposé méthodologique mentionné plus haut, sur ce qu'un journaliste français baptisera plus tard « l'histoire de l'immédiat », ses servitudes et finalement ses grandeurs; quatre pages de noms propres alignés, de « Alexandrowski, ministre de l'URSS à Prague » à « Zenkl, Primator de Prague », intitulés « Les personnages », pour ne pas dire « Dramatis personae », comme dans Shakespeare; une centaine de pages occupées par le récit d'allées et venues diplomatiques, remises de notes, discours, conciliabules; une dizaine de pages de conclusion, enfin, où se trouve clairement avancée l'hypothèse d'une préférence occulte de Londres et Paris pour les « puissances d'ordre », contre Moscou. Un mot résume la version la plus radicale de cette hypothèse, présentée au conditionnel mais seule développée en détail : « Mystification. »

Le parti pris formel de Nizan, son exercice de style, prend alors toute sa signification : nous avons bien affaire à un drame historique dans la lignée de *Richard II*, d'*Henry IV*, où, dans un temps et un espace limités (trente jours, deux ou trois chancelleries, un ou deux lieux de rencontre), s'affrontent des hommes comptables du destin de millions d'autres.

Dans une telle dramaturgie l'artifice, le formalisme, l'archaïsme, bien loin d'être des freins, sont des moteurs : plus la
comédie est glaciale, voire guindée, plus le drame ressort du
contraste avec la sauvagerie des conséquences, jouées hors de
scène, dans des coulisses où un peuple chasse l'autre, en
attendant mieux.

Un tel projet formel rejoignait admirablement le propos
fondamental, politique, du chroniqueur communiste, en lui
permettant aussi de mettre en circulation un argumentaire
dru, exprimé dans la langue du sérail, en faveur de la
conclusion rapide d'une alliance anglo-franco-soviétique. Il
présentait l'intérêt supplémentaire de permettre à Nizan de
poursuivre cette démarche, par bien des traits pédagogiques,
qui l'amenait, depuis *Aden Arabie*, à informer, dévoiler et
convaincre, y compris lui-même : dans une lecture des
ouvrages de Nizan comme autant de fragments d'une grande
autobiographie, *Chronique de septembre*, dernier livre édité
du vivant de son auteur, n'a rien d'incongru : il témoigne du
temps où, après avoir joué (cru, c'est tout comme) à
l'intellectuel révolté, au soldat du prolétariat, il vivait la vie
d'un médiateur tragique, vaste champ d'expérience pour un
amateur de comédie humaine [58].

L'écriture du quotidien

Chemin faisant, au gré des enquêtes qu'on lui commande et
de l'esprit nouveau qui souffle, un Nizan dépouillé peau à
peau de son enveloppe de jésuite combattant, allégé dans son
style de certains tics partisans, va pouvoir donner ainsi,
l'espace de deux ou trois courtes années, quelques textes tout à
fait dignes de figurer un jour dans une anthologie du
reportage. Rédigés dans la fièvre au fil de la plume, les
meilleurs d'entre eux supportent pourtant la comparaison
avec telle page des romans, telle formule des essais.

Côté tragique, la guerre d'Espagne inspire à l'envoyé
spécial de *L'Humanité* et de *Regards* quelques pages dignes,
avec un an d'avance, de *L'Espoir*. Celle-ci, par exemple, écrite
dans le feu de l'action, où Rirette et Paul-Yves voient sous
leurs yeux s'affronter les deux camps dans les rues de Valence.
Le texte ne figure pas dans les recueils posthumes, nous le
citerons donc abondamment.

Attente :

« Un enfant traversa la place, couvert d'une grande chape noire et argent de Toussaint, coiffé d'un panier en forme de mitre.

Le soir vint. Sous les palmiers des avenues, des jeunes filles en robes claires se promenaient encore, les enfants criaient, des chargements d'oiseaux s'abattaient dans les branches.

Sur la berge du fleuve, au gouvernement civil, des barricades de sacs de terre montaient. Les gardes d'assaut, la garde civile se concentraient dans la cour intérieure. On montait aux fenêtres des mitrailleuses, derrière des matelas.

Le téléphone sonnait. Quelqu'un cria que les rebelles allaient attaquer : tous les fusils s'armèrent. Mais rien ne se passa.

Derrière des barricades du quai, les miliciens de vingt ans mal armés, qui n'avaient pas encore vu le feu, regardaient les pierres de la place déserte, les parapets du quai et cette nuit inquiétante au-delà du fleuve.

Toute la ville attendait l'éclat. Des groupes couraient en armes. Les oiseaux criaient dans les feuilles. Des camions passaient. « UHP » criaient les occupants. L'un d'eux portait une mitrailleuse qu'on acclama.

Naturellement, il n'était pas question d'aller dormir. A onze heures, des coups de feu partirent de la rive rebelle : les vitres d'en face s'abattirent. Tout ce bruit éveilla les oiseaux, dispersa la foule de la place Gastelar.

A minuit, les mitrailleuses commencèrent à tirer. Et ainsi il y eut de la fusillade confuse toute la nuit. »

Explosion de la victoire :

« Sur le quai, un milicien dit :

— Ils se sont rendus...

C'était une nouvelle qui se répandait comme un coup de foudre : toutes les rues s'emplirent d'une foule qui dévala du côté des casernes. A l'entrée des ponts, il y avait des gardes d'assaut; ils étaient débordés par ces hommes qui couraient à la conquête des armes. Des autos, des camions changeaient de vitesse. Déjà, les premiers vainqueurs revenaient avec des colliers de bandes de mitrailleuses, des chapelets de casques, de fusils.

Dans la caserne blanche du 10ᵉ d'infanterie, les troupes du génie venues de Paterna entrèrent, commandées par Carlos Fabra, promu lieutenant la veille. Il marchait le poing levé, la figure blanche de joie, acclamé. Les chefs de la révolte étaient fusillés; les soldats fraternisaient avec les vainqueurs.

Qu'est-ce qui est plus secret, plus fermé, plus hostile qu'une caserne? Cette foule prenait possession de ces bâtiments nus. Comme d'un monastère, d'une prison. C'était une découverte. Il y avait chez ces hommes un sentiment pareil à celui des enfants qui explorent un grenier rempli d'antiques merveilles.

Dans les chambrées, les paquetages étaient ouverts, les lettres, les souvenirs, s'envolaient dans les courants d'air du matin; toute une vie s'évanouissait. A la bibliothèque, les ouvriers lisaient les titres des livres : l'un d'eux ouvrit une traduction de Dumas et commença à lire. Quelqu'un tenait une mappemonde dans ses mains comme il aurait tenu toute la terre; un autre faisait rouler dans sa main une boule brillante de billard comme il aurait tenu un œuf fragile. Un vieillard soufflotait dans un trombone. »

A l'horloge du Foyer des soldats où les cartes traînaient encore sur les tables, il était 8 h 10 [39]. »

La phrase finale de l'article *Hôtel Colon* [60] donne le ton de l'ensemble, son sens intime :

« On pensait au décor d'un étrange opéra, d'une mise en scène spontanée de la jeunesse, de la passion et de la mort. » Il y a là quelque chose de ce reportage tragique, sec et frémissant à la fois, dont l'approche hantait, on l'a vu, le théoricien romanesque. *Somosierra* en contint peut-être quelques échos. Ceux-ci sont les seuls qui nous soient parvenus.

Côté comédie légère, le Nizan de 1925 montre le bout de l'oreille. Mais il a renoncé à être biscornu, et décidé d'être toujours, quoi qu'il en soit, engagé. Rien de moins ennuyeux que le Nizan des *Funérailles anglaises* ou de *La mort des Six Jours* [61]. Mais rien de moins gratuit non plus. Il l'a dit lui-même, dans le compte rendu en forme d'adieu qu'il adressa en 1939, on l'a vu, au Giraudoux de sa jeunesse :

« L'œuvre de M. Giraudoux restera comme une démonstration exemplaire des extrêmes dangers que fait courir à l'art ce qu'on nomme la poésie quand il ne s'agit que de la satisfaction la plus facile de soi [62]. »

Nizan, même quand il se consacre à des objets en apparence dérisoires, ne se livre pas tout entier à la satisfaction de soi. Sans paraître y toucher, il sait extraire d'une cérémonie protocolaire ou d'une épreuve sportive classique un sens politique, nullement surajouté.

En 1938, pour le 32ᵉ Tour de France, *Ce Soir,* qui met les bouchées doubles pour battre *Paris Soir* sur son propre terrain, envoie ses meilleures plumes « couvrir » l'épreuve, qui est sans doute à cette époque à l'apogée de son prestige mythique (rappelons que le Tour 1938 fut « celui » de Bartali, mais tout le monde le savait). Ainsi verra-t-on Jean Renoir livrer ses impressions devant le départ de l'épreuve. Et c'est Nizan, pour qui la caravane du Tour est une société aussi exotique que celle d'Aden (qu'on ne se récrie pas, la comparaison est de lui), qui va prendre place, du 6 au 9 juillet, dans la voiture grise du quotidien.

En trois jours, deux étapes et un repos, de Saint-Brieuc à Royan, il a reparcouru avec émotion, pour la dernière fois, certaines routes de son enfance, sympathisé avec un obscur du classement général, courageux et modeste, qui terminera à un bon rang (« Je préfère Jean-Marie Goasmat à M. Alexis Léger ») [63], et trouvé spontanément le ton lyrique familier aux grands Touristes, avec sa petite touche personnelle :

« Tout le peloton se dispose en éventail, roue contre roue, avec la sûreté de l'instinct qui fait que les oiseaux migrateurs se mettent à voler en triangle [64]. », etc.

Mais il a aussi trouvé le temps d'ébaucher une analyse plus subtile du phénomène.

En peu de mots, écrits dans la fièvre à l'étape du soir, il intègre sans tarder le Tour à ses propres préoccupations intellectuelles :

« Naturellement, au commencement, on se dit qu'on n'est point dupe et que toute cette histoire ne tromperait pas un enfant de douze ans, mais ce genre de pensée ne résiste pas à cinquante kilomètres de course. »

C'est que son optimisme conquérant découvre bien vite dans la compétition un avatar de la seule activité humaine qui vaille la peine d'être vécue, la « lutte contre la nature [65] ». Abruti et charmé à la fois par la foire qui entoure l'épreuve, il aperçoit clairement la force mythique de la Grande Belle, et combien elle « apporte aux populations oubliées une bande de nouveaux dieux, les dieux des machineries urbaines, de l'économie domestique et de la mythologie sportive ». Du bon usage philosophique du Tour de France.

D'autres pérégrinations ont pour prétexte ses fonctions de chroniqueur international. La mort de Nizan et l'enfouissement de son dernier livre nous privent à tout jamais de la transcription romanesque de cette expérience renouvelée d'un certain néant diplomatique. Seules quelques confidences de Rirette, quelques rares lettres nous permettent de goûter encore aujourd'hui le suc de ces agitations élégantes et vaines, à la veille du plus grand drame collectif jamais vu. Une carte de Varsovie, datée du 5 décembre 1937, ouvre de brefs aperçus sur ce que pouvait être une dernière tournée diplomatique (celle du ministre des Affaires étrangères du Front populaire, Yvon Delbos) à travers l'Europe centrale, un an avant Munich, et sur le jeune homme sarcastique et nonchalant qui, dans son coin, contemplait sans mot dire, mais en n'en pensant pas moins, la comédie européenne :

« On a des conversations et des réceptions où mon absence de décorations me fait comme je le prévoyais remarquer. En général on est vertueux, à part quelques-uns qui courent la gueuse. Mais mon genre est plutôt la conversation historique et élevée et l'exploration du pays en compagnie des correspondants du *Temps* et des *Débats*. Dans l'ensemble, les faux-monnayeurs et les faux témoins ont la partie belle. On fait avec eux des déjeuners excellents, pleins d'une politesse sifflante et d'une cordialité à cran d'arrêt [66]. »

Sur le fond, l'observateur comprend bien vite que, si grande politique il y a quelque part, elle se fait sans eux, qu'on « traite comme du Bourgogne », et dans les bras desquels les services de renseignement polonais ou roumain jettent de belles étrangères, tout comme dans un film de Vladimir Volkoff ou une chanson d'Hanka Ordonowna.

Univers d'Albert Cohen ou univers de Paul Morand, Nizan, pipe de bruyère au bec, sait rester égal à lui-même, surtout le jour où, à sa grande satisfaction intime, il reçoit par courrier, en tant que participant au voyage de Delbos, la seule décoration que ce bolcheviste reçût jamais, y compris à titre posthume, celle d'officier de l'ordre de Saint Sava (Royaume de Yougoslavie [67]). Son allusion aux « faux-monnayeurs et faux témoins » montre assez que le mauvais esprit n'abdiquait pas.

Deux ou trois textes, parus à l'époque, nous conservent ce ton de fantaisie critique, genre rare et difficile s'il en est, et d'autant plus que les objets retenus paraissent plus futiles : coquetèle d'ambassade (*La Brillante soirée du Quai d'Orsay*), enterrement d'un roi (*Les Funérailles anglaises*), couronnement d'un autre (la série d'articles sur l'intronisation de George VI, en mai 1937) pour lesquels il est accompagné par un jeune photographe de *Ce soir,* un ami nommé Henri Cartier-Bresson.

L'ancien dandy s'y laisse parfois aller à une sorte de préciosité malicieuse :

« On ne reconnaissait point, hier soir, le Quai d'Orsay, promu à la dignité de palais royal, transfiguré par les feux blancs des projecteurs, par les reflets des plumages d'eau qui retombaient dans la Seine noire le long des berges du cours la Reine : le petit jardin du ministère avait pris, à travers les illusions de la lumière, les dimensions d'un parc où quelques académiciens nonchalants jouaient un rôle végétal, paraissant soudain assortis aux parterres, aux arbres comme des buissons de Macbeth. »

Mais c'est pour retomber aussitôt à pieds joints dans la vulgarité bon enfant de l'Old Merry England, la misère triste et digne des chômeurs du Pays de Galles, ou la fatuité d'un riche :

« Un commandeur de la Légion d'honneur portait une étonnante croix de diamants, une dame lui dit : " — Ah! cher ami, vous avez une ravissante cravate. — Oh! dit-il, c'est un bien de famille. Les 10 000 ouvriers de mon père ont donné chacun 5 sous pour elle. "

« Ce mot eût plu à Marcel Proust, mais il n'y avait, hier soir, pour représenter la littérature mondaine, que M. Maurois qui se trouvait alors dans un autre salon et qui n'eût rien fait de ce mot trop cruel, s'il l'avait entendu [68]. »

Le petit chef-d'œuvre du genre tient sans doute dans les quelques lignes qui, au détour du récit des *Funérailles anglaises*, croquent le passage de la veuve de George V pleurant son royal époux :

« Dans son carrosse de glaces, la reine Mary, immobile sous des étoffes noires, un parapluie à bec courbe dans la main : les femmes la regardaient avidement pour voir la douleur d'une reine : justement, elles ne voyaient rien, elles se rejetaient en arrière. Ce n'est pas une femme qui passait, c'était peut-être la Reine de Cœur ou plutôt la Duchesse qui allait ouvrir la portière du carrosse, s'écrier : " Vous n'en savez pas lourd " [69] »

Autant d'exemples qui vont à l'encontre du lieu commun paresseux selon lequel l'écriture incisive, à la fois légère et cruelle, serait l'apanage des « écrivains de droite », comme si, d'ailleurs, autant que de Morand et de Lewis Carroll, ce Nizan-là ne pouvait pas se réclamer de Mirbeau ou de Jules Renard.

On aimerait quitter Nizan là, dans ce quelque chose qui ressemble tant à du bonheur. Le temps de Quiberon est revenu, quand « il faisait assez beau pour qu'on pût s'endormir sans défiance [70] ». On l'imagine, au temps de *L'Huma*, rêvant dans la rue devant ces grands navires bourdonnants, illuminés, que sont les bâtiments des grands quotidiens, au plus profond de la nuit. Il est de ces contrées où « quand le vent vient du nord l'odeur du papier se mêle aux odeurs de fruit qui arrivent le long de la rue Montmartre depuis la porte Saint-Eustache [71]. »

On le voit, on le sait goûtant le parfum de l'encre fraîche, le cliquetis des linotypes, la fraternité des camarades, travailleurs manuels et intellectuels sur le même chantier, comme il l'avait rêvé. Dans son appartement de la rue Méchain, la seule illustration remarquable est, dans l'entrée, la photographie d'un vieux typo à son marbre, comme un rappel constant du sens de son combat.

Bien sûr il y a l'impénétrable Aragon, le mol Moussinac, la mort de Vaillant-Couturier, celle de Gerda Taro, mais il y a aussi Gabriel Péri, aux élégances d'aristocrate, Jean Bruhat, toujours fidèle, Henri Cartier-Bresson.

Bien sûr il y a ce rythme harassant et l'œuvre romanesque qui n'avance pas si vite, mais il y a l'Interallié 38, *La Soirée à Somosierra* qui germe et le petit-camarade qui promet. Bien sûr, il y a la guerre d'Espagne et Munich, il est bien placé pour le savoir, mais il y a les disques de Kurt Weill, et de Sophie Tucker, les personnages de la Commedia dell'arte genevoise, Rirette plus exubérante que jamais, Pat et Bonnette qui ont passé « l'âge de raison ». Il faut imaginer Fabrice heureux. Et tué à Waterloo.

L'Ankou

« Nuit. O tribunal de la nuit, toi
qui fus, qui seras, qui es, j'ai été!
J'ai été! »
(Les Séquestrés d'Altona)

Contemplez l'homme comblé : mari, père, militant, journaliste, écrivain. Mais il a tout misé sur un absolu, et les absolus ont tout du château de cartes. Le jour où l'édifice savant et dérisoire s'effondrera sous ses yeux, il ne lui restera plus qu'une carte en main, quelque chose comme la dame de pique. En Bretagne la mort ne surprend jamais tout à fait sa victime. Le vieil homme de l'Ankou s'annonce toujours dans le lointain au bruit de sa charrette grinçante dans les chemins défoncés. La mort personnelle de Nizan, qui l'avait frôlé à l'orée de sa vie adulte, le lendemain même de son mariage, s'était éloignée. Pas seulement dans sa présence physique, celle que la médecine, faute de mieux, tente de maîtriser en la baptisant de noms grecs, mais aussi dans sa musique entêtante. Ce fut au moment où le plaisir de vivre fut plus que jamais à l'ordre du jour qu'elle fondit sur lui, à grands tours de roue.

Le corps défendant

L'Ankou est le principal personnage des écrits de Nizan. Être de raison, il circule au travers de ses notes d'étudiant, où Kierkegaard donne la réplique à Stavroguine, où Heidegger n'est invité que pour parler d'elle : « Provisoirement, le fait de l'angoisse est primitif; elle me donne dès que je la réfléchis une certaine évidence de la mort [1]. » Mais ladite évidence hante surtout les romans, lieux de l'incarnation. Physiquement, elle doit beaucoup à la septicémie de 1927.

Dans son vécu paradoxal, elle paraît beaucoup moins déchi-
rure, éclatement, que visquosité, enlisement. Dans *La Conspiration* Philippe rôde autour de ses « frontières sablonneu-
ses [2] », Bernard s'enfonce à la fin dans ses « vases gluantes [3] ».
L'attaque même à laquelle succombe Antoine Bloyé n'est
jamais que le dernier serrement d'une asphyxie continue. La
mort la plus visible, la plus clinique, la plus directement
atroce est celle de la Catherine du *Cheval de Troie*. Pourtant
elle s'y englue, elle aussi, seule, lentement, dans une lente
dérive entre deux draps poisseux du sang qui sans cesse coule
de son ventre crevé.

« La mort n'arrive pas comme un être visible qui fait
hurler les chiens. La mort est une présence. (...) Il était
impossible de fuir puisqu'elle était partout, transparente,
irrespirable, ce n'était pas un combat où on est poursuivi, où
on peut fuir, se cacher, agir, c'était une prison dont le volume
diminuait [4]. »

A peu de choses près, ce fut la sienne, à Recques sur Hem.
Mais elle fit hurler les chiens.

Comme tout le monde, il était incapable de parler de la
mort. Il se contenta d'en faire le fil rouge de toutes ses œuvres,
depuis *La Complainte du carabin*... jusqu'à *La Conspiration*
dont les héros sont des jeunes gens, et « personne ne pense
avec plus de constance à la mort que les jeunes gens [5] ». Sur le
trajet entre les deux figurent pêle-mêle les pages d'*Aden
Arabie* hantées par la mort violente vers laquelle s'achemi-
nent l'humaniste, l'Européen et l'Homo Economicus, ou la
feuille volante, gracieuse et sarcastique, des *Funérailles
anglaise* — et la structuration même des trois romans.

La veillée funèbre est une figure récurrente de la trilogie.
Celle de Jaurès est dans *La Conspiration* l'occasion de la
première rencontre des héros avec la vraie vie, la politique.
Celle de Paul domine le dernier chapitre du *Cheval de Troie*,
suscite le chœur parlé des militants confrontés à la grande
interrogation dont dépend tout leur combat. Quant à *Antoine
Bloyé*, ce n'est, dans son architecture, qu'une longue veillée
du père par le fils.

On reconnaît un héros nizanien de quelque conséquence à
ce qu'il est tôt ou tard confronté, affronté à la mort. Il n'est

pas nécessaire de finir par en crever pour cela. Les deux
grands survivants de *La Conspiration*, Pluvinage et Laforgue,
en sont comme pénétrés jusqu'aux os. Chez le premier, et c'est
là tout son drame, la présence est constante depuis le début. Il
bat tous les records, c'est presque une caricature : fils d'un
« chef de bureau des inhumations à la direction des affaires
municipales et du contentieux », il est élevé dans la société des
« fonctionnaires de la mort et de l'agonie [6] ». Au-delà d'une
fatalité, toujours récusable, de petit-bourgeois, il traîne après
lui comme un parfum de mort, tout à fait (méta)physique.
Après avoir tué en lui le militant sauvé, sa vie ne sera
effectivement plus qu'une longue agonie. Philippe, lui, se
contente d'être un instant terrassé par un mal tout corporel.
Il en sort comme d'une diète, prêt à dévorer la vie à belles
dents.

Avec la mort réussie-ratée de Rosen, la synthèse proposée
par *La Conspiration* ressemble à une solution médiane entre
celles présentées par les deux premiers romans. Dans *Antoine
Bloyé* les trois morts se placent dans le désordre d'un univers
privé de sens : Antoine, bien sûr, mais aussi Marie, petit être
lancé dans la vie par erreur, anéanti trop tôt ou trop tard, et à
l'autre extrémité le grand père, Jean-Pierre Bloyé, éteint dans
l'humilité des pauvres, au lieu-dit La Châtaigneraie, là-bas, à
l'écart. Dans *Le Cheval de Troie* les deux morts finales
forment deux liens qui se nouent dans une même problématique non plus surimposée par un regard extérieur, mais
parlée, rendue explicite par les militants de la cellule.
Par-delà leur apparente solitude, ces deux morts sont
assumées par une communauté, elles la renforcent même.
Ainsi sont-elles l'exact opposé de la communauté bourgeoise
des professeurs du lycée :
« Ils savaient qu'ils mourraient et la mort était visible de
loin comme un monument au fond d'un parc. Ils ne tiraient
aucune conclusion de ce savoir [7]. »
Pourquoi faut-il que le mauvais esprit de Nizan ajoute
aussitôt :
« Personne n'en tire rien », ce qui paraît en contradiction
avec la fin du roman? Et l'on ne s'en sortira pas en supposant
un jeu de mot sur « conclusion » : les militants concluent bel
et bien. Non, il faut postuler la contradiction. Elle explique,

du coup, l'économie mortuaire de *La Conspiration*. Plus de convergence forcée. Sans retourner à l'insensé du monde antérieur au salut, Nizan va disperser la résolution du problème entre des êtres qui, chacun, s'en viennent sur le devant de la scène et, sans simagrées, disent leur mot de la fin. Total : un ou deux sauvetages, Carré et, en pointillé, Laforgue — mais le premier a, sciemment, moins de force romanesque que le second —; deux ou trois ratages, nommés Rosenthal, Pluvinage, bien sûr, mais aussi Régnier.

On ne saura jamais si *Somosierra* allait encore modifier cet équilibre. La mort a fait de celui-là le dernier auquel Nizan se soit attaché. On est d'autant plus disposé à lui conférer une importance décisive qu'il est en exacte correspondance avec tout le discours explicite que l'auteur superpose à cette présence de la mort pour l'exorciser. D'un mot Nizan, qui a eu le temps d'entendre de son vivant les premières accusations de « pessimisme », a répondu : je ne suis ni amer, ni désespéré, ni pessimiste; je suis tragique [8].

Au défi du néant il pourra donner des réponses directement compréhensibles, politiques, « concrètes », quoi, tout en sachant fort bien que si elles lui sont nécessaires, elles ne sont nullement suffisantes. Il proclame que lutter pour construire un barrage est déjà une victoire sur la mort, puisque victoire sur la dégradation de l'énergie. Il dit, de multiples façons, que plutôt que de louvoyer avec la mort (Régnier : « personne n'accepte son destin, mais on s'arrange [9] »), en pure perte, il vaut mieux se mesurer avec elle. Être militant, cela devient chez lui prendre les dimensions de la mort, et la reconnaître pour plus petite qu'elle ne paraissait au début. Le tout est de reconnaître l'*espèce* de la mort, comme à la fin du *Cheval de Troie*, à l'instar d'un zoologue. Le reste est affaire de science prolétarienne, de Gosplan, jusqu'au jour où « il n'y aura plus de morts dont les hommes soient coupables » : « quand les hommes ne se battront plus, il sera toujours temps de se battre contre ce qu'on appelle le destin [10] ». Une phrase du film *Tchapaïev* le ravit : « Et alors la vie sera tellement belle qu'on n'aura plus besoin de mourir. »

Mais il est assez lucide pour deviner en ses propres emballements la part de comédie assumée. Dans *Le Cheval de Troie* même il note, en passant :

« Il y a des gens qui pensent (à la mort) plus souvent que les autres : ils naissent ainsi (...) Ensuite on guérit, on se reprend à exister comme si on était éternel, on joue le jeu qui consiste à esquiver la mort, on prend des remèdes et on suit des régimes et on a des passions [11]. » Les amateurs de jeu de mots peuvent méditer, comme de bien entendu, sur l'avant-dernière proposition...

Quoi qu'il en soit, il peut dès lors aller plus loin, jusqu'au bout du tragique, qui est d'essence corporelle. Rirette, la corporelle, l'a bien vu, qui dira, une quarantaine d'années plus tard : « La révolte de Nizan, avant d'être filtrée par l'intelligence passait d'abord par son corps [12]. »

Certes, il est effrayé par la mort — comme il le dira dans *La Conspiration*, pour ne pas l'être, il faut vraiment manquer d'imagination —, mais il n'est pas tué par elle, il ne se suicide pas, comme Rosen. Au pire, il fera comme Régnier : « retarder la mort par la fureur [13] ». Au mieux, il se dira qu' « on ne se défend contre la vie qu'en la vivant [14] », et que « l'homme ne vit que pour nier la mort [15] ».

Ce qui fait de cet écrivain du tragique un être d'exception, c'est qu'au lieu de terminer ministre tragique ou académicien tragique, il va s'anéantir dans un cataclysme d'absurdités. Il avait craint la mort aux « heures injustes [16] » : ce fut la sienne; il avait conclu *Aden Arabie* sur un beau programme de vie :

« L'homme attend l'homme, c'est même sa seule occupation intelligente [17] » — et l'homme l'attendait, inintelligent, pour le tuer. Ainsi que le veut l'expression populaire, il l'avait cherché.

Mais encore faut-il voir là ce qui compte, ce prétendu obsédé de la mort, cet homme des migraines ophtalmiques et des prémonitions, mais aussi cet homme gai, ce père attentif, cet amant jaloux dont parle Rirette, il fallut se mettre en quatre pour l'achever. L'alliance des deux grands méchants loups 1939, Hitler et Staline, ne suffit même pas. Elle le laissa comme étourdi, mais il n'en mourut pas. Pour tuer ce corporel intelligent, l'histoire eut besoin de s'armer d'un fusil, de s'accompagner de tanks et de Stukas, de se costumer en guerre mondiale.

Lumière d'été

Drôle d'été, pour une drôle de guerre, que celui de 1939. A feuilleter les souvenirs que nous ont déjà laissés les artistes, les intellectuels, les hommes politiques contemporains, on découvre une France surprise en plein soleil, attablée devant une orangeade ou un pastis, par la nouvelle qui, aux yeux de tous, signifiait en langage clair : « la guerre dans les huit jours » : le Pacte.

Des noms bucoliques fleurissent alors, décor fixé pour l'éternité des mémoires. Ces lieux de l'angoisse et de la mort qui marche s'appellent Beaulieu-sur-Dordogne, où l'ami Malraux se prépare à « descendre » avec Josette Clotis, Porquerolles, où l'ami Marcel Duhamel se repose entre deux tournages avec Prévert, Lorrey des Hautes-Pyrénées, où, dans sa maison natale, le camarade Jacques Duclos aime à venir refaire ses forces, non loin de la villégiature des Politzer.

Un après-midi du mois d'août, Sartre et Simone de Beauvoir, qui, eux, se disposent à partir pour Juan-les-Pins, sont assis à la terrasse du Brûleur de Loups sur le Vieux Port de Marseille. Un jeune père de famille passe devant eux, dans la lumière, portant sous le bras un énorme cygne en caoutchouc. C'est Nizan, qui s'embarque le soir même pour la Corse avec Rirette et les enfants. Là-bas l'attendent Danielle Casanova et son mari Laurent, avocat communiste, qui est surtout le secrétaire particulier de Thorez. Les quatre Nizan passeront le mois d'août à Porto, dans le petit hôtel tenu par la famille Perrini. Paul-Yves, d'ordinaire si réservé, est euphorique : le chroniqueur diplomatique de *Ce soir* peut le révéler à ses amis : le pacte tripartite France-Royaume-Uni-URSS, négocié depuis si longtemps, est imminent. « L'Allemagne sera à genoux! [18] » La vie est belle. Les enfants grandissent au soleil. Le Vieux Port ressemble plus que jamais à un décor de Pagnol. Dans trois ans, il sera rasé à coups d'explosifs. Nizan s'éloigne, son cygne sous le bras. Dans un an, Rirette et ses enfants s'embarqueront dans cette même ville de Marseille pour fuir la Gestapo, le fascisme triomphant. Mais sans lui.

L'« affaire Nizan » n'a pas d'épaisseur. Elle tient toute

entière dans un texte de cinq lignes, celui de la lettre qu'il adressera en septembre 1939 à Jacques Duclos, vice-président de la Chambre des députés, et qui parut dans le quotidien l'*Œuvre*, daté du 25. Avant, il y a des faits, aujourd'hui assez clairement mis en ordre, qui appartiennent au même degré à l'histoire universelle et à l'histoire de chacun des protagonistes. Après, jusqu'à sa mort, il n'y a plus que des rumeurs, des interrogations, des manœuvres. Ce que certains appellent de la littérature.

Commençons par les faits. Le pacte de non-agression Hitler-Staline est l'acte de décès de la diplomatie de sécurité collective anti-allemande. On saura plus tard qu'y était d'ailleurs adjointe une clause secrète réglant à l'avance le dépeçage de la Pologne. Il est annoncé au monde par une dépêche DNB datée du 22 août, tard dans la soirée, et signé à Moscou le lendemain. A la direction du parti communiste français, la surprise est générale. Péri, traumatisé, s'enferme dans son bureau de *L'Huma*, et dans le mutisme. Duclos et Thorez, absents de Paris, rentrent dans l'après-midi. Aragon, lui, est sur place depuis le début. Ses vacances, il les a prises en juillet, aux États-Unis. Dans le numéro de *Ce soir* daté du 22 il écrivait encore : « Gare aux capitulards! », appelait à la signature du pacte tripartite. Le 23 (numéro daté du 24), il peut déjà titrer dans la précipitation :

« L'annonce du pacte de non-agression fait reculer la guerre. » Les textes aragoniens de cette période se réduiront ainsi à une série de proclamations haut perchées, paroles d'un croyant martelées, dans une contradiction croissante avec la réalité environnante. Le dernier numéro du journal, qui sera saisi, lui permet d'affirmer encore :

« C'est, comme on l'a dit, un pacte de non-agression et non pas de prime à l'agression. Il ne suppose pas l'abandon de la Pologne [19]. » Son collaborateur Nizan, rentré à Paris, ne signe aucun texte.

Le désarroi est profond dans les rangs. Vingt-deux parlementaires, sur soixante-quatre, vont solennellement rompre avec le Parti dans les premiers mois du conflit, suivis de nombreux responsables locaux [20]. Investis de mandats électifs politiques ou syndicaux, ils sont implicitement mis en demeure de choisir. Les militants de base, les intellectuels, eux, ont la solution de se taire. La censure, établie le 27 août, la mobilisation générale, décrétée le 1ᵉʳ septembre, le vote par la Chambre des crédits de guerre le 2, leur donnent de bonnes raisons pour ne rien dire. Pour peu qu'ils aient ainsi fait les morts, intellectuellement ou pratiquement, pendant un an ou un peu plus, le Parti n'aura aucun scrupule à reprendre contact avec eux vers la fin de 1940 ou, a fortiori, au lendemain de l'offensive d'Hitler contre l'URSS. Jamais l'historiographie du mouvement ne les présentera comme ayant failli à l'heure du danger.

D'autres regimbent un peu. Jacques Sadoul, qui peut se targuer à meilleur droit que tous les autres du titre de « compagnon de Lénine », va jusqu'à adresser, le 24, une lettre, toute symbolique, à Staline, lui demandant de préciser aux communistes français « la signification et la portée » du pacte. Quelques compagnons de route ont un sursaut à la 1914. Le 31 août, le vieux Paul Langevin, accompagné d'Irène et Frédéric Joliot-Curie, signe un manifeste « réprouvant la duplicité dans les relations internationales », où se trouve dénoncé en termes vifs la « volte-face » soviétique. Tous les trois adhéreront pourtant par la suite au Parti, qui ne leur ménagera pas l'encens.

C'est sur le chemin du retour, à Ajaccio, que les Nizan et les Casa ont appris, par la presse, la nouvelle du pacte. Le bateau et le train les contraignent à une remontée lente sur la capitale, lieu des explicitations, des dénouements. Après l'invasion de la Pologne, Paul-Yves évoquera incidemment « les inquiétudes qu'on pouvait avoir en Corse », désormais confirmées [21]. Mais s'il s'en est, sur le coup, entretenu avec Rirette, le voici maintenant qui garde le silence, le visage décomposé. S'il faut en croire Sartre et Simone, une évidence, écrasante, vient de tomber sur lui : ses camarades, certains d'entre eux en tout cas, *savaient*, et ne lui ont rien dit. Ainsi tout, ou presque tout, n'aurait été que duperie, à commencer par la fraternité au sein de laquelle il avait cru avoir vécu douze années durant.

Ce Nizan sartrien rappelle un peu trop le Hugo des *Mains sales*. Il paraît plus conforme à l'être angoissé qu'avait connu le cothurne de 1925 qu'à l'adulte de 1939, qu'il n'a jamais

revu. Rirette, quant à elle, le nie, et aucun texte, effectivement, n'en fait entendre la voix. Supposons cependant qu'il
ait existé; ce ne sera certes pas pour en dire l'incompréhen-
sion. Assurément, sur le court terme, il se serait trompé : de
Thorez à Aragon, chacun dans le Parti a été aussi surpris que
lui, on le sait aujourd'hui; mais sur le sens général de
l'affaire, non : il n'aurait fait, après tout, qu'anticiper sur
l'attitude qu'adopteraient prochainement à son égard, plusieurs de ses plus proches camarades. Ce doute improbable est
ainsi à l'image de tout ce qui va suivre : Nizan se révélera
d'autant plus lucide qu'aux yeux de ses contemporains de
gauche et de droite il s'enfoncera plus avant dans la
solitude.

L'essentiel est encore à venir. Dans une lettre datée du
22 septembre, Nizan lâche une phrase qu'il est sans doute
nécessaire de retourner en tous sens :

« Il me semble que j'avais raison de penser, il y a un mois, à
des perspectives de reconstruction ».

Il ajoute donc son propre témoignage à celui (malveillant)
de Thorez, quelques mois plus tard. S'il faut en croire ce
dernier en effet le chef de rubrique de *Ce soir* aurait proposé
à ses camarades, au lendemain de l'interdiction de la presse
communiste, prononcée le 25 août, de poursuivre l'affirmation de la voix du Parti, toujours légal, au travers de certaines
feuilles « bourgeoises ». Peut-être, si les faits sont exacts,
pensait-il plus précisément à *l'Œuvre,* seul quotidien de la
gauche indépendante, où Andrée Viollis avait évidemment
quelques entrées.

Le plus important, le plus scandaleux aux yeux des
thoreziens, n'était pas là : la proposition de Nizan s'accom-
pagnait, semble-t-il, d'une définition sur le fond du discours
communiste ainsi véhiculé : ce que Thorez traduira sept mois
plus tard, par « l'idée d'un communisme national, c'est-
à-dire communiste en paroles et nationaliste en fait [22] ». Le
plan de participation à la presse bourgeoise fut enterré, et se
trouva de fait bientôt annihilé par la mobilisation des
principaux responsables de la presse communiste. L'idée d'un
communisme national, par contre, intransigeant sur le social
mais indépendant de Moscou, aurait dû rallier des hommes
qui venaient de proclamer :

« Tous contre l'agresseur! Tous les Français comme nous
(...) feront leur devoir de patriotes pour le rétablissement du
droit international [23] ».

C'était, de la part de l'ancien employé de *Littérature
internationale,* se méprendre singulièrement sur les intentions du Komintern.

Tant que celui-ci n'eut pas fait connaître clairement ses
directives, la lutte anti-hitlérienne put justifier le ralliement
à la politique de défense nationale, le vote, par exemple, des
premiers crédits de guerre par le groupe communiste de la
Chambre. Mais dès que les nouvelles consignes, cette fois de
lutte « anti-impérialiste », tournées en priorité contre « la
City », commenceront à être connues des dirigeants, vers la
fin septembre, tout militant en vue qui, non content de ne
point s'y rallier, manifesterait publiquement sa défiance à
l'égard de Moscou, se transformeraient *ipso facto* en renégat,
traître ou pire encore.

L'article de la mort

Dans les jours qui séparent l'interdiction de *Ce soir* de son
départ pour les armées, Paul-Yves sera sans doute le membre
du Parti le mieux informé de la conjoncture internationale.
Les archives de Rirette conservent encore un lot de coupures
de presse de ces jours-là, qui témoigne de l'étendue de sa quête
documentaire, en particulier auprès de la presse anglaise. Dès
son retour à Paris, il avait eu de longs entretiens avec le grand
journaliste britannique Alexander Werth, qui témoignera
plus tard [24], de son état de complet abattement.

La méditation personnelle du militant atteindra son point
de maturité aux environs du 19 septembre. Tout, une fois de
plus, est affaire de chronologie. C'est en effet aller un peu trop
vite en besogne que de dire, comme on le fait communément,
que Nizan démissionna à cause du pacte germano-soviétique.
Il faut dire : Nizan, ébranlé par la signature du pacte et la
déclaration de guerre, démissionne du Parti, toujours légal,
quand il apprend l'invasion de la Pologne par les troupes
soviétiques. On aura saisi la nuance.

Cette hypothèse est confirmée par les dates : l'invasion
soviétique (et non allemande) commence le 17 septembre. Les
journaux français en rendent compte le 18. C'est le 19, nous le

savons par une allusion dans une lettre du même jour à
Rirette, qu'il adresse deux messages, l'un à Georges Mandel [25],
qui n'a pas été retrouvé, l'autre à Geneviève Tabouis, qui sans
doute accompagne ou annonce le texte que va publier *L'Œuvre*
du 25 (Mme Tabouis ne semble pas avoir conservé trace de
cette correspondance dans ses archives).

Ironie philosophique : le texte fatal est publié ce jour-là, en
page deux, à côté de l'article annonçant : « Sigmund Freud est
mort ». On laissera aux psychanalystes le soin de commenter
ce hasard objectif, et l'on se contentera de reproduire *in
extenso* cette unique pièce du « dossier », dont le texte
d'accompagnement est sans doute de Geneviève Tabouis :

M. PAUL NIZAN
QUITTE LE PARTI COMMUNISTE

M. Paul Nizan, ancien élève de l'École Normale Supérieure, agrégé de
l'Université, qui assurait au journal *Ce Soir* la direction des services de politique
étrangère, vient d'adresser à M. Jacques Duclos, vice-président de la Chambre, la
lettre suivante :

« Je t'adresse ma démission du Parti Communiste français.

« Ma condition présente de soldat aux armées m'interdit d'ajouter à ces lignes le
moindre commentaire. »

M. Paul Nizan a publié de très nombreux ouvrages politiques et littéraires.
Son roman *La Conspiration* a obtenu le Prix Interallié en 1938. Il a publié
encore d'autres romans : *Le Cheval de Troie* et *Antoine Bloyé*.

Son dernier livre politique *Chronique de septembre* a obtenu un grand
succès.

M. Paul Nizan est aussi l'auteur d'ouvrages d'érudition *Les Matérialistes de
l'Antiquité* et *Aden Arabie*.

N'épiloguons pas sur *Aden Arabie* transformé, après sept
ans, en « ouvrage d'érudition », si ce n'est pour y trouver une
preuve de son faible écho, et un sarcasme supplémentaire du
sort. Constatons simplement que les fameux « commentaires »
auquel se refusait le soldat, les civils et les déserteurs ne
manqueront pas d'en faire abondamment. Celui de Rirette,
quarante années plus tard, est peut-être le meilleur :

« Il a agi, comme toujours, avec la dignité et la réserve qui
lui étaient propres. Avec aussi cette petite nuance de hauteur
qui faisait partie de son caractère [26] ».

Contrairement à ce qu'a pu laisser croire la polémique ultérieure, nous disposons d'assez de textes de Nizan pour savoir avec précision la perspective intellectuelle et politique dans laquelle se situait cette publication. Pour l'essentiel, il s'agit de ses cinq lettres à Rirette datées des 21 et 22 septembre, 22, 24 et 30 octobre [27]. Deux d'entre elles sont demeurées à ce jour inédites. Résumons aujourd'hui, pour la première fois, cette argumentation :

1. Il n'est nullement question de juger la politique présente de Staline en termes moraux :

« Ce n'est pas parce que je croyais " mal " de la part de l'URSS son accord avec Berlin que j'ai pris la position que j'ai prise (22 octobre). »

2. Les Soviétiques sont dans la situation des Prussiens après Iena : ils signent avec le diable, pour gagner du temps et renforcer leur potentiel militaire. Car la guerre sera longue, et un jour réellement mondiale, alors qu'elle n'est jusqu'à présent qu'occidentale. Et, ce jour-là, Hitler et Staline seront dans deux camps opposés. Nizan développe le parallèle dans sa lettre du 30 octobre, à dessein obscure — il y mentionne pêle-mêle, en bon normalien, Charles XII, Stein, Napoléon, Stendhal, Clausewitz, Marx, Lénine... On s'étonne que ses biographes n'en aient pas fait plus de cas. Ceux qui voudront en prendre connaissance dans son intégrité se reporteront à l'édition Brochier, page 257.

3. En attendant ce jour, les communistes français n'avaient nul besoin de se comporter comme le chien de *La voix de son maître*. Tout en n'en pensant pas moins, ils n'avaient qu'à jouer, hypocritement, la carte du communisme national : ils ont « manqué du cynisme politique nécessaire et du pouvoir politique de mensonge qu'il eût fallu pour tirer les bénéfices les plus grands d'une opération diplomatique dangereuse : que n'ont-ils eu l'audace des Russes? » (22 octobre).

4. Reste son cas personnel. La simple signature du pacte ne l'aurait pas fait rompre avec le Parti. Mais l'invasion de la Pologne orientale est de trop. « Les affaires de Pologne

constituent une application insoutenable de la *real politik*
(22 septembre). » Bismarck et le tsar s'y trouvent réconciliés.
Et Nizan de lâcher le nom qui l'obsède plus que jamais :
« Cette histoire est un peu trop dans le style de Dostoïevski
(21 septembre). » Du coup, Staline devient « Iossip Vissario-
novitch » (30 octobre).

5. Aux yeux de l'Histoire, un communiste aura publiquement dit non à la conséquence du pacte la plus difficile à
justifier. Nizan opère ici sur la longue durée. « Sur le fond, je
crois avoir raison : il n'y a que les événements qui me
confirmeront ou m'infirmeront (22 octobre). » Les camarades
français « ont toujours cru à la simplicité des choses, à
l'imagerie d'Épinal et aux malices cousues de fil blanc et de fil
rouge. S'il y a une chose dont je suis absolument sûr, c'est de
la complication. Tout se passe en calculs à triple et quadruple développement. Ils en sont restés à l'arithmétique... »
(24 octobre). « Attendons l'avenir » (22 octobre) « quand
la mystification aura pris fin, nous nous expliquerons »
(24 octobre).

Ainsi mise en forme, la démarche de Nizan, où se
concilient subtilement les exigences de l'impératif catégorique, qui l'ont sans doute emporté en septembre, et celles de la
stratégie, qui ont gagné en octobre, apparaît d'une grande
rigueur, et justifiée par l'avenir. Deux éléments sont venus
perturber cette admirable machinerie : la simplicité même de
l'Église, ainsi défiée, qui n'y regarde pas de si près et subodore
le danger de cette pensée pensante par trop prospective ; la
simplicité, plus grande encore, du destin qui, en dirigeant la
trajectoire d'une balle explosive, empêchera Paul-Yves de
relier les fils de sa trame délicate.

Dans l'immédiat, la publicité qu'il a entendu donner à son
geste est en tous lieux mal interprétée. Pour les non-
communistes, elle a tout d'une conversion à rebours, symétrique de celle de 1927. Chacun d'entre eux alors de rameuter
ses anecdotes, de relire la loupe en main ses derniers textes
pour discerner les premiers indices. Pourquoi ces interventions si courtes et si peu personnalisées sur les procès de
Moscou, sur la liquidation des « trotskystes » et autres

anarchistes en Espagne? Cette façon de terminer tel article sur Dostoïevski par l'affirmation, non contredite, de Berdiaeff selon lequel en Union soviétique le Grand Inquisiteur a fini par triompher? (Sur ce dernier point, c'est oublier que chez Nizan la figure du Grand Inquisiteur est du côté de la positivité. Procédés de juge d'instruction, mais qui annoncent la suite, et contraindront les amis de Nizan à se placer sur le même terrain).

Dans ses Mémoires Simone de Beauvoir évoque une longue conversation qu'elle avait eue, avec Sartre et Nizan, tout un soir de l'hiver 36-37, à la brasserie Mahieu, sur le boulevard Saint-Michel. On commençait à en apprendre de belles sur les procès de Moscou : « Nizan était profondément déconcerté. Bien qu'à l'ordinaire il ne livrât ses sentiments qu'avec prudence, il ne nous cacha pas son trouble [28]. »

Ce témoignage écrit était jusqu'à 1974 unique et rétrospectif. Il se trouve aujourd'hui corroboré par les *Cahiers de la Petite dame,* à la date du 23 octobre 1936. Gide se dispose à faire paraître la bombe du *Retour de l'URSS.* Il sonde Nizan, dont l'avis lui importe :

« (Il) a déjà parlé à Nizan, qu'il aime bien et qu'il considère comme intelligent, sans bien démêler ce que Nizan pense lui-même. (...) Gide me reparle de Nizan qu'il croit assez ouvert aux critiques de l'URSS, comme instinctivement averti déjà. Il semblerait que dans le Parti le malaise fasse des progrès [29]. »

Il est difficile cependant de pousser plus loin l'interprétation des signes. L'article de *Vendredi,* si modéré qu'il fût, restait, sur le fond, des plus « orthodoxes », comme le reconnaîtra la Petite dame elle-même. Si l'effet-Pamir progresse, il ne va pas jusqu'à ébranler les convictions profondes.

Car c'est avoir une vision bien simplificatrice de l'homme d'église que de croire que le doute avance en lui comme une offensive consciente et organisée. L'histoire du stalinisme français de l'après-guerre montre, au contraire, qu'il n'y a pas toujours de lien explicite entre la « révélation » de la faille du système absolutiste et la rupture avec lui. Chez beaucoup de croyants le doute fait d'ailleurs partie intégrante de la croyance; chez Nizan, il en a toujours été une des composantes, si ce n'est l'un des moteurs. Il gît même dans *Le Cheval de Troie*, roman de foi s'il en fut, où Bloyé évoque ces « heures de fléchissement de la solitude, de la nuit et de lui-même » où se dresse fugitivement devant lui la perspective d' « un monde sans issue [30] ». De cette énergétique du doute témoigne très bien la fameuse profession de foi de Carré, dans laquelle on n'a jamais voulu voir que le verre à moitié plein du fanatique :

« Il est vrai que tel jour, telle nuit, j'ai pu me dire : le Parti a tort, son appréciation n'est pas juste. Je l'ai dit tout haut. On m'a répondu que j'avais tort, et j'avais peut-être raison. Allais-je me dresser au nom de la liberté de la critique contre moi-même ? La fidélité m'a toujours paru d'une importance plus pressante que le triomphe, au prix même d'une rupture, d'une de mes inflexions politiques d'un jour [31]. »

Que le démissionnaire ne fût pas transformé pour autant en renégat, les agents du gouvernement Daladier en firent l'expérience, à leurs dépens. Témoin l'anecdote suivante. Les Nizan avaient connu, avant la guerre, une certaine Madeleine Leverrier, hégérie de second rang de la République. Lors de la première permission de Paul-Yves, elle l'invita avec Rirette. Elle ne leur avait pas dit qu'elle avait aussi convié un collaborateur de Giraudoux à l'Information, M. de Fels. Il ne leur fallut pas longtemps pour comprendre ce qu'on allait proposer au communiste « repenti ». Laissé un instant seuls, ils n'eurent qu'un mot : « Ça commence... » Ils ne pensaient pas si bien dire. Nizan, comme il se doit, refusa le marché. « Chère amie, vous m'avez fourvoyé », lancera à mi-voix de Fels, en prenant congé de son hôtesse. S'ils avaient deviné ce qu'on commençait à chuchoter parmi leurs propres anciens camarades, les Nizan auraient pu citer Mme Leverrier et M. de Fels comme témoins à décharge.

Car les juges d'instruction communistes étaient désormais en chasse. Selon le degré de colère et de mauvaise foi qu'ils y mirent, l'inculpation allait connaître deux degrés. Au plus ordinaire figure le simple reproche touchant à la publicité donnée à la rupture : dissolution mesquine de la solidarité, abandon de poste, lâcheté peut-être ? Selon le témoignage de Raymond Aron [32], qui le poussait à prendre publiquement position contre le Parti, Malraux répondit :

« Je ne dirai, je ne ferai rien contre les communistes tant qu'ils seront en prison. »

L'argument ne vaut pas pour Nizan. D'abord parce que le 19 septembre les communistes ne sont pas « en prison », que le Parti est toujours légal, alors qu'en Pologne la liquidation des opposants a déjà commencé. Surtout parce que Malraux, précisément, n'est pas communiste. Le camarade Nizan, lui, a d'autres exigences, et une tout autre responsabilité :

« J'ai rendu mes comptes aux camarades d'ici, qui me semblent plus importants que les bureaucrates dans un bureau de la rue Racine [33] », écrit-il du front à Rirette, « et les camarades d'ici ont approuvé mes comptes. De sorte que je sais mieux que toi que nous ne sommes pas seuls [34] ». (...) « Ne faisons pas de sentiments sur le martyre. G. (= Ginzburger, futur Pierre Villon) et Léon (= Moussinac me paraissent beaucoup moins martyrs que les hommes d'ici qui coltinent dans la boue des obus de 155 et qui ne les coltineraient peut-être pas si le pacte germano-soviétique n'avait pas été signé à Moscou et approuvé ailleurs [35]. »

Le deuxième chef d'accusation est d'un autre style. Il tient dans le glissement pervers, mais typique, par lequel on va transformer un protestataire en renégat — ce que ne fut jamais Nizan, puisqu'on ne lui connaît aucune prise de position publique *contre* le Parti — et de renégat en traître, passage du clair à l'obscur bien connu des inquisitions : le félon se nomme, se déclare, se targue; le traître, au contraire, tend à l'obscurité perpétuelle. Il s'agira donc de retrouver dans les faits et écrits antérieurs de l'accusé les indices non plus cette fois, comme dans le camp d'en face, d'un doute, mais d'un double jeu. Le seul fait présentable sera le court passé valoisiste. Les textes, par contre, ont toujours eu une autre docilité. Il suffit d'isoler de leur contexte tous ceux qui glosent sur le thème de la « trahison » intellectuelle. La dernière phrase des *Chiens de garde* ouvre le feu : « Les philosophes d'aujourd'hui rougissent encore d'avouer qu'ils ont trahi les hommes pour la bourgeoisie. Si nous trahissons la bourgeoisie pour les hommes, ne rougissons pas d'avouer que nous sommes des traîtres. » Suivent, romanesquement, le passage au fascisme de Lange, la dénonciation de Pluvinage, et toute la problématique d'*Antoine Bloyé*; ajoutons Dicéopolis en prime. Autant accuser Balzac et Alexandre Dumas d'être des agents du Grand Orient, sous le prétexte que leur œuvre est hantée par l'histoire cryptique et le mythe des sociétés secrètes.

Qui trahit, à l'automne 1939? Heure de vérité, ce mois de septembre? Mais pour qui? Pour qui l'heure du mensonge? On se gardera bien de répondre à ces questions à la place de Nizan, qui n'a jamais pressenti l'énormité de la calomnie qui commençait à naître. La correspondance du couple nous éclaire cependant quelque peu sur les premiers balbutiements de la rumeur. Tout commence par une carte postale militaire de Rirette, datée du 19 octobre. Comme elle n'a, bien entendu, jamais été publiée, nous nous permettrons de la citer longuement :

« J'ai reçu un drôle de coup sur le crâne parce que je me suis trouvée en face de gens qui m'ont traitée (pas Léon mais Ginzburger) à peu près comme on dut traiter jadis le capitaine Dreyfus, ce qui n'est pas très marrant. Léon m'a dicté mon devoir qui est paraît-il de me désolidariser officiellement de toi, ce qu'à la rigueur j'aurais pu faire (car il est possible que tu aies tort) si tu n'étais pas mobilisé, mais que je ne ferai certes pas, dussé-je en supporter toute la vie les conséquences, simplement parce que tu es toi et que tu es sur le front. (...) Dis-moi si l'on doit donner des gages de son honnêteté et son courage ou bien si on a le droit d'avoir de soi-même une idée assez haute pour dire merde à tout un chacun. Toi, tu as dit merde mais tu es sûr de ta position intellectuelle, moi, je n'ai pour me soutenir (tu connais ma faiblesse dialectique) que ma force morale. Dis-moi ce que je dois faire [36]. »

La réponse de Paul-Yves est claire :

« Tu n'as aucun compte à leur rendre (...) Les comptes qui seront demandés au retour le seront vraisemblablement à tout le monde. Et puis finalement j'emmerde les poseurs de cas de conscience et je te conseille de faire comme moi [37]. »

C'est avec la même fermeté qu'il répondit, en novembre, à une lettre « sur le ton douloureux » d'Andrée Viollis :

« Ne nous troublons pas, sa " fidélité " ne l'empêche pas d'entrer à *Paris soir* [38]... »

Instant fragile où le Nizan en vie croise, sans la reconnaître, sa vie posthume, telle du moins que, pendant vingt années,
ses anciens camarades vont s'entendre à la construire. Le plus
grave pour la suite est sans doute que, parmi les personnages
qui se mettent à girer autour de son destin figure un homme,
Roger Ginzburger dit Villon, dont une polémique récente [39] a
mis en lumière le rôle, discret mais déterminant, qu'il joua
au sein du Parti, sans doute dès les années 20, en relation
directe avec le secrétariat de l'Internationale. Les deux
derniers textes où Nizan évoque sa démission et ses conséquences, en novembre et décembre 1939, nous laissent
deviner les vastes ondes qui commençaient à se former dans
l'obscurité de la clandestinité communiste, sans qu'il soit
possible de discerner aujourd'hui l'intelligibilité qu'elles
pouvaient représenter pour la future victime.

Le premier suit une visite d'André Chamson. Un nom,
redoutable, y est prononcé :

« (Chamson) m'a appris que des orages s'accumulaient sans
doute dans la tête d'Aragon, et m'a appris diverses choses dont
il est difficile de parler mais qui confirment absolument nos
informations et nos impressions de Paris [40]. » André Chamson
ne se souvient pas, aujourd'hui, de la nature exacte desdits
« orages »; on n'en saura sans doute jamais plus. Le second
texte, un mois plus tard, rend un son singulièrement amer,
qui d'ailleurs disparaîtra par la suite. Il est contemporain de
la guerre de Finlande, image supplémentaire de l'ambiguïté
du jeu stalinien :

« Toute cette histoire est trop pleine de " destin " pour que
je puisse y respirer. Mais enfin je me doutais qu'on me
pardonnerait difficilement d'avoir fait connaître publiquement que Staline me dégoûtait et que je n'encaissais pas le
pacte germano-soviétique et l'histoire de Finlande (...) Quand
tout sera fini, j'ai l'impression que je mériterai enfin, sauf
pour toi, la réputation que M L (= Madeleine Leverrier) dit
que j'ai. Tout le monde dira qu'on ne s'était pas trompé, que je
fais voir ma vraie nature; tel qu'en lui-même enfin [41]... »

Une fois de plus, une dernière fois, Nizan faisait preuve
d'une singulière prescience de l'avenir et cette fois, du sien.
Mais cet avenir volé, il ne sera pas là pour le vivre. « Cette
histoire » était, effectivement, trop pleine de destin.

Stendhal aux armées

La rupture avec le Parti appartient au passé proche ou à l'avenir lointain. En attendant, Paul-Yves Nizan est soldat. L'accord Hitler-Staline a surpris les Français en position d'estivants. Aujourd'hui la guerre, ou plutôt l'armée, rompt les couples, disloque les solidarités civiles, déguise les statuts sociaux. L'ex-directeur de l'ex-*Ce soir* devient le chef de section Aragon Andrieux, 3ᵉ Division Légère Motorisée. Le professeur de philosophie du lycée Pasteur, à Neuilly, le deuxième classe Sartre, météorologiste de l'armée de l'air, le commandant de l'escadrille « España », l'engagé volontaire Malraux, DC 41, Ei I. Passant outre à ses infirmités oculaires, aggravées soudainement par le choc, Paul-Yves refuse de se faire mettre à l'abri. Comme il l'écrira plus tard à Sartre, dans sa dernière lettre au petit-camarade : « Nous sommes, toi et moi, parmi les six ou sept écrivains naïfs qui ne sont ni à la Censure ni chez Giraudoux [42]. »

Après quelques jours passés dans l'Orléanais, pour la transformation en homme de guerre, le deuxième classe Nizan se retrouve le 15 septembre cantonné en Alsace, avec l'état-major du 3ᵉ bataillon du 405ᵉ régiment de pionniers. Pendant ce temps, les deux compères se partagent la Pologne. L'automne s'achève. Tout est calme sur le front. La neige tombe sur l'Alsace. A Romanswiller, près de Saverne, Nizan, secrétaire du commandant Parmentier, est chargé de tenir le journal des « marches et campagnes » du bataillon. Autant dire qu'il a du temps libre : « dix minutes par jour » de travail militaire, tout au plus [43].

« Ces époques sont parfaitement adaptables à la littérature [44]. » Les hommes de lettres français auront-ils jamais autant écrit que pendant cette inaction forcée et encasernée de huit mois ?

Tout près de là, Brasillach rédige au fil de la plume *Notre avant-guerre*. A Brumath — à une trentaine de kilomètres de Nizan, seulement — Sartre noircit ses carnets d'une sorte de bilan de sa vie, qu'il ne publiera jamais. A Crouy-sur-Ourcq Aragon compose les premiers poèmes du *Crève Cœur* :

« Je ne suis pas des leurs puisqu'il faut pour en être s'arracher à sa peau vivante... »

A Romanswiller *La Soirée à Somosierra* avance donc, « et s'achèvera sauf accident [45] ». Mais, début décembre, il n'en est qu'au « deuxième carnet [46] ». En fait, le rythme de la rédaction passe par les hauts et les bas du moral. Nizan n'a pas la bonne santé de ses confrères.

En Orléanais, il jouit encore de l'arrière-saison de cette dernière vie civile :

« Il fait beau et comme disait Claudel des reines-claudes de la Révolution, jamais les mirabelles n'ont été plus belles que cette année-ci [47]. »

En Alsace, il s'offre un peu d'aristocratisme. Il assiste en curieux aux offices protestants et juifs, fait du tourisme à cheval, visite le château des Rohan en mangeant des éclairs. Mais ces bouffées n'ont qu'un temps. Le « calme insolent [48] » du début se métamorphose petit à petit en désert des Tartares, en rivage des Syrtes. « On a un peu le sentiment — trompeur — d'être oublié pour vingt ou trente ans, sans aucune raison apparente, dans ce secteur [49]. » Il a beau ajouter qu' « il se passera des choses d'ici-là, vers le printemps », le printemps est encore loin. Il a beau dire :

« Nous ne sommes pas si vieux que nous ne puissions perdre trois ou six mois », il se sent trop vite vieillir loin des amis, loin de Rirette.

A-t-il ressenti au début, même fugitivement, l'exaltation guerrière dont il parlait dans *Le Cheval de Troie*, celle qui fait qu' « il n'y a pas un homme qui ne se réjouisse de tenir une arme dans ses mains [50] »? A vrai dire, son arme personnelle c'est un porte-plume, et puis la suspension dure trop longtemps : « Ces parenthèses étaient intolérables comme l'accumulation menaçante de silence avant la foudre et il faut que cet orage éclate pour détendre les nerfs des hommes, apaiser la panique des animaux (...). Le cœur de Lange était dévoré d'impatience dans cette pause politique qui se confondait avec la mise en suspens inacceptable du monde [51]. »

Nizan somatise derechef. Les migraines, les névralgies faciales qui l'avaient oublié depuis des années, le reprennent et parfois le clouent au lit. Un vertige le saisit :

« Une prison n'est rien. C'est le vide qui est affreux, la répétition. J'avais déjà en horreur Kierkegaard et la phéno-

ménologie allemande. A présent que je vis dans un monde
heideggerien, mes sentiments se sont encore renforcés [52]. »
« C'est plutôt dans les chambres, ou les chambrées, que
j'éprouve le sentiment panique de l'abîme, que sur le pont de
Neuilly [53]. »

Il écrit à Armand Petitjean, jeune essayiste de ses amis :
« Je me retrouve dans un parfait désert. L'Arabie n'était
rien [54]. » Martin-Chauffier, Chamson, qui le rencontreront au
tournant des deux années, le décrivent amer et sarcastique,
persuadé qu'une balle allemande ou un sbire du Parti
pourrait bien, un jour... [55].

Lors de sa première permission, il demande soudain à
Rirette de passer la nuit avec elle dans leur nouvel appartement de Saint-Germain-en-Laye, 38, rue de la République.
Les meubles sont installés, mais la déclaration de guerre ne
leur a pas permis d'y seulement coucher. Rirette se récrie : Pat
est alité, chez les beaux-parents, il vaut mieux aller le
rejoindre — puis elle se tait : Paul-Yves, les mains crispées
sur le volant de l'automobile, est en train de pâlir. De sa voix
blanche des mauvais jours, il lui affirme qu'il veut dormir
cette nuit-là, à Saint-Germain; que, sinon, il a l'intime
conviction qu'il n'y dormira jamais... [56].

Dans le désespoir et dans l'attente, c'est cependant en
personnage moins de Dostoïevski que de Stendhal qu'il se
dispose à sortir de la vie. Une fois de plus, Rirette va lui servir
de point cardinal. Elle l'a suivi dans l'Orléanais, a fait
l'impossible pour le rejoindre à Romanswiller; au printemps
elle réussira enfin à s'installer à demeure auprès de lui.
Toutes les portes du Parti qui ne seraient pas encore
condamnées sous l'effet de la censure et de l'interdiction,
prononcée le 26 septembre, se ferment devant elle. Elle va
survivre en besognant ici et là, pour une agence de publicité,
un poste de radio. Quand Paul-Yves aura quitté l'Alsace pour
le Nord, elle posera sa candidature à un poste d'institutrice-
auxiliaire à Lille, pour se rapprocher de lui.

L'amour devient le sujet principal de leur correspondance.
Déjà le court séjour à Orléans, si angoissant à tant d'égards,
laissait d'abord à Rirette le souvenir de « journées merveil-
leuses [57] ». Les longues plages de séparation, le ruminement

forcé, la frustration d'un dialogue amoureux à distance, la
brièveté des permissions, tout concourt à passionner leurs
rapports. Les lettres de l'un et de l'autre finissent par ne plus
illustrer que le cri échappé un jour à Bernard, au plus fort de
son amour-fou pour Catherine :

« Il n'y a pas d'autre vérité qu'un corps [58]. »

Quand une citation vient à l'esprit de Paul-Yves, elle est
tout naturellement extraite d'*Henry Brulard* :

« Je ne me souviens après tant d'années et d'événements
que du sourire de la femme que j'aimais [59]. »

Et c'est un crescendo.

28 octobre [60] : « Dire qu'il serait si facile d'être heureux et
que nous savons à présent vraiment bien les recettes. »

19 novembre [61] : « Depuis trois mois j'ai fait, comme
Corneille après ses tragédies, un "Examen" de mes dernières
années. J'ai tout de même tiré des leçons, en ne pensant guère
qu'à toi. »

20 décembre [62] : « Tu ne m'empêcheras pas de penser que
l'amour est une chose plus importante que nous ne le
pensions nous-mêmes. »

28 décembre [63] : « Fallait-il une guerre mondiale, ou tout
comme, pour que je sache que le mot amour ne me suffisait
pas pour penser à toi, mais qu'il me fallait aussi le mot
passion, le mot rage? »

6 février [64] : « Aime-moi bien, mon amour. Je ne puis être
gai ou simplement tranquille sans toi. Le sentiment de ton
absence est parfaitement constant, mais il passe des maxima :
c'est alors que je suis enragé et capable de grandes stupidi-
tés. »

Rirette répond au diapason, quand elle s'adresse à son
« cher petit Polivrenizan chéri [65] » :

« Mon chéri. Il n'existe pas de femme plus heureuse que
moi. Tu m'écris des lettres d'amour qui me rendent toute
légère et gaie. Il me semble que si j'avais ce que les gens
appellent des soucis, des tracas, des difficultés, je ne m'en
apercevrais même pas, tant ton amour est ma bonne chose. Je
ne crois pas, quoi que tu dises, que nous ayions perdu notre
temps. On ne perd pas son temps quand on apprend. Nous
avons appris, et nous avons commencé à comprendre. La
plupart des gens ne savent ni ne comprennent [66]. »

Pour sortir tout à fait du tunnel, Paul-Yves aura encore besoin d'un dernier acte. Le 13 février 1940, il quitte son régiment français pour devenir interprète auprès du corps expéditionnaire britannique. Ce jour-là, sans le savoir, il scellait son destin, car les pertes que subira le 405ᵉ Pionniers seront sans commune mesure avec le massacre où périra presque tout l'état-major du XIVth Army Field Workshop. Rirette me dira qu'elle avait, intuitivement, craint ce changement : à quoi bon faire tant d'effort pour bouger les pièces du jeu, à quoi bon provoquer le sort? Paul-Yves avait-il oublié ce qu'il écrivait à Lise Deharme au début de la guerre :

« Nous resterons peu de jours dans ce village étonné avant de partir pour une destination obscure. L'idée ne m'avait pas effleuré jusqu'ici que destination dérive de destin [67]. »

En fait, l'essentiel, en cette fin d'hiver, était pour lui de changer de peau, si peu que ce fût, de mettre provisoirement quelque distance entre son inquiétude et les ambiguïtés des attachements nationaux. La vieille anglophilie remonte, alimentée par les souvenirs des voyages récents du chroniqueur, par les limericks de Lear dont il a fait une de ses lectures de chevet. Le colonel Bramble donne la main à Henry Brulard :

« Si je dois refaire les campagnes stendhaliennes, j'aime mieux que ce soit en qualité d'interprète britannique décidément [68]. » Alexander Werth du côté anglais, Geneviève Tabouis du côté français lui obtiennent de passer une série de tests linguistiques au Centre d'Instruction et de Liaison d'Abbeville. A compter du 13 février, il plonge dans un autre monde, peuplé de fantômes familiers, ressurgis des clubs d'Aden et des funérailles de George V. Bridge, culture physique, *Clementine, For he's a jolly good fellow, We're gonna hang out our washing on the Siegfried Line...*

« L'endroit est de plus en plus insensé. Ce n'est plus un camp, c'est un salon [69]. »

Le couple rêve. Sera-t-il envoyé dans le Nord-Pas-de-Calais? ou en Palestine? Le 6 mars, Paul-Yves rassure Rirette : on lui promet « un poste, je crois, agréable, en un lieu

que j'ignore encore, mais qui n'est point en tout cas
"exposé" [70] ». Le lendemain, il fait la connaissance du. 14ᵉ
régiment du génie (XIVth Army Field Workshop), encaserné
à Carvin (Pas-de-Calais), auprès duquel il est détaché au titre
de la « French Mission » (Général Voruz). Ce même jour, à
l'est, derrière la fameuse Ligne Siegfried, les permutations
rendues nécessaires par la mise en place du plan Von
Manstein d'attaque sur Sedan sont achevées. L'armée allemande est prête. Elle attendra deux mois encore.

La drôle de guerre de Paul-Yves et Rirette s'achève en
apothéose. Le travail d'agent de liaison l'amuse. *Tin bowler*
sur le crâne, guêtres courtes aux chevilles, il parcourt la
région lilloise au volant d'une Morris 8, pour faciliter les
contacts entre les troupes anglaises et la population. Flanqué
d'un *batman*, il découvre le monde du « for officers only ». Les
plaines grasses des Flandres ne sont pas les ponces volcani-
ques d'Aden, et les Anglais qu'il fréquente se révèlent « tout à
fait braves et cordiaux [71] ». Le lieutenant-colonel Prestage, un
doux colosse de trente-neuf ans, le prend en amitié. Comble de
bonheur, Rirette peut venir le rejoindre, à Lille, le 18 avril.
Ensemble, ils s'en vont applaudir de bon cœur les galas de
Gracie Fields, les films de Myrna Loy et d'Irene Dunne. *La
Soirée à Somosierra* progresse de nouveau à grands pas.

« Personne n'est heureux comme les gens qui n'attendent
rien, qui n'ont plus d'avenir, parce que tout est remis en
question, comme les gens qui s'aiment la veille d'une bataille,
de la mort [72]. »

La fin couronne l'œuvre

Le 10 mai 1940, à quatre heures trente du matin, la mort
de Paul Nizan se met en branle. A l'aube, on la distingue un
peu mieux. Elle a pris l'apparence de la 1ʳᵉ division Panzer,
arme d'élite du 10ᵉ corps d'armée allemand. A la tête de
celui-ci : Heinz Guderian. Sa mission : le grand Coup de faux.
Sichelschnitt. Sous ce nom hautement mythologique, une
opération audacieuse : foncer au plus vite à travers l'armée
française en désarroi, jusqu'à la mer, puis remonter vers le
nord nord-est et prendre à revers les troupes franco-
britanniques de Lille-Dunkerque. Le risque existe de se
trouver engagé trop avant; mais il faudrait pour cela que les

Alliés se donnassent les moyens de contre-attaquer. Ils s'en révèlent parfaitement incapables.

Le 18 mai la 1ʳᵉ Panzer est à Saint-Quentin. Les troupes de Guderian voient pour la première fois un soldat anglais : « Nous envisagions avec curiosité et exaltation l'heure de notre premier affrontement [73]. »

Paul-Yves ne peut plus revoir Rirette. Fébrilement, il lui écrit ce jour-là un billet lui enjoignant de quitter Lille sans plus tarder, pour descendre vers le sud, avant que les Allemands n'aient refermé le piège. Rirette se retrouve dans les trains de la Débâcle, déroutés sur la côte. Jusqu'au dernier convoi, les cheminots de la SNCF resteront à leur poste. Ce seront bien les seuls. Dernier hommage d'Antoine Bloyé.

Le 19, le train de Rirette quitte une ville qui, soudain, s'embrase. C'est Abbeville. L'incendie durera huit jours. Ce même jour, Guderian fait du tourisme. Amateur d'art, il s'attarde à visiter la cathédrale d'Amiens (Sa façade, ses vitraux du XIIIᵉ, son trésor; mérite un détour). Le 20, à dix-sept heures trente, heure française, Abbeville tombe. La nasse est fermée. Le 21 Guderian « visite Abbeville [74] », qui brûle toujours.

Il ronge son frein, à vrai dire. Plus pusillanimes que lui, ses supérieurs ont ramené les rênes. Guderian maugrée :

« Nous avons perdu deux jours : ils nous manqueront, à Dunkerque. »

Le lendemain, enfin, la 2ᵉ Panzer quitte Abbeville pour Calais. Guderian s'installe dans l'après-midi au château de Recques, à sept kilomètres au nord de Montreuil. C'est de là qu'il lancera à la 1ʳᵉ Panzer le message-radio où se trouve inscrit le destin du soldat Paul Nizan :

« Resserrer avant le 23 mai, 7 heures, au nord de la Canche, car la 10ᵉ Panzer suit la division. La 2ᵉ Panzer a pénétré dans Boulogne. On détachera des éléments le 23 mai sur Calais par Marquise. La 1ʳᵉ Panzer joindra d'abord la ligne Audruicq-Ardres-Calais puis pivotera vers l'est pour marcher sur Bergues-Dunkerque par Bourbourg-Gravelines. La 10ᵉ Panzer avancera au sud. Exécution au mot : Marche vers l'est. Mise en route à 10 heures [75]. »

Le 23, à l'aube, le deuxième message-radio arrive à la 1ʳᵉ Panzer :

« Marche vers est 10 heures. Poussée au sud de Calais sur Saint-Pierre-Brouck et Gravelines. »

Ce matin du 23, au fond de la poche qui va se rétrécissant vingt-six divisions franco-britanniques commencent à se disloquer. Depuis cinq jours, il n'y a plus d'armée néerlandaise. La belge ne vaut guère mieux. L'angoisse d'un enfermement complet saisit les Anglais, qui perdent toute confiance dans le plan de contre-offensive improvisé par Weygand. Les arrières des armées alliées sont directement accrochés par les groupements blindés allemands. Chez les déjà vaincus, la nécrose s'installe.

A Montdidier le sous-préfet cède à la panique et doit être relevé de ses fonctions. Le 19, dans l'après-midi, les médecins et les infirmières de l'hôpital de Soissons abandonnent leurs malades. Le 20, à Abbeville, un officier français mi-partie d'alcool et d'affolement fait sortir de dessous le kiosque à musique où on les tenait enfermés depuis deux jours une vingtaine de suspects belges, néerlandais, italiens, allemands, canadien, danois. Pêle-mêle des fascistes, des communistes, des erreurs judiciaires. Quatre par quatre, ils montent et sont aussitôt fusillés. Outre-Quiévrain, la guerre est finie; le parti communiste belge ressort au grand jour et fait paraître sous censure allemande sa *Voix ouvrière*.

Dans deux jours, les Anglais commenceront à rappeler leurs troupes sur Dunkerque. Derechef, craignant un piège, Hitler décidera d'arrêter l'offensive. L'égoïsme sacré des uns, l'incertitude stratégique de l'autre sauveront 330 000 hommes, dont 130 000 Français, qui embarqueront à Dunkerque huit jours durant. Parmi les 130 000 : Louis Aragon, croix de guerre 1939-1940.

Recques-sur-Hem. Petit village anonyme de la plaine flamande. Le *Guide bleu* signale une église du XVIᵉ siècle. Tout alentour, le pays de Bredenarde et ses noms familiers aux historiens des chevauchées royales et des guerres de cent ans : Ardres, Audruicq, Guines, Saint Omer, Calais. C'est ici que s'est tenue la rutilante entrevue du Drap d'or. Joli, pour un Franco-Anglais. Mais le temps n'est pas aux réminiscences.

Tout juste si, à deux pas de là, un cimetière militaire chinois, incongru, ne rappelait que la guerre de 14/18 avait bien été la première « mondiale ». Niché dans un peu de verdure, le château de Cocove, propriété de la famille de Coëtlogon, est une longue bâtisse de pierre grise d'un XVIII° siècle un peu fatigué, une enfilade de pièces surmontée d'un seul étage. Aux abords, un grand hangar et quelques communs en font un lieu de choix pour les réquisitions militaires. Le décor est planté, avec des noms un peu différents de ceux que citent tous les dictionnaires, toutes les thèses (« château de Coëtlogon », « Audruicq », « Saint Omer », etc.). Peu importe. La mort sera la même.

A partir d'ici, nous suivrons deux témoignages. Celui de la comtesse de Coëtlogon à l'époque, dans une lettre adressée à la mère de Nizan; celui de son fils aîné, le comte Philippe, qui a bien voulu me confier ses souvenirs.

Le 11 mai, la châtelaine reçoit la visite d'un officier de liaison français de l'armée anglaise : le colonel, les officiers et lui-même tiendront bientôt cantine chez elle et s'en viendront abriter leur colonie de camions sous les hangars. M™° la comtesse prend bonne note, mais, les jours qui suivent, ne voit rien venir. Le matin du 23, à cinq heures et demie, un grand bruit la réveille. Camions, voitures, deux cent cinquante hommes.

« Je reconnus très vite M. Nizan, qui m'annonçait que tout allait très mal. »

M™° la comtesse en est toute retournée. Pour mettre un point final à son désarroi, ne voilà-t-il pas que les Allemands s'avisent d'attaquer à l'heure de la collation :

« Malheureusement, les Allemands arrivèrent vers 10 heures et avec les alertes incessantes ces messieurs n'ont jamais pu finir le lunch que je leur avais fait préparer, les sentant si fatigués. »

Ponctués d'accalmies, les combats durent encore près de cinq heures. Vers deux heures et demie de l'après-midi, la comtesse sert une dernière rasade de vin à Nizan. Dernier entretien civil. De quoi parle-t-il? De son plaisir d'être ici, au milieu des soldats anglais, et « de son métier d'écrivain ».

Et puis, nouvelle attaque. Avion, tanks, mitrailleuses.

« Lange s'imaginait que la guerre se composait de ces affûts, de ces conciliabules sous des couverts [76]. » Il n'y a plus guère de place pour les conciliabules mais, sous les couverts de Cocove, les Allemands tirent comme à l'affût. Nizan gagne avec la comtesse, sa famille et ses « gens », l'abri de la cave.

Quand le tir paraît avoir cessé, il sort seul, recommandant à ses compagnons de rester à couvert tant qu'il ne serait pas revenu leur dire que tout allait bien.

« Au bout d'un certain temps, ne le voyant pas revenir, nous nous sommes inquiétés. Je suis donc sorti le premier et j'ai entendu du bruit sur le palier du premier étage. Ma mère était avec moi. Nous avons trouvé M. Nizan, étendu sur le palier, rendant le dernier soupir dans une mare de sang. »

Une balle explosive, entrée par la fenêtre, l'a atteint au-dessus de l'oreille, sous le casque. Il n'est pas défiguré. Il meurt poissé de sang, comme la Catherine du *Cheval de Troie*. Les hommes appellent communément mourir comme un homme ce qui ressemble plutôt à la mort d'un chien.

La comtesse alerte le colonel Prestage. Celui-ci ne cache pas sa douleur. Il tient à transporter lui-même le cadavre jusqu'au camion.

« Le colonel quittait la propriété le soir vers sept heures et demie, mais ce fut un massacre et peu arrivèrent vivants à Audruicq, petite ville située à cinq kilomètres de chez moi, et M. Nizan fut enterré par un de mes fournisseurs, bonhomme dévoué. »

L'unité a eu une quarantaine de tués, presque tous des officiers, et deux cents prisonniers. En décembre le bureau des sépultures militaires d'Arras reçut dépôt des effets personnels retrouvés sur le corps : une gourde, un couteau, une pipe, une bague, un insigne franco-anglais, une montre en or, une chaîne « et une petite somme insignifiante ». « Le portefeuille avait dû être pris, on ne l'a pas trouvé. »

A la Libération, la commission des sépultures du Commonwealth entreprendra de pérenniser le souvenir des combats. Au cimetière d'Audruicq, le long d'un petit mur de brique, sont alignées aujourd'hui sept tombes anglaises :

private Hutton, 19 ans; *private* Weir, 21 ans; *a soldat*, anonyme; Sgt Tonkin; Sgt Pothecary; lieutenant Franck H. Martin; lieutenant-colonel Prestage. « Honny soit qui mal y pense »; « Thou wilt keep him in perfect peace. » A côté du colonel, l'espace d'une tombe, vide. Celle de Nizan, retiré en 1956 de sa dernière camaraderie pour être reversé par décision administrative dans la communauté française, puisque aussi bien les nations aiment à récupérer jusqu'à leurs morts égarés.

Depuis cette date, il « repose », comme on dit, à une centaine de kilomètres de sa mort, au cimetière national de La Targette, commune de Neuville-Saint-Vaast (Pas-de-Calais). La tombe 8189, carré B, neuvième rang, en jouxte huit mille autres, des deux guerres mondiales, sans compter les Britanniques, à droite, et les Allemands — quarante deux mille — un peu plus loin, à gauche. A des kilomètres à la ronde, la terre parle la mort. Vingt mille reconnus et vingt mille inconnus enfouis à Notre-Dame-de-Lorette, des toponymes sinistres pour deux ou trois générations : Mont-Saint-Eloi, Souchez, Le cabaret rouge, Vimy... Des monuments aux morts de toutes les couleurs : Polonais, Tchécoslovaques, Canadiens... Les traces d'obus, les cratères de mines rappellent encore que des milliers se sont fait hacher menu ici en avril 1917 pour reconquérir les cotes 119, 124, 140... Nizan, l'antimilitariste, le réfractaire, l'angoissé est bien entouré. Sur sa croix de ciment — car, bien sûr, il a eu droit à une croix, comme les autres — l'inscription ne signale pas, contrairement à toutes les voisines, un grade militaire, mais une fonction purement civile, en tous les cas universelle :

« Paul Nizan. Interprète et agent de liaison. »

Une belle définition pour un écrivain militant. Elle ajoute, selon la formule consacrée : « Mort pour la France. » On songe à l'un de ses tout premiers textes : « Mourir pour son pays, il est encore plus beau de vivre pour lui. Morts vainqueurs... où est leur victoire? La tradition, l'héritage français, ce sont des œuvres, non des noms [77]. »

Voilà ce qu'un historien, quarante après, peut dire de la mort de Paul Nizan. Mais il a appris, l'historien, qu'il n'y a pas de vérité toute simple, même s'il veut bien croire qu'il y a une vérité unique. Il devine obscurément qu'une certaine littérature peut en dire autant, sinon plus, sur un être humain que les archives officielles et les statistiques de bonne volonté. Surtout si elle est en quelque sorte nourrie de l'intuition douloureuse de l'amour, de l'amitié. Or le biographe de Nizan dispose d'un autre texte sur sa mort : *Drôle d'amitié*. Insupportable, dérangeant comme la vie de Nizan elle-même. Il n'a pas été réédité depuis le jour où il parut, dans *Les Temps modernes*, on décembre 1949. Il faut le citer aujourd'hui. Un peu parce que c'est la dernière page connue des *Chemins de la Liberté*, le dernier texte romanesque signé de Sartre. Aussi parce qu'il est beau. Et puis, « parce que c'était lui, parce que c'était moi ». L'historien de 1980 a recomposé la mort de Paul-Yves Nizan, du XIV° AFW. Voici comment Jean-Paul Sartre a vu celle du journaliste communiste Vicarios, abattu par les Allemands sur les barbelés de son camp de prisonniers, au cours de la tentative d'évasion dans laquelle il s'est jeté en apprenant la rumeur infâme qui court sur lui dans le Parti : il était un indicateur de police.

« — On recommencera, bon dieu! dit Brunet. Je parlerai aux types du Parti. Je...
    Vicarios se met à japper :
    — Recommencer! Tu ne vois pas que je crève?
    Il fait un violent effort et ajoute péniblement :
    — C'est le Parti qui me fait crever.
    Il vomit dans la neige, il retombe, il se tait. Brunet s'assied, le tire à lui, lui relève doucement la tête et l'appuie contre sa cuisse. Où a-t-il été touché? Il passe la main sur le veston civil, sur la chemise civile, tout est trempé, est-ce de la neige ou du sang? La peur le glace : il va passer entre mes mains. Il plonge la main dans sa poche et sort sa lampe, là-haut, ils crient, ils appellent, Brunet s'en fout. Il appuye sur le taquet, une tête livide sort de la nuit, Brunet la regarde. Il se fout des Fritz, il se fout de Chalais, il se fout du Parti, plus rien ne compte, plus rien n'existe sauf cette tête haineuse et fulgurante aux yeux clos. Il murmure : pourvu qu'il ne meure pas. Mais il sait que Vicarios va mourir : le désespoir et la haine remontent de proche en proche le cours de cette vie gaspillée et vont la pourrir jusqu'à la naissance. Cet absolu de souffrance, aucune victoire des hommes ne pourra l'effacer : c'est le Parti qui le fait crever, même si l'URSS gagne, les hommes sont seuls. Brunet se penche, il plonge la main dans les cheveux souillés de Vicarios, il crie comme s'il pouvait encore le sauver de l'horreur, comme si deux hommes perdus pouvaient, à la dernière minute, vaincre la solitude :

— Le Parti, je m'en fous : tu es mon seul ami.

Vicarios n'entend pas, sa bouche amère gargouille et fait des bulles, pendant que Brunet crie dans le vent :

— Mon seul ami!

La bouche s'ouvre, la mâchoire pend, les cheveux claquent; cette rafale qui les frappe et s'enfuit, c'est la mort. Il se fascine sur ce visage stupéfait, il pense : c'est à moi que cette mort arrive. Les Allemands dévalent la pente en s'accrochant aux arbres, il se relève et marche à leur rencontre : sa mort vient seulement de commencer. »

8.

Une Conspiration

> « Bien sûr, tout cela n'est pas si
> important : le monde peut fort bien
> se passer de la littérature. Mais il
> peut se passer de l'homme encore
> mieux. »
>
> (*Qu'est-ce que la littérature?* cha-
> pitre IV : Situation de l'écrivain en
> 1947.)

Il y a bien des façons de tuer un homme. La plus simple, un
obscur soldat allemand s'en chargea. Le lendemain, MM
Louis Boo (conseiller général), Léon Dubois et Marius
Locoche, de la commune d'Audruicq, certifièrent qu'il était
bien mort, et enterré [1].

Restait à piétiner le cadavre. Cela, seuls des hommes
spécialement formés au maniement des mots qui font mouche
pouvaient s'en charger : des intellectuels et des hommes
politiques et, si possible, les deux à la fois.

Il n'y a pas d'histoire

Nizan avait fait plus grave, en vrai homme du verbe, que
quitter son Église, il n'avait pas voulu se taire; il avait rendu
public son désaccord, ou, plutôt, sa démission. Il avait même
choisi pour ce faire le correspondant le moins compréhensif
qui fût, celui que bien peu de communistes hétérodoxes ont
bravé impunément : Jacques Duclos.

Désormais, le destin de l'apostat était écrit. Il fallait qu'il
ait été essentiellement et anciennement, de façon consciente
et organisée, un traître, que cette traîtrise même fût des plus
subalternes; en un mot qu'il ait été vendu à la place Beauvau.
En quoi les caciques du Parti se révélaient, sans le savoir ou en
le sachant, disciples convaincus du commissaire Massart,
intellectuel organique de la Grande Maison :

« Le secret de la police, c'est qu'*il n'y a pas d'histoire*. Tous
les professeurs ont menti, tous. Il n'existe pas de forces qui

travaillent à faire l'histoire. Les académiciens parlent des
forces spirituelles et les marxistes des forces de l'économie, on
n'en sort pas, c'est toujours les Bossuet et les anti-Bossuet. (...)
Le nez de Cléopâtre et le calcul dans la vessie de Cromwell,
c'est infiniment moins bête. Pascal est le premier auteur qui
ait donné l'esquisse d'une conception policière du monde [2]. »

On ne saura jamais si la rumeur germa d'abord dans
l'esprit d'un Duclos, d'un Thorez, ou si elle leur fut instillée
par les suppositions de deux zélotes, Politzer et Aragon.

Le philosophe aimait à raconter une rencontre troublante
qu'il avait faite jadis : arrêté dans une manifestation communiste, il s'était retrouvé interrogé par un inspecteur frais
émoulu des cours de psychologie de la Sorbonne, et qui avait
même lu le premier ouvrage de Politzer, sa *Critique des
fondements de la psychologie* [3]. L'anecdote avait fait son
chemin comme le savent tous les lecteurs de *La Conspiration*.
A partir de ces données, le cerveau exalté d'un croyant réputé
pour son intolérance « un sectaire et un saint », dira de lui
Lefebvre [4] pouvait battre la campagne. Mais enfin Politzer,
s'il a jamais parlé en ce sens, comme Aragon l'affirmera plus
tard à Sartre, n'a laissé aucun texte. Le souvenir des combats
intellectuels menés dans la même tranchée que Nizan a pu
l'arrêter sur le chemin qui allait du jugement téméraire à la
calomnie.

Le poète-français avait, lui, d'autres raisons de détester
Nizan, et aucune de se réfréner. Curieux destin croisé que
celui de ces deux hommes, ou, pour tout dire, des deux couples
constitués respectivement par Elsa et Louis, Rirette et
Paul-Yves. Les deux étoiles montantes de la littérature
communiste française, les deux couples dynamiques de la vie
intellectuelle du Parti. D'un côté un journaliste né de la
poésie, en rupture de surréalisme, auteur de trois romans
auto-qualifiés « réalistes socialistes », prix Renaudot 1936
pour *Les Beaux Quartiers*. De l'autre, un journaliste né de la
philosophie, en rupture d'anarchisme de droite, auteur de
trois romans qualifiés par le premier de réalistes socialistes,
prix Interallié 1938 pour *La Conspiration*. Leur femmes
respectives, fortes personnalités, l'une collaboratrice active de

la presse communiste, l'autre auteur de quelques textes littéraires encore discrets mais prometteurs. Au point de départ, un Aragon plus âgé de huit ans mais un Nizan entré plus tôt sans double appartenance dans le mouvement communiste : à l'heure même où Aragon rompait solennellement avec Breton, Paul Nizan est déjà candidat du Parti aux élections législatives; une Elsa au fait de la vie soviétique mais non inscrite au Parti, une Rirette sans relations à la mode mais militante active, collaboratrice de Danielle Casanova. Au point d'arrivée, en 1939, un Aragon qui est en train, insensiblement, de se placer pour plusieurs décennies au sommet de la hiérarchie culturelle de l'organisation. Son *Pour un réalisme socialiste* de 1935 lui permet de se placer porte-parole du nouveau cours littéraire, son rôle privilégié au sein de la Maison de la Culture l'institue grand ordonnateur de la politique artistique communiste. En 1937, c'est lui que le Parti charge d'animer son nouveau quotidien du soir, *Ce soir*, avec Nizan comme secrétaire général. Au témoignage de Simone de Beauvoir [5], leur ami avait parfois laissé entendre, à mots couverts, qu'il n'était pas *persona* tout à fait *grata* auprès de la direction du journal.

Information rétrospective, cependant : du vivant de Nizan, la cordialité sera de règle entre les deux couples, qui, au reste, se voyaient peu.

C'est à la Libération seulement qu'Aragon, promu entre-temps premier poète français et promis par de Gaulle à l'Académie, prendra explicitement position et, pour tout dire, se fera même l'âme de la campagne de dénigrement posthume. Lui qui, par exemple, « révélera » à Sartre que cet ancien camarade de Parti était une mouche. Anecdote plus triviale, c'est lui qui un jour de juin 1945 expulsera d'un joli moulinet de canne les livres de Nizan prêts à être exposés à la Fondation Rothschild, dans le cadre d'une vente organisée par le Comité national des Écrivains en l'honneur de leurs pairs « morts pour la France... »

Aragon a sans doute beaucoup parlé. Toutefois ce n'est pas lui qui, le premier, a osé écrire. Celui-là fut Thorez, secrétaire général du Parti dissous, déserteur de l'armée française depuis le 4 octobre 1939, au détour d'un article oublié paru le

21 mars 1940 dans l'édition (en langue allemande) de la revue du Komintern [5]. Il n'a pas été repris dans le recueil des œuvres du « fils du peuple » entrepris après-guerre par les Éditions sociales. Mais son écho ne fait aucun doute. Il est de ces textes de clandestinité qui circulent à peine sous leur forme originale mais servent de base aux « consignes », aux « mises en garde » ultra-confidentielles. Un entretien que Simone de Beauvoir eut avec un certain B..., membre du Parti, à l'automne 1940, prouve que le travail était déjà bien avancé [6].

Le titre donne le ton : « Les traîtres au pilori ». Le contenu a tous les traits d'un appel au meurtre à retardement — première mise sur blanc de la première liste noire, pour les jours de règlements de compte. Les élus communistes qui ont fait connaître leur rupture — on n'oubliera pas qu'y figurent, entre autres, plus d'un tiers des parlementaires du Parti — y sont globalement qualifiés d' « opportunistes », « carriéristes », « dégénérés », « pourris » « et, pour dire le mot, « moutons de la police ». Gustave Sassot, député de la Dordogne, qui avait proposé à Thorez, le 25 août, l'envoi d'une délégation communiste à l'ambassade d'URSS pour y poser « quelques questions » y devient « le traître Sassot », « agent du Munichois Bonnet » (Georges, ministre des Affaires étrangères du gouvernement Daladier). C'est là, au cœur chaud de ce texte ténébreux, que Paul Nizan est, pour la première fois, qualifié d' « agent de police » pour avoir proposé un « plan de collaboration » avec la presse bourgeoise.

Le commissaire Massart lui-même y aurait difficilement vu une preuve (la seule qui sera jamais avancée, en l'affaire) de la collusion de Nizan avec la police. Peu importe à l'Église. Désormais, elle possède, pour son cas comme pour le cas Gitton, le cas Doriot, le cas Trotsky, d'une clé d'explication, et d'exclusion. A cette réserve près que si le texte moscovite justifiait à l'avance l'assassinat, entre 1941 et 1944, de plusieurs de ceux qui y sont mentionnés, dans le cas de Nizan il ne va servir qu'à s'acharner sur un cadavre [7].

A ce rite magique et macabre participeront aussi bien d'anonymes apparatchiki, ceux qui, en février 1941, rédigeront la brochure clandestine *Comment se défendre contre la provocation* que, le temps de l'expression libre revenu, divers notables de l'intelligentsia communiste. Une rapide confrontation des deux littératures prouve à qui en douterait encore qu'un peu de culture ne messied pas à la calomnie.

Le texte de 1941 [8], antérieur de quatre mois à la rupture du Pacte, est un sec travail d'agit' prop', droit sorti des manuels de l'époque héroïque. L'allusion qu'on y rencontre accessoirement au « policier Nizan » se contente de plagier l'épître thorézienne. Sa troisième édition, datée de 1944 [9], supprime même le passage. Quand, un an plus tard, Henri Lefebvre commence à écrire le pamphlet qui, depuis quelques mois, le poind contre l' « excrémentialisme de 1945, modalité ordurière de la philosophie de l'existence », les arguments qu'il utilise sont d'une autre venue.

Trois ans après l'édition Gallimard des *Morceaux choisis* de Marx, Lefebvre avait encore fait appel à son vieux camarade, plus connu que lui à l'époque, pour préfacer son premier essai politique en cavalier seul, *Le Nationalisme contre les nations* (ESI, 1937). Au sortir de la tourmente, il comprend enfin. Il voit, il croit, il est désabusé. L'un des tout derniers écrits du chroniqueur de *Ce soir* avait été le compte rendu, favorable, d'une étude de Lefebvre [10]. Le premier livre de celui-ci sorti à la Libération, sera le premier texte faisant publiquement de Nizan un « traître ».

Sous un titre neutre cet essai sur *L'Existentialisme* est en fait une série d'attaques personnelles, contre Sartre et Merleau-Ponty, bien entendu, mais aussi contre « le détestable André Breton », et un certain nombre d'anciens camarades, tels Pierre Morhange, « au rôle assez néfaste », Georges Friedmann, non cité mais reconnaissable, sous des traits méprisables, enfin Nizan :

« Il faudrait un livre — souvenirs ou roman — pour raconter les détours idéologiques, liés à leurs aventures sentimentales et politiques, de ces jeunes gens qui fondèrent en 1923 la revue *Philosophies*, puis la revue *L'Esprit* en 1926, et enfin en 1928 la *Revue marxiste*.

« Le livre de Paul Nizan, *La Conspiration*, n'est qu'une caricature froide et sèche. Il a réduit assez bassement la révolte et le refus à la rébellion contre la famille. (...) Paul Nizan n'a voulu retenir de ce temps que le romantisme

politique, qui ne fut qu'un trait, un coin du tableau. Lorsqu'il
se rapprocha de nous, Paul Nizan venait d'un groupe
réactionnaire, sinon fasciste. Peut-être même en était-il
encore membre, car il prétendait les espionner. Solitaire,
lucide, désespéré, infiniment indifférent, Paul Nizan avait
peu d'amis et nous nous demandions quel était son secret, le
secret de son obsession et de son tourment. Nous le savons
aujourd'hui. Tous ses livres tournent autour de l'idée de
trahison. Un technicien d'humble origine trahit le peuple
dont il est sorti, c'est *Antoine Bloyé;* un intellectuel trahit le
Parti dans lequel il a cherché la voie de son salut humain :
c'est *Le Cheval de Troie.* Dans *La Conspiration,* un policier
se glisse parmi les ingénus philosophes en mal d'action. Le
journal de Pluvinage, ce traître, contient les meilleures pages
de ce roman, qui déjà en lui-même était une trahison : Nizan
trahissait ses amis, leur jeunesse et sa propre jeunesse [11]. »

Un peu plus loin, *La Conspiration* était rapprochée du
Gilles de Drieu La Rochelle — on sait ce que signifiait parler
de Drieu en 1945, sous la rubrique du « faux témoignage ».

La manière, on le voit, est à quelques coudées au- dessus de
celle de l'agitateur clandestin. La perfidie, combien plus
grande. L'art souverain du commentaire de textes, inculqué
par l'enseignement secondaire, mis en service de la dénonciation. Il ne saurait être question de minimiser la contribution de M. Lefebvre. Grâce à elle la rumeur pourra acquérir
au sein du Parti assez de consistance pour disqualifier à
l'avance toute demande d'éclaircissement. Les témoignages
communistes sont là pour le confirmer : la question Nizan ne
sera jamais reposée par l'Église elle-même, pour la bonne et
simple raison que la cause était entendue et le sujet, ignoble.
L'évoquer derechef eût été, selon une logique bien connue, se
compromettre soi-même.

Un grand écrivain

Restait à donner au tableau d'ensemble la touche artistique
qui lui manquait fâcheusement. Louis Aragon s'en chargea.
Et la littérature française enregistra ce fait, à coup sûr
rarissime dans ses annales : un romancier inventant deux

personnages pour mieux couvrir de boue l'honneur d'un mort
et de sa veuve. Le roman s'appelle *Les Communistes;* il entend
être la suite et l'aboutissement (il restera finalement inache-
vé) de la longue geste du *Monde réel*, commencée en 1934 avec
Les Cloches de Bâle. Les deux personnages, Patrice Orfilat et
sa femme Edith.

Le couple apparaît surtout dans les deux premiers tomes,
parus respectivement en juillet et octobre 1949. Récapitulons
les signes distinctifs d'Orfilat. Un jeune homme nerveux, qui
se ronge les ongles. Ancien normalien, il a adhéré au Parti à
la fin des années 20. Il a séjourné en URSS. Il a commis, deux
années plus tôt, un « petit bouquin sur Héraclite ». Il est
journaliste à *L'Humanité.* Aux dernières nouvelles, il vient,
en 1940, de quitter le quartier Montparnasse pour Saint-
Germain-des-Prés. Paul Nizan, lui, à la même date, est en
train de déménager du quartier Montparnasse pour Saint-
Germain-en-Laye. Il est journaliste à *Ce soir.* Il a fait paraître
dix-huit mois plus tôt une petite étude sur Démocrite, Epicure
et Lucrèce. Il a séjourné en URSS près d'un an en 1934. Il a
adhéré au Parti à la fin de 1927. Il est nerveux, il se ronge les
ongles.

Et que fait-il, ce rongeur d'ongles? Coureur, avide de
« coucheries », il trompe sa femme avec de petites grues. C'est
un couard : « Patrice gémissait, n'arrivait pas à se décider,
enfin une loque (...) Le poltron [12]. » « La guerre, c'était sa
mort. Tout d'un coup la guerre était pour demain, et il
tremblait, il était fou de peur, il en avait des sueurs froides. La
guerre, sa mort [13]... » Dans la rue, scène admirable : des
fascistes se mettent à tabasser un vieux communiste, un vrai
de 14, cloué sur une petite voiture. Orfilat, qui le connaît, se
défile, malgré ses cris. Le lecteur ne s'étonne plus, dès lors, de
le voir s'en aller pleurnicher au Quai d'Orsay, dans le bureau
de Benjamin Crémieux [14], y solliciter un emploi. Le moment
est venu pour lui de se revancher sur le Parti de ses
désillusions politiques — il avait eu l'ambition d'être
candidat aux élections de 1936, mais Thorez, qui devinait
déjà tout, n'avait pas voulu. Et puis, il lui faut de l'argent,
beaucoup d'argent. Avec tous ses vices... Crémieux s'étonne,
mais ne dit pas non. Orfilat ira-t-il plus loin? Comme
Pluvinage? Aragon se garde bien de l'écrire. Il laisse

simplement à un personnage imaginaire le soin de le sous-entendre : « Vous savez, dit Isabelle, ce que Benjamin Crémieux a raconté à mon père? Pas seulement qu'il ne serait pas d'accord, Patrice [15]... ».

On pleurniche beaucoup, chez les Orfilat, d'ailleurs. Au cours d'une scène pénible, Edith, arrivée dans une réunion de communistes orthodoxes où chacun s'accorde à la trouver indésirable, doit subir l'inquisition d'un fidèle : « — Puisque vous n'êtes pas d'accord, vous, avec Patrice... dites-moi, camarade, alors pourquoi restez-vous avec lui? — Mais parce que je l'aime, dit-elle. Et puis, il est le père de la môme... — On pourrait aller loin avec ce système-là... Elle s'était mise à pleurer. Pas trop, à cause du rimmel [16] »

Quand la jeune femme, « assez lourde, assez peinte [17] », sera sortie, Aurore, autre personnage secondaire, fera « tout simplement ouf! et cela résumait le sentiment général [18] ».

Il ne suffit donc pas que les deux êtres soient vils. Il faut encore que le couple qu'ils constituent n'en soit pas un. Lui la trompe avec une certaine Josette, que le lecteur retrouvera plus tard collée avec un doriotiste. Elle ne le garde qu' « à cause du môme », et, surtout, parce qu' « elle n'aurait pas pu vivre avec un homme qu'elle n'aurait pas méprisé [19] ».

Est-ce tout, dira le lecteur de 1980, légèrement écœuré? Non. Face à Orfilat doit se dresser une image symétrique, celle d'un couple communiste exemplaire, que pas un instant n'effleure l'aile du doute. Ce seront Michel et Annette Felzer, en qui les contemporains n'auront pas de mal à reconnaître Georges et Maï Politzer. Felzer a été le maître intellectuel d'Orfilat. Le peu d'audace philosophique dont ce dernier puisse se prévaloir, il le doit à Felzer : « Felzer le premier lui avait parlé contre Bergson, et Brunschvicg (...). Par Felzer aussi, Patrice avait d'abord connu Marx et Lénine [20] », etc. Ils déjeunent ensemble. En face du Judas, quelle belle figure que ce Felzer! Les trotskystes? « Les trotskystes sont des flics, c'est tout. Ils ne constituent pas un problème philosophique. » Les communistes déchirés? « Déchirés? Ah! oui, les amateurs de conscience déchirée... Tu sais, moi, je ne suis pas très fort dans ce domaine-là [21]. » Orfilat paraît soudain frappé quand il apprend qu'un grand écrivain comme Barbey d'Aurevilly avait *aussi* été un espion, un traître. Felzer, soudain, comprend tout. Il a un autre Barbey d'Aurevilly en face de lui. Il le chasse. *Exit* Patrice Orfilat, dans l'ombre des réprouvés.

Moralité :

« Est-ce qu'aujourd'hui on est assez sévère avec des types de ce genre-là? On n'exige plus la rupture totale avec les milieux dont ils sont issus, comme autrefois, dans les temps difficiles du Parti : alors voilà ce qui arrive [22]. »

Oraison funèbre :

« A propos... tu ne me dis rien de Patrice Orfilat? Moi, d'abord, je n'ai jamais pu supporter Edith... C'est une pimbêche, une ambitieuse, une mauvaise camarade et elle a un vocabulaire impossible, elle croit faire peuple avec des mots de corps de garde... Si elle passe de l'autre côté avec Patrice, eh bien, ce n'est pas moi qui pleurerai! [23] » — Anette Felzer, m'a-t-il semblé, avait ce jour-là quelque chose de la voix d'Elsa Triolet...

On voit l'intérêt de l'opération, puisque aussi bien opération il y a. Destiné d'abord à l'usage interne de la contre-société, en un temps où l'esprit de citadelle assiégée règne sans partage en son sein — *Les Communistes* sont significativement édités non pas chez Gallimard, comme les titres précédents du *Monde réel*, mais aux éditions du Parti —, le conte est chargé de présenter de manière romanesque la première version autorisée de l'histoire du Parti dans sa période la plus trouble [24]. La trahison prototypique d'Orfilat fonctionne comme repoussoir en face des héros futurs de la Résistance communiste, posés comme identiques à ceux qui, au commencement de Tout, ont approuvé sans broncher l'alignement sur Moscou.

On discerne aussi l'habileté du procédé, quand il s'agit de régler son compte à un mort : ne pas le citer en tant que tel, et donc s'autoriser à l'avance toutes les licences poétiques, tout en serrant une certaine réalité au plus près: surtout, ne le faire entrer en relation qu'avec d'autres morts : Gabriel Péri, son ancien « patron » de *L'Humanité*, a été arrêté sur dénonciation, dans des conditions appelées à demeurer sans doute éternellement mystérieuses en mai 1941, à une époque où le PCF n'a pas encore choisi la résistance systématique.

Pour certains oppositionnels, pas de doute : il a été livré par le Parti, mécontent et inquiet de ses réserves au moment du Pacte. Peu importe pour notre propos : il a été fusillé le 15 décembre 1941 dans un groupe d'otages. Georges et Maï Politzer ont connu le même sort un an plus tard. Benjamin Crémieux est mort à Buchenwald, à l'orée de 1945. Enfin Jean-Richard Bloch vient de mourir, en mars 1947.

Comme le dira Aragon lui-même, dix ans plus tard : « L'art du roman, c'est de savoir mentir [25]. »

L'incident clos

Après ce trop long remuement de vieilles poubelles, considérons maintenant l'état du procès Nizan trente ans plus tard.

Ce sera pour constater que la voix de l'accusation s'est tue. Que, même les calomniateurs survivants battent leur coulpe. M. Henri Lefebvre, exclu du parti communiste en décembre 1957, a connu à son tour l'amertume du réprouvé. Après quelques mois de réflexion, il a fait paraître deux volumes de mémoires entrelardés, dans lesquels, tout aussi incidemment que la première fois, il glisse : « En attendant mieux et plus clair, je désavoue la version abrégée donnée dans un livre antérieur [26]. »

Plus de confrère accusateur. Au tour du romancier. En 1966, à l'occasion d'une réédition des *Communistes* pour les *Œuvres romanesques croisées*, Aragon fait disparaître toutes les scènes où il était question d'Orfilat et de son épouse. Seraient-elles littérairement inférieures aux autres? Non, l'ancien directeur de *Ce soir* a simplement voulu placer cette nouvelle version sous le signe de l' « esprit de responsabilité ». Deux ans plus tard, il tiendra d'ailleurs à préciser, dans ses entretiens avec Dominique Arban : « Qu'en 1966 j'aie entrepris de remanier ce long roman ne signifie aucunement de ma part une condamnation de la première version. »

La réhabilitation pure et simple prendra encore une dizaine d'années. Rapidement mentionné, en termes déjà modérés, par Alain Guérin, en 1972, dans son orthodoxe chronique de *La Résistance,* le « cas Nizan » ne sera d'abord évoqué dans la presse communiste de *L'Humanité* que par la bande. Un grand pas fut franchi le jour où la rubrique culturelle de l'*Humanité* elle-même se mit en branle. Son titulaire de 1978, Claude Prévost, profitera de la republication de *Chronique de Septembre* pour laver Nizan d' « injures qui sont à inscrire à notre passif et qui figurent parmi les pages les plus sombres de notre histoire ». Ironie de ladite histoire : l'article paraissait au surlendemain de la projection d'*Aurélien* à la télévision.

Encore un effort, et la récupération sera complète. Le 20 novembre 1979, le mot est lâché : « Par son action et son œuvre, Paul Nizan reste bien un des nôtres [28]. » Aux dernières nouvelles, sa trilogie romanesque serait en train d'être traduite en RDA...

Désormais, quand un esprit léger s'avise de reprendre, en franc-tireur et sans biscuits, un petit verset de la vieille antienne, c'est lui qui se fait vertement rappeler à l'ordre et doit battre en retraite, tout penaud. Telle est la mésaventure qui est arrivée récemment à Roger Garaudy, quand il affirma que Nizan était allé voir sa femme, alors que lui, Garaudy, était mobilisé, pour lui demander de lui faire signer un « désaveu [29] ».

« Or c'était maladroit. » Roger Garaudy l'ignorait peut-être, mais Mme veuve Nizan vivait toujours.

« *Qu'est-ce encore que cette histoire, monsieur Garaudy?* (...) *Je serais heureuse de connaître la date de cette visite, car Nizan a été, lui aussi, mobilisé, et cela dès les premiers jours. (...) Je sais qu'il n'est allé trouver personne pour faire signer le moindre désaveu. Je sais qu'à ses yeux la publication de sa démission était et devait être la seule et unique action destinée à faire connaître sa position en ce qui concernait l'attitude du parti communiste français face au pacte germano-soviétique. Ses lettres, à moi adressées, en font foi. Elles ont été publiées depuis. (...) Vous n'étiez pas de nos " intimes ", cher monsieur Garaudy. Ni votre femme. S'il était allé la trouver (et pourquoi l'aurait-il fait), je l'aurais su. (...) Si Nizan avait eu envie de contacter quelqu'un, en l'occurrence, c'eût été Gabriel Péri et non pas vous, sachez-le (...). J'en ai assez, moi, Henriette Nizan, de toutes ces faussetés, de toutes ces petites diffamations si joliment orchestrées. J'ignore (ignorant tout de votre vie et m'en*

souciant fort peu) si Mᵐᵉ Garaudy est, comme moi, encore vivante. Si oui, veuillez la prier de me préciser les circonstances exactes de cette prétendue visite de Nizan.
« *Sinon, ayez l'amabilité de vous taire.*

Henriette Nizan ³⁰ ».

La foudre tombant aux pieds de M. Garaudy ne l'eût sans doute pas plus étonné. Il s'excusa.

La fermeté de ton a changé de camp. Rirette peut même se donner le chic de la magnanimité :

« J'avoue que j'ai eu beau me battre les flancs, je ne suis jamais parvenue à m'indigner sincèrement d'aucune des accusations dont Paul-Yves a été la victime. C'est que je ne les ai jamais prises pour autre chose qu'une bouffonnerie. A mes yeux, ce n'était simplement pas de Nizan qu'il pouvait être question. Un romancier a, m'a-t-on dit, voulu le peindre sous les traits d'un assez répugnant personnage. J'ai lu son livre. Je n'ai pas reconnu le prétendu modèle. Par la suite, peut-être sous certaines pressions, ledit romancier a, paraît-il, retiré des éditions suivantes le gênant passage. Prenons cela pour l'aveu de ses mauvaises intentions. En ce qui me concerne, il aurait aussi bien pu lui laisser vivre sa vie larvaire. Pour l'importance que cela avait! Les romanciers, d'ailleurs, n'ont-ils pas tous les droits? ³¹ »

Un procès de Paris

C'est que l'abandon de Nizan n'avait pas été si complet que cela. Une femme n'avait cessé de se battre, avec le sang-froid que l'on vient de voir, pour faire reconnaître l'ignominie de l'accusation. Un homme, longtemps tiraillé entre des fidélités contradictoires, n'avait du moins jamais douté de son petit-camarade, et il allait le prouver à plusieurs reprises.

Rirette aurait été bien incapable de répondre aux premières rumeurs : elle en ignorait tout. Henriette Alphen avait en effet quelques bonnes raisons de ne pas rester en France occupée. Les hasards des émigrations ayant enraciné outre-Atlantique un surgeon de la famille maternelle de Nizan, un bienheureux affidavit lui avait permis de gagner les États-

Unis en compagnie de ses deux enfants à l'automne 1940. Là elle avait mené, pour survivre, une existence digne des romans américains. Simple bachelière, elle s'improvise professeur de littérature française au Rutgers College de New Brunswick (New-Jersey), ce qui lui permet, accessoirement, d'être la première « universitaire » à parler en Amérique de l'œuvre d'un certain Jean-Paul Sartre. En 1942, elle travaille à l'Office américain d'information de guerre (OWI), aux côtés d'André Breton, Max Ophüls et de son cousin, Claude Lévi-Strauss. Un an plus tard, on la retrouve employée de la MGM, chargée d'écrire le doublage français des comédies jouées par Astaire, Garbo, Garland, Tracy...

Elle a reçu confirmation de la mort de Nizan de la bouche de Fernand Léger, un jour de janvier 1941 [32]. Au printemps 1945, Sartre est de passage à Washington à l'occasion du voyage qui fut à l'origine des textes américains réunis dans *Situations III*. C'est de lui qu'elle apprit l'existence de la rumeur.

Cette révélation ne fut pas pour peu dans sa décision de rentrer en France. Elle y trouva quelques amis fidèles, par-delà les attachements partisans, Bruhat, Martin-Chauffier, André Ulmann. Elle découvrit aussi le silence glacial des intellectuels organiques et des puissants du jour. Une lettre à Aragon, en 1946, resta sans réponse. Une autre, début 1947, signée des deux enfants de Paul et Rirette, fut adressée à Thorez lui-même, pour l'heure ministre du premier gouvernement de la Quatrième République. Il y était dit qu'à l'âge de dix-huit et seize ans il leur était insupportable d'apprendre que leur père pouvait avoir été un traître, sans qu'aucune preuve en fût apportée. Ils les demandaient, ces preuves, puisque tout était préférable à cette équivoque rampante. Pas de réponse.

Le tout se termina sur une scène digne d'un thriller MGM. Rirette avait obtenu une entrevue avec Laurent Casanova, ministre communiste aux Anciens combattants et, surtout, témoin direct du comportement de Nizan lors de l'été 1939. Elle trouva en face d'elle un sphynx ambigu, aux allures de monsignore, qui lui affirma n'être au courant d'aucune rumeur, tout en mettant fin à l'entretien par une petite phrase dénuée, elle, d'ambiguïté : « Je ne vous conseille pas de faire quoi que ce soit contre le Parti... »

On comprend mieux l'incapacité dans laquelle se trouvait Rirette de se faire rendre justice, quand on considère l'échec de la tentative de Sartre, quelque temps après.

Un élément nouveau venait d'intervenir : l'autre « petite phrase », celle de Lefebvre. Il était désormais possible de provoquer un débat public. Informé par Rirette, Sartre aiguisa sa plume polémique et entreprit de rassembler une brochette de signatures incontestables autour d'un long communiqué aux termes vifs, qui, après exposé du contenu de la rumeur. concluait :

« A notre connaissance, les communistes ne peuvent reprocher à Nizan que d'avoir quitté le parti communiste en 39, au moment du pacte germano-soviétique. De cela, chacun peut penser ce qu'il veut : c'est une affaire strictement politique et il n'entre pas dans nos intentions de l'apprécier. Mais lorsqu'on l'accuse de moucharder, sans donner de preuve, nous ne pouvons oublier que c'est un écrivain, qu'il est mort au combat et que c'est notre devoir d'écrivains de défendre sa mémoire. Nous nous adressons donc à M. Lefebvre (et à tous ceux qui colportent, avec lui, ces accusations infamantes) et nous leur posons la question suivante : " Lorsque vous dites que Nizan est un traître, voulez-vous dire simplement qu'il a quitté le parti communiste en 1939? En ce cas, dites-le clairement, chacun jugera selon ses principes. Ou voulez-vous insinuer qu'il a, bien avant la guerre, accepté pour de l'argent de renseigner le gouvernement anticommuniste sur votre Parti? En ce cas, prouvez-le. Si nous restons sans réponse ou si nous ne recevons pas les preuves demandées, nous prendrons acte de votre silence et nous publierons un deuxième communiqué confirmant l'innocence de Nizan. »

Suivaient vingt-six signatures [33]. L'équipe originelle des *Temps modernes* s'y trouvait reconstituée pour un instant, autour du trio Aron-Camus-Sartre. A Simone de Beauvoir, Jacques-Laurent Bost, Pierre Bost et Maurice Merleau-Ponty, au groupe Gallimard de Jean Lescure, Brice Parain, Jean Paulhan et Jean Schlumberger s'ajoutaient des noms plus éclectiques, ceux de Georges Adam, Julien Benda, d'André Billy, André Breton, Pierre Brisson, Roger Caillois, Maurice

Fombeure, Jean Guéhenno, Henri Jeanson, Michel Leiris, Jacques Lemarchand, René Maheu, François Mauriac, Philippe Soupault, Jean Texcier.

Le *Littéraire* publia le texte le 29 mars 1947, bientôt suivi de *Combat* (4 avril), *Carrefour*, *Gavroche*... Dans un texte parallèle [34], Martin-Chauffier expliquait pourquoi il refusait de signer la protestation, dont il approuvait le fond mais pas le ton, trop crûment agressif, à son avis, à l'égard du Parti des quarante mille fusillés. Membre en vue du Comité national des écrivains dont il allait être élu, quelques jours plus tard, président il lui était évidemment malaisé de paraître s'associer à une mise en demeure à l'organisation tutélaire.

C'était poser tout le problème de l'efficacité du texte, sorti, par hasard, à l'orée d'une crise politique cruciale. Les générations futures auront toujours quelque mal à imaginer la force du rayonnement intellectuel du parti communiste dans les premières années de l'après-guerre, image inversée du discrédit profond dans lequel il paraissait tombé cinq ans plus tôt. Il ne faisait pas bon alors heurter de front cette hégémonie, et il était facile à un discours terroriste de discréditer ses adversaires, à tout le moins auprès de l'intelligentsia progressiste, la seule qui comptât, par un simple haussement de ton, si faible ait été sur le fond le dossier à défendre. C'est ce que firent, chacun de son côté, la presse communiste et les organisations du compagnonnage.

L'Humanité, sous la plume d'un chroniqueur « culturel », Guy Leclerc [35], n'eut pas de peine à épingler dans la liste des signataires trois ou quatre noms indésirables. Les initiateurs du texte ainsi disqualifiés comme « chiens de garde » de l'anticommunisme, il devenait facile d'esquiver la réponse sur le fond, au profit d'un raisonnement purement syllogistique. Citons quelques extraits de ce morceau d'anthologie du stalinisme français. Attaque *ad hominem* :

« Il va sans dire que le but de l'opération n'est pas de " réhabiliter la mémoire " de Nizan, dont ces messieurs se moquent bien, mais d'attaquer le parti communiste français. Aussi bien, suffit-il de lire les noms des protestataires pour comprendre le sens profond de leur démarche : Brice Parain, chassé de *L'Humanité* parce que gérant du journal policier

Détective; André Breton, qui fut l'hôte de Trotsky, le plus grand serviteur de la politique internationale contre le mouvement ouvrier, André Breton, qui dénonçait précisément dans sa revue son cosignataire d'aujourd'hui comme policier; Jean Paulhan, l'homme pour qui Romain Rolland a été un traître au même titre qu'un Alphonse de Chateaubriant; Henri Jeanson, fondateur et directeur du journal nazi *Aujourd'hui*. »

Réponse mensongère :

« Nizan a quitté le parti communiste en septembre 1939. Il l'a quitté avec éclat, en donnant à son geste un caractère ostentatoire, en participant aussitôt à l'abominable campagne de calomnies déclenchée contre les plus clairvoyants et les plus courageux des Français. ».

Amalgame et syllogisme vychinskiens :

« Il l'a quitté comme Gitton et Capron, hommes de la police politique... *Traître à son Parti, il a été du même coup traître à la France*[36], en aidant par ses déclarations publiques les Daladier, les Bonnet, contre lesquels il écrivait la veille, et tous les agents de la Cinquième Colonne, à mener leur politique criminelle[37]. *Peut-on croire que cette attitude ne prolongeait pas une activité antérieure*[38]? »

Péroraison musclée au nom de la Résistance :

« En voilà assez! Cinq années de souffrance ont suffisamment révélé quelle marchandise recouvre l'anticommunisme pour que cette manœuvre juge à la fois ceux qui la font et celui qu'elle vise à défendre. »

La réponse du comité directeur du CNE fut aussi aragonienne que la protestation avait été sartrienne. Les vingt-six avaient en effet commis une erreur tactique, en signalant dans leur premier paragraphe : « À l'un d'entre nous, Aragon a affirmé que Nizan fournissait des renseignements sur l'activité du parti communiste au ministère de l'Intérieur. » Or, à l'époque, Aragon, qui ne se faisait pas faute d'alimenter la rumeur, n'avait encore rien écrit. Il était donc facile de retourner l'accusation comme un gant et de feindre de voir en elle une opération subalterne destinée non à réhabiliter un mort mais à déshonorer un vivant. C'est sur ce seul point que l'organisation prétendit répondre, laissant au directeur des *Lettres françaises*, Claude Morgan, le soin d'arpéger sur les arguments de Leclerc[39].

L'affaire prit une tournure plus contemporaine et plus personnelle encore quand Sartre, qui venait d'autre part. d'être qualifié par la *Pravda* d' « agent des trusts américains », s'avisa de répondre en son nom à la mise au point du CNE :

« Puisque le CNE se montre si soucieux de défendre· l'honneur de ses membres, je tiens à déclarer d'abord que je suis encore membre de ce Comité et que je ne me rappelle pas qu'il m'ait défendu contre les attaques communistes dont j'ai été l'objet. En second lieu, c'est à moi que M. Aragon a fait les déclarations citées plus haut. Estime-t-il donc qu'elles étaient de telle nature que leur pure et simple reproduction puisse jeter le discrédit sur leur auteur? Ou bien nie-t-il les avoir faites? En ce cas, c'est sa parole contre la mienne. Qu'il le dise et chacun jugera [40]. »

Comme d'habitude, Aragon ne répondit pas.

Les amis de Nizan tirèrent pour leur part les conclusions du silence communiste sur le fond de l'affaire, et en particulier de celui « de M. Lefebvre. Nizan a quitté le parti communiste en 1939. Nous le savions; chacun jugera comme il l'entend. Quant aux insinuations concernant sa conduite antérieure, aucune preuve de leur véracité n'a été produite [41] ».

Ils s'en tinrent là. Autre erreur, et stratégique, cette fois, car un écrivain ne se réhabilite pas à coup de « dont acte ». Ses vrais dont acte sont ses écrits, ce sont eux qu'il faut tenter à toute force d'exhumer. Nizan n'avait pas à être défendu, mais lu. C'était sa meilleure réponse, par-delà la mort. Les vingt-six se contentèrent de la satisfaction morale d'avoir contraint au silence les calomniateurs. En quoi ils se trompaient doublement : Aragon n'allait pas tarder à parler, à sa manière inimitable; et, surtout, le silence en question allait autant recouvrir Nizan lui-même que les écrits datés d'un Lefebvre ou d'un Leclerc.

Sartre, à la même époque, montrait au passage Nizan dans *Qu'est-ce que la littérature?* [42], mais c'était simplement pour le donner en exemple de la contradiction mortelle dans laquelle se trouve enfermé l'écrivain d'Église : que son œuvre devienne accessoire d'une cérémonie qui, elle, vise essentiellement à la communion. A partir du moment où « le sens de la lecture » est ainsi annihilé, à quoi bon lire encore *La Conspiration?*

La conjoncture décourageait, il est vrai, toute tentative en sens contraire. Le dernier texte de la polémique, celui par lequel Martin-Chauffier expliquait sa position centriste, parut le 15 mai 1947. A cette date, les préoccupations des politiques et des intellectuels étaient déjà bien loin de cette querelle rétrospective. La nouvelle république massacrait comme une grande en Indochine, à Madagascar; dix jours auparavant les ministres communistes avaient été exclus du gouvernement par Ramadier; la France entrait officiellement, à son tour, dans la guerre froide. Le parti communiste redevenait un ghetto, presque une victime. On allait réentendre à son sujet les arguments utilisés précisément en 1939 contre Nizan : il n'était plus possible de donner, même avec raison, des armes aux diviseurs de la classe ouvrière, aux désespéreurs de Billancourt. L'équipe des *Temps modernes* engageait une délicate traversée de la mer des tempêtes, entre autonomie et soutien critique. La guerre de Corée, le maccarthysme achevèrent de recomposer le tableau. Au plus chaud de l'offensive anticommuniste, Sartre reprendra place à ce fameux comité directeur du CNE, dont il se tenait éloigné depuis 1947.

Cellule Aden Arabie

Les années 50 furent sans doute les plus sombres de toutes pour le souvenir de Nizan. Encore, entre 1940 et 1949, pouvait-on parler de lui, même pour le traîner dans la boue. Après *Les Communistes,* c'est l'oubli qui parut s'emparer de l'homme et de ses livres [43]. Il n'était plus nécessaire d'expliquer sa trahison : personne, dans les nouvelles générations, n'avait entendu parler de lui. Ignorée des dictionnaires, rayée des histoires de la littérature, l'œuvre achevait de s'empoussiérer dans l'indifférence. Le 15 avril 1955, la maison Gallimard décide de mettre au pilon quatre cent cinq exemplaires du *Cheval de Troie* qui, décidément, ne se vend plus. La lettre du service commercial est encore adressée à « M. Paul Nizan, 25 rue de Lorraine, Saint-Germain-en-Laye ». Rien n'a bougé depuis 1939. En cette traversée du désert, un seul pays étranger se rappelle encore l'existence du réprouvé. On devine qu'il s'agit de la Yougoslavie : en 1954, paraît la traduction serbo-croate de *La Conspiration* qui, à cette même date, prend à son tour en France le chemin du pilon [44].

L'Histoire cependant continue d'avancer bon train. Des empires s'effondrent, des régimes meurent et naissent. A l'Est, du nouveau. Le successeur de Staline dénonce les crimes de son ancien maître. A l'Est, rien de nouveau. Les chars du successeur écrasent des prolétaires qui avaient mal compris. Symétriquement, une certaine idée de la France pourrit sur pied dans l'équivoque d'une nouvelle « sale guerre ». Les intellectuels de gauche, les militants anticolonialistes, les compagnons de route s'interrogent. L'espace de quelques années, comme cela arrive toutes les décennies environ, ces douteurs professionnels se remettent à douter d'eux-mêmes. Dans cette situation de révolte rageuse, existentielle, les regards des disciples troublés se tournent vers celui qui, à l'heure du Manifeste des « 121 » et du voyage à Cuba, est sans doute à l'apogée de son prestige intellectuel. Sartre et sa compagne commencent à publier leurs bilans, des *Mémoires d'une jeune fille rangée* en 1958 aux *Mots* de 1963, ces derniers conservés dans les tiroirs depuis près de dix ans.

Dans l'entre-deux, *Les Séquestrés d'Altona* ont mis en scène un homme abîmé dans la mauvaise conscience de tout son siècle qui, dans un dernier sursaut, décide enfin de revendiquer son destin, individuel et collectif, à la face d'une Histoire absurde. Sartre, lui aussi, a peut-être, à son échelle et dans l'ordre de ses responsabilités, sa petite mauvaise conscience. Celle de ne pas avoir poursuivi jusqu'au bout son travail de réhabilitation. On a vu comment se terminaient, depuis la parution du chapitre *Drôle d'amitié* dans les *Temps modernes* de novembre et décembre 1949, *Les Chemins de la Liberté* [45]. On a vu comment les derniers efforts romanesques de Sartre, comme les premiers, en 1923, furent consacrés à décrypter l'énigme de son ami, ses dernières pages remplies tout entières de la figure de Nizan dédoublée en Brunet et Vicarios — l'avatar conquérant, l'avatar angoissé, et toujours la même révolte radicale. D'après Simone de Beauvoir [46], le dernier état du projet montrait Brunet réussir une deuxième tentative d'évasion, rejoindre la Résistance et, au sein d'un

Parti réintégré au combat antifasciste, obtenir la réhabilitation posthume (?) de Vicarios, avant de tomber à son tour.
Mais cette fin « positive » ne vit jamais le jour. McCarthy et
Dos Passos en décidèrent autrement. Ceux qui lisent
aujourd'hui *Les Chemins de la liberté* sous forme de livre
ignorent même *Drôle d'amitié*. L'inachèvement régnait en
tous lieux; celui des *Communistes* renvoyait à celui des
Chemins de la liberté, et ces derniers resteraient éternellement suspendus sur la mort abominable d'Orfilat-Vicarios-
Nizan, non réhabilité, non justifié, volé.

Quand donc, au lendemain des *Sequestrés d'Altona*, un
jeune éditeur d'extrême gauche nourri de Sartre entreprit
d'aller voir de plus près dans les bibliothèques ce Nizan
maudit qui avait parlé, trente ans plus tôt, de jeunesse, de
révolte et d'Arabie [47], le petit-camarade saisit l'occasion qui
lui était donnée de payer sa dette : ce seront les fameuses
quarante-cinq pages de l'*Avant-Propos* à la réédition Maspéro
d'*Aden Arabie*, long texte — à peu près la moitié de celui de
Nizan — désormais inséparable de l'œuvre préfacée, comme
si les deux cothurnes de la rue d'Ulm avaient enfin réussi à
écrire un livre ensemble, où leurs voix se répondraient
par-delà la mort, vrai dialogue aux Enfers renouvelé de
l'antique.

Comment être écrivain? se demandait le Sartre de 1947.
Comment le devenir? se demandait-il en 1954, en rédigeant
pour soi seul *Les Mots*. Comment le rester après tant de
faillites? martèle-t-il en 1960. Et là-bas, à Cuba, entre deux
entretiens avec Fidel, le leader alors charismatique, il répond
en ressuscitant deux hommes à peu près inconnus du public,
de son public comme de l'autre : un Sartre Jean-Paul de bien
avant *La Nausée*, l'existentialisme et la gloire des magazines;
et son ami le plus cher, Paul-Yves. Bien loin d'en faire des
fantômes émouvants, un peu datés, voilà qu'il les oppose sans
ménagement aux misérables tentatives intellectuelles qui,
d'après lui, ont suivi, au milieu desquelles un Jean-Paul « new
look », costumé en Juste « souriant, léger, funèbre », a accepté
trop longtemps de jouer la comédie du pouvoir intellectuel.
Plus rien à attendre de deux générations différemment mais
également flouées, la sienne et celle de la Libération. Un seul
espoir : les jeunes de 1960, qui ont tout à reconstruire sur les

ruines du communisme stalinien, de la gauche dégénérée et de l'Occident en miettes. Un seul écrivain à parler leur langue : Nizan, éternellement jeune, éternellement révolté, sauvé par la mort des compromissions et des bedonnances. « D'année en année, son hibernation l'a rajeuni. Il était notre contemporain, hier; aujourd'hui, c'est le leur [46]. »

Chasser le naturel, il revient au galop. Nizan avait voulu s'intégrer à un « oui » en 1930. En 1960, il ressuscite dans le rôle de l'insoumis.

Devant ce qui demeurera peut-être comme l'un des plus beaux textes de son auteur, la critique se mit en branle, le public intellectuel s'émut. Avez-vous lu *Aden Arabie?* Aimez-vous Nizan? Rumeur pour rumeur, celle-ci disait du bien. La courbe se mit à remonter. Vingt ans plus tard, elle n'a jamais été aussi haute.

Dans la foulée d'*Aden Arabie*, Maspéro ressortit *Les Chiens de garde* (1960). On va exhumer des textes apparemment plus confidentiels, comme *Les Matérialistes de l'Antiquité* (1965) ou *Chronique de septembre* (1978). Dès 1960, un journaliste avait noté : « On vient de remettre en circulation *La Conspiration* [49]. » Il faudra cependant attendre 1968 pour qu'une réimpression soit décidée [50]. Grasset est plus rapide, qui réimprime *Antoine Bloyé* dès la sortie d'*Aden*. Le Nizan se vend de mieux en mieux. A la veille de mai 68, qui lui donnera un nouveau coup de fouet, les deux essais réédités par Maspéro ont déjà eu cinq cents fois plus de lecteurs que du vivant de leur auteur. Les éditeurs se précipitent. L'œuvre en livre est courte. Ne pourrait-on tabler sur des textes inédits? Des manuscrits, une correspondance, des articles? C'est chose faite, en 1967 [51], en 1971 [52]. Désormais, il n'y a plus guère qu'une centaine de notules littéraires, qu'un gros paquet d'articulets de stricte actualité politique, écrits sur le marbre dans la fièvre des dépêches d'agence, qui aient échappé, et sans doute pour longtemps, à la boulimie éditoriale. Aucun texte important n'est plus aujourd'hui inaccessible au lecteur systématique. Peu de contemporains peuvent en dire autant.

Tout le reste arrive alors par surcroît. Encore ignoré du Grand Larousse dans son édition de 1963, Nizan (Paul) entre dans ce panthéon par la petite porte du Supplément de 1968.

Absent du Lagarde et Michard, qui n'a garde d'oublier
Jacques de Lacretelle et Félix de Chazournes, il est admis dès
1966 dans le Dictionnaire de la littérature française, peu
après dans l'*Encyclopaedia Universalis*, qui lui consacre un
long article. Son statut mondain est assuré.

Vingt-sept ans d'attente pour *Antoine Bloyé*, vingt-neuf
pour *Aden Arabie*, trente, pour *La Conspiration*, la trentaine
pour les petits parnasses ordinaires : Nizan n'aura effectivement végété que l'espace d'une génération. C'est finalement
peu, s'il doit avoir la bonne fortune de ne plus jamais
disparaître des catalogues. Il n'est d'ailleurs pas nécessaire de
forcer la note pour distinguer des correspondances entre la
reparution des œuvres et le contexte historique. *Aden Arabie*
interpelle rudement la génération de la guerre d'Algérie. *La
Conspiration* semble sortir tout droit de l'expérience ambiguë
de mai 68, *Le Cheval de Troie*, reparu un an plus tard,
devient l'un des rares romans militants réussis, etc. Dans *La
Chinoise*, de Godard, film hautement mythologique, le petit
groupe des conspirateurs s'appelle « cellule Aden Arabie ».
Dix ans après Mai, Philippe Madral, lui aussi ancien
journaliste à *L'Humanité* et ancien universitaire passé à la
création artistique, donne à l'Odéon une pièce directement
inspirée du *Cheval de Troie* [53].

L'une des vedettes de la nouvelle dramaturgie française,
Patrice Chéreau, manifeste l'intention de mettre en scène
Antoine Bloyé, qui paraît effectivement tout à fait adaptable
au « théâtre du quotidien ». Suit la télévision. La voix acide et
faussement nonchalante de Nizan semble au diapason de la
fin de siècle.

Il est même un point sur lequel il paraît soudain distancer
la plupart de ses contemporains : mort jeune, mi-partie
d'agrégé de philosophie et de militant communiste, il s'est
mis à représenter le sujet de thèse par excellence. Une
première étude, qui demeure encore aujourd'hui le seul
ouvrage aisément accessible sur lui, sort dès 1966 [54]. Elle
ressemble malheureusement plus à un brouillon griffonné
dans la fièvre de la découverte qu'à une introduction modeste
et pédagogique à une œuvre encore méconnue. Il faut donc
attendre les premières années 70 pour voir soudain flocculer
les exégèses sans lesquelles la réputation d'un littérateur

demeure suspecte, toutes visiblement écrites à la lumière de
l'*Avant-Propos*.

Les ouvrages parus alors sont, à une exception près, fort
honorables [55]. Les nizanistes à venir les consulteront avec
profit. La place qu'y occupent les chercheurs anglo-saxons,
récompense involontaire de l'anglophilie de l'agent de liaison
Nizan, est en soi un signe flatteur et une belle option sur la
postérité. Les approches proposées jusqu'à aujourd'hui contribuent cependant à renvoyer Nizan dans le ghetto doré où
toute une éducation, familiale et nationale, avait essayé de
l'enfermer et dont toute sa vie était en fait une tentative
d'évasion, le ghetto doré des forts en thème. Le textuel a
tendance à y proliférer au détriment du corporel, de l'affectif,
du social, voire même du politique — en un mot de
l'historique.

Or s'il fut des « hommes de lettres » impliqués dans le
siècle, des clercs défroqués et heureux de l'être, ce furent bien,
en cet entre-deux-guerres où les peuples et les esprits
distingués jouaient à cache-cache avec la fin du monde, ces
reporters du destin nommés Aragon, Malraux, Nizan ou, sur
d'autres registres et, peut-être, à un moindre degré, Berl,
Brasillach, Drieu, Prévert, Saint-Exupéry... Si certains d'entre eux doivent « rester », ce sera assurément pour leur verbe,
mais si ce verbe reste, c'est sans doute parce qu'il aura été,
plus que les autres, ceux d'un Valéry, d'un Montherlant,
composé des mille bruits de l'Histoire. Cantates pour le Prix
de Rome, sacres du printemps; les professeurs auraient une
tendance irrépressible à préférer les premières, tout en
cherchant à académiser les secondes. Le public est là pour les
rappeler à l'ordre du désordre, et les faire s'attarder un peu
sur les brillants sujets mauvais esprits.

La cause n'est donc pas tout à fait entendue. On ne peut
sans doute plus écrire comme un historien de 1965 que Nizan
est « un peu oublié [56] ». Mais la figure de son destin reste mal
perçue. Quarante ans après, il gêne encore, surtout ses
proches, sa famille spirituelle, comme on l'a vu avec les
récentes circonlocutions communistes; sa famille naturelle
aussi : en 1978 son gendre, Olivier Todd, écrit encore qu'entre
sa démission et sa mort « il n'a pas eu le temps de guérir [57] », et
l'image du discours totalitaire, principalement marxiste,

comme ressortissant de la pure et simple pathologie hante
l'œuvre de son petit-fils, Emmanuel Todd. La véhémence et le
brio des deux premiers essais de celui-ci [58] ne sont d'ailleurs
pas sans rappeler les deux premiers livres que son jeune
grand-père écrivit au même âge. Seulement, l'éloquence de la
révolte, la pronostication de la « chute finale » de l'oppression
honnie sont ici retournées contre le communisme, et derrière
lui le marxisme tout entier.

Un seul être demeure ferme tout au long de cette longue et
courte histoire posthume — la seule histoire qui compte, pour
un créateur —, Rirette. Femme « libérée » bien avant le mot,
et y compris libérée de la double fatalité qui tomba sur elle,
celle de la veuve de guerre, tout de suite, et celle, beaucoup
plus tard, de la veuve de grand homme. « Depuis tant d'années
que l'on vient m'interroger sur Nizan, on a fini par me voler
mes souvenirs. Il se venge en m'apparaissant parfois en rêve.
Dans ces rêves, il n'est pas mort. Il m'a simplement
abandonnée. Il m'a répudiée. Quittée pour une autre vie, avec
Dieu sait quelle autre femme », dit-elle simplement
aujourd'hui [59].

On a jusqu'à présent écrit sur l'auteur d' *Aden Arabie,* ou
sur celui de *La Conspiration,* ou sur le militant communiste.
J'aimerais que ce livre ait parlé aussi de l'homme de Rirette,
celui qui apparaît dans ses rêves.

Prométhée, enchaîné?

> « Il faudrait que ce soit un livre :
> je ne sais rien faire d'autre. Mais
> pas un livre d'histoire, ça parle de
> ce qui a existé — jamais un exis-
> tant ne peut justifier l'existence
> d'un autre existant. Mon erreur,
> c'était de vouloir ressusciter M. de
> Rollebon. »
>
> *(La Nausée)*

Le sergent Hutchins eut beau tracer pour Rirette le plan du
pré où il avait enterré le manuscrit recueilli dans la cantine
de Paul-Yves, il était trop tard. Seule, sans moyens, elle ne put
que constater sur place le bouleversement des lieux, faire
creuser aux alentours des rochers indiqués sur le papier, et
puis un peu plus loin, un peu plus loin encore; en vain. Tant
de pluies, tant de piétinements militaires sur Jemelle, ce
morceau de terre belge, près de la frontière, où les Allemands
avaient regroupé les prisonniers du coup de filet de Dunkerque, avant de les envoyer dans leurs stalags.

Cinq ans plus tard, le même terrain avait accueilli des
prisonniers allemands. L'Histoire fluait et refluait à la
superficie de la terre qui, elle, se remuait en silence, digérait
lentement le paquet taché d'encre à quoi s'était accroché dix
mois durant le salut de Paul Nizan. Ci-gît *La Soirée à
Somosierra*.

« Dieu le fracas que fait un poète qu'on tue », a dit l'autre.
Une fois de plus, il se trompait. La mort de Nizan ne fit aucun
bruit. On peut même difficilement imaginer plus grand
enfouissement. Tombé obscurément dans un combat obscur,
il fit partie de ces hommes de la Débâcle dont on ne pourra
certifier le décès qu'après des mois, des années. Sa mort n'a
été « publiée » nulle part, même dans la haine. Aujourd'hui
encore, il se trouve des compilateurs qui ne savent même pas
où il a été tué et, trompés par la consonnance de Coëtlogon,
font mourir le Breton Nizan dans les Côtes du Nord [1].

A une époque où les maîtres potentiels de l'avenir français s'appelaient Pierre Laval, Maurice Thorez ou Charles de Gaulle, on voit mal où pouvait bien s'accrocher la mémoire d'un communiste accusé de double jeu, fût-il un « grand écrivain ». Un grand artiste, ça n'existe pas en soi. Il y faut de l'Histoire autour pour le dire. Quand Nizan déplorait qu'aucun homme ne disparût « d'une manière vraiment raisonnable, dans un véritable néant, où il n'eût été, prétexte à aucun rite [2] », il n'imaginait sans doute pas qu'on serait pour lui raisonnable à ce point, qu'un jour que ses camarades entreprendraient contre lui ce que le vieux monde bourgeois n'avait pas réussi :

« On s'apprêtait à jeter sur moi tant de couvertures : j'aurais pu être un traître, j'aurais pu étouffer [3]. »

Avant d'être éventuellement un mythe, tout destin est d'abord une ironie de l'Histoire. Vingt ans après la résurrection du susdit grand écrivain il n'y a toujours nulle part de rue, de place, de square Nizan. Aucune municipalité ouvrière ne lui a dédié le CES, la MJC, la crèche modèle dont elle a gratifié Éluard, Elsa, Politzer, dont elle gratifiera demain Aragon. Les amis de Nizan s'en moquent, bien sûr. Ils préfèrent que son nom continue à figurer sur les couvertures des livres de poche.

Pour certains autres, ce gêneur ne perd cependant rien pour attendre. Nouvel Antoine Bloyé, n'a-t-il pas été, durant toute son adhésion au communisme, cet homme « des actes solitaires que lui avaient imposés une puissance extérieure et inhumaine (...), des actes qui n'avaient pas fait partie d'une authentique existence humaine, qui n'avaient pas eu de suites véritables [4] »? En mourant hors l'Église mais sans avoir eu le temps d'en tirer aucune conséquence littéraire, l'écrivain Nizan ne mourait-il pas, comme Rosen, volé? Après tout, la *guerre civile* n'a pas eu lieu et Stalinabad est redevenue Douchanbe. Tout ce qui dans son œuvre dépendait de l'actualité d'un combat désormais terni, ou de consignes partisanes bornées n'est-il pas irrémédiablement caduc? Le sectarisme ne rend-il pas aujourd'hui *Les Chiens de garde* nul et non avenu? Avec un peu plus de mauvaise foi, on peut affirmer de la même façon que *Le Cheval de Troie*, roman de parti, est à enfouir dans les poubelles du réalisme socialiste —

ce qui est un bon prétexte à ne pas le lire. A ce compte, *Antoine Bloyé* n'est plus qu'une ébauche prometteuse, *Les Matérialistes* et *Chronique de septembre,* deux bibelots d'art mineur. Resterait un pamphlet injuste mais brillant et un roman inattaquable mais, fort heureusement, « ambigu ». Ce n'est pas rien, assurément, en face de ce que la postérité a conservé d'un Barrès, d'un Romain Rolland. Mais enfin... Quels chefs-d'œuvre ne nous aurait-il pas donné, si...

Non. Au procès de l'homme, Paul Nizan est témoin numéro un par ce qui fait depuis toujours les témoins numéro un : un peu ce qu'ils ont vécu, beaucoup ce qu'ils en disent. Question : qu'est-ce qu'un homme? — Un homme, répond Nizan, et quelques autres avec lui, c'est ce drôle d'animal qui trouve en lui-même la force de se dépasser. Comme certains dieux ce dépassement a un double nom : sens et œuvre. C'est là que se tient la positivité de Nizan. Il n'est pas jusqu'à son obsession de la mort qui ne soit à réinscrire dans une perspective dynamique, créatrice :

« On ne change rien qu'au risque de la mort, on ne transforme rien qu'en pensant à la mort [5]. » Nizan est de ceux qui ont compris dès l'abord que la seule date importante d'une vie humaine n'est pas celle de la naissance, mais celle de la mort, non pas parce qu'elle termine, qu'elle achève, comme un boucher achève un cheval, au contraire : parce qu'elle partage en deux parts équivalentes une vie d'homme complet. Deux parts essentiellement différentes et essentiellement complémentaires : une vie antérieure, une vie postérieure, si l'on veut. Simplement, il y a des êtres humains qui n'ont pas la seconde.

C'est cet optimisme tragique, cet optimisme tout de même, qui fait que *Les Chemins de la liberté* devaient se clore pour Vicarios non sur la mort mais sur la réhabilitation. C'est lui qui fait qu'après avoir décrit cette fin atroce, cette dénonciation radicale du totalitarisme, Sartre ait accepté, l'Histoire, selon lui, l'imposant, de faire un bout de ces chemins-là avec les communistes, au plus fort de la guerre froide.

Bien sûr, ce n'est pas sans raison que la Seconde Guerre mondiale a tué pour le coup quatre grands romanciers français : Nizan, Saint-Exupéry, Malraux et Sartre, qui échouera à assumer cette expérience en termes romanesques.

Il a même fallu attendre treize ans et *La Semaine sainte* pour
se convaincre qu'Aragon ne s'y était pas perdu pour toujours.
Mais enfin, on a continué à écrire, même après Auschwitz et
Hiroshima. C'est le contraire qui aurait été étonnant, comme
ne pas reconstruire telle qu'en elle-même la vieille ville de
Varsovie après les destructions systématiques des nazis,
aurait été leur donner la victoire finale.

Dans cette perspective d'un Nizan débarrassé de toute une
aura romantique un peu suspecte — quelque chose comme
un intellectuel phtisique assassiné lâchement par ses petits
camarades —, un homme dru, réservé mais sans mystère,
apparaît désormais. Celui qui a tout simplement osé faire
l'éloge de la haine de jeunesse (il y a bien des amours de
jeunesse), de la haine tout court, pas celle qui anime le SA
frappant un sous-homme, mais celle du sous-homme frappé
par le SA. Avec quelques bonnes longueurs d'avance sur
Sartre, qui à cet égard paraît avoir pris comme son relais, au
sortir de la guerre, Nizan a osé mettre en cause aussi bien son
propre statut de clerc bien dressé que les formes les plus
évidentes de l'égoïsme social, dénonçant l'aliénation au même
degré — mais avec plus d'expérience — que l'exploitation.

Un mot le hante, et peut-être le sauve : élevé par l'école,
l'École et l'Agrégation de philosophie réunies dans le culte de
l'abstraction, il crie à la mystification, appelle au concret de
l'économique, du biologique. Il peut même se permettre
d'ironiser sur tous ces confrères, ces contemporains qui,
tenant avec moins de vigueur, le même discours, se révèlent
en fait jusqu'à la guerre fort peu enclins à descendre de la
chaire pour se coltiner le sale boulot. Un Jean Wahl, un
Raymond Aron, un Jean-Paul Sartre. C'est cette préoccupation du concret qui évite à Nizan le dessèchement, la stérilité
et, pour tout dire, le destin morose de ces brillants esprits
nommés Benda, Berl ou Petitjean; c'est elle qui lui permet de
passer avec aisance de l'essai au roman, en sens inverse de
Malraux qui paraît, du coup, n'avoir écrit ses romans,
superbes, que par erreur.

Avec qui être? demandait Nizan à l'époque d'*Aden Arabie*.
C'était pour répondre : tout à la fois avec « Lénine le jour où il
voyait que la révolution était victorieuse » et avec « Beethoven

le jour où il avait achevé la Symphonie avec chœurs ». Le militant a beaucoup parlé de Lénine, mais il n'a jamais oublié Beethoven. En 1960, il fallait bien un livre pour justifier un avant-propos, si brillant celui-ci fût-il. Les meilleurs arguments de Nizan ne pouvaient être que ses œuvres. A chaque reparution, il devenait plus clair que la mort de 1940 ne signifiait pas : « Que n'aurait-il pas écrit, à la lumière de la guerre, de la calomnie et de l'exclusion! Que nous auraient laissé Barrès, Stendhal, Sartre morts à trente-cinq ans? » mais bien : « Qu'avait-il déjà écrit! » Au xxiᵉ siècle, s'il doit lui rester encore place dans la mémoire humaine, ce ne sera pas pour une sale mort et une « affaire » triviale, mais pour trois romans, deux essais, deux ou trois reportages, quelques critiques, pour une certaine hygiène des lettres, pour un ton de voix reconnaissable.

Les qualités littéraires de Nizan apparaissent peut-être mieux si on le compare un instant à cette autre victime de la Seconde Guerre mondiale, elle aussi disparue à trente-cinq ans, elle aussi chroniqueur littéraire d'un grand quotidien extrémiste, elle aussi nourrie dans sa jeunesse de Morand et de Giraudoux : Robert Brasillach. Il est facile de voir que le style de l'aîné atteint dès les premiers livres son point d'équilibre, quand celui du cadet est encore tout encombré de coquetteries, partagé entre la joliesse et des accès de grosse voix, où se force visiblement son organe. N'est pas méchant qui veut, en littérature; qui y viole son talent risque fort de terminer dans l'ordure.

Écrire, ce n'est jamais que répondre par une certaine musique à quelques questions simples, entêtantes, constantes. La musique de Nizan, ce sera « J'avais vingt ans. Je ne laisserai personne dire que c'est le plus bel âge de la vie », ou « Sa mère crut que ces larmes étaient des signes de remords. Il ne pleurait que sur lui-même : tout le monde s'y trompa », sa première phrase, sa dernière, et tout l'entre-deux. Les questions simples, ce sont celles qu'on devine entre les lignes du « remède quadruple » d'Epicure, quelque chose comme : A quoi bon les dieux? A quoi bon la mort? A quand le bonheur? Jusqu'où la souffrance? Pas une musique lyrique, ou acrobatique, une musique acidulée, claire et dissonante mais sans système, traversée de fausses nonchalances, quelque chose

comme le premier Stravinski, le dernier Bartok. Pas celle
d'un découvreur d'univers sonore, un Proust, un Joyce, mais
la pointe avancée d'un certain classicisme, famille Voltaire
plutôt que Boileau, fait de mauvais esprit, de bonne syntaxe,
et de volonté de ne pas être dupe. « Le plus grand art étant
jusqu'à nouvel ordre une mise en accusation du monde [6] », oui,
en ce sens il fut bien un « dénonciateur », simplement pas
celui que pensaient quelques imbéciles.

Affaire non classée, Nizan continue à déranger les uns et
les autres. La solitude de sa mort, sarcasme absurde, conforte
son image. « Irrécupérable », pour parler comme le drama-
turge Sartre, il ne sera jamais un « Artiste-du-Peuple »,
jamais, malgré toutes les réhabilitations posthumes, le Péguy
communiste dont le Parti aurait eu tant besoin.

Le fin mot de son destin, il le donna à Rirette *in extremis*,
dans une lettre de guerre, au lendemain de sa rupture : « Le
seul honneur qui nous reste est celui de l'entendement [7]. » En
quoi le dernier Nizan rejoignait le premier, celui qui écrivait
sur la feuille d'un carnet, vers 1925 : « Ce nouvel univers à
connaître, je le remets à plus tard lorsque je serai sauvé,
lorsque l'illusion du définitif aura triomphé [8]. » Cette illu-
sion-là, il avait été bien près de s'y laisser prendre corps et
âme — et, au dernier moment, ce fameux honneur de
l'entendement l'avait emporté.

« C'était un temps déraisonnable. » Bien peu firent un tel
choix. Critérium : considérons seulement le comportement
des grands intellectuels français pendant la Drôle de Guerre,
comportement aujourd'hui bien effacé par le grand cham-
bardement idéologique qui s'ensuivit. Giraudoux responsable
de la propagande et de la censure. Valéry plus conférencier
mondain que jamais. Romain Rolland rallié cette fois à la
politique de défense nationale. Maurras et Drieu qui embou-
chent le clairon de Déroulède. Alain et Giono emmurés dans
un pacifisme intégral qui fait le jeu d'Hitler. Partout, chez
ceux qui parlent, la répétition, en farce, des vautreries de
1914.

Aragon, Malraux, Sartre qui n'en pensent pas moins mais
n'en disent pas plus. Une seule voix désaccordée, le 25
septembre; non pour dire qu'il ne faut pas se battre contre
l'hitlérisme, c'est le désaccord de Ferdonnet, ou que l'ennemi

principal est Staline, c'est le désaccord de Philippe Henriot, mais pour rappeler sèchement les deux principes de l'« intellectuel » :

1. que la morale passe avant la tactique, et même la stratégie; 2. qu'il est des temps où l'urgence est de risquer son existence pour cette morale-là. A ceux qui, au jeu des sept familles, chercheraient un parangon de l'intellectuel contemporain, offrons Nizan.

1920. Un jeune homme doué découvre deux visages de la mort, dans l'absurdité d'une guerre et l'échec d'un père. Il se jure de ne plus jamais être dupe, ni hypocrite.

1940. La grosse bête rouge et visqueuse commence le massacre de quarante-cinq millions d'êtres humains par celui du jeune homme doué. La vie postérieure de Paul-Yves Nizan commence mal.

1960. D'autres hommes viennent enfin à son secours. Il n'était pas seul. Il lui arrive même des milliers de frères.

1980. Il est toujours vivant. Sartre aussi, dont la rumeur publique annonce la mort corporelle. Mais alentour les jeux sont faits, rien ne va plus. L'Occident se trouble, bafouille des mots oubliés, « Crise », « Guerre », « Apocalypse »... Pygmalion fait sourire, Faust n'a plus rien à apprendre, Prométhée a mauvaise presse. A son esprit conquérant, à son progressisme, à son volontarisme on fait porter la responsabilité d'un environnement délabré, d'une technologie grippée, d'un système économique incohérent, d'une humanité coupée en deux non par l'idéologie mais par le niveau de vie, où un Tiers Monde grand comme deux prend de plus en plus figure de prolétariat planétaire. Le pessimisme se porte chic, en cette arrière-saison. A choisir dans la galerie des ancêtres, l'intelligentsia française semble préférer ces temps-ci quelques ludions au charme décadent, type Drieu, ou quelques frénétiques à la noirceur choisie, type Céline.

Les deux vies de Nizan témoignent pour un autre choix. « Je n'aime pas les pays qui ne portent pas nos traces », dit-il aux hommes, « je n'aime pas les arbres sauvages, les fauves, les fourmis, mais seulement les arbres des vergers, les bêtes domestiquées, les passions domptées ' ». Anti-Massart, il croit à l'Histoire. En quoi il ne se trompe jamais, car ne font l'histoire que ceux qui croient qu'il y en a une. L'histoire est comme l'oiseau simourgh, que tous les autres oiseaux recherchent et qui n'est que l'ensemble d'eux tous.

En fait, il y a un Nizan en chacun de nous. Appelons-le, faute de mieux, le révolté. Non pas le révolutionnaire, si l'on admet que le révolté remet toujours en question le sens de sa révolte, quand le révolutionnaire se métamorphose en homme d'ordre sitôt que les lendemains se mettent à chanter. Ce révolté, vital et fragile, nous l'étouffons plus ou moins. Il fut l'un de ceux qui l'étouffèrent le moins possible.

Dans son dernier roman il donne la liste des rares « actes véritables ». C'étaient « les accouplements, les meurtres, la construction des monuments, l'ouverture des routes, l'enlèvement d'une grande troupe, la vie qu'on aventure [10] ».

On ne saurait mieux dire, et l'on peut reprendre une à une ces catégories. Nizan y figure à chaque fois en bonne place.

« Quelques hommes laissent de profondes traces dans la terre, on peut longtemps demander des secrets, des avis à leurs livres, à leurs actions, à une certaine sérénité ou à une certaine puissance qu'ils avaient [11]. » Sérénité, celui-ci, sans doute pas. Mais puissance, oui, sans doute. L'histoire parle communément de Prométhée-Enchaîné, comme elle dit Ubu-Roi ou la guerre civile. Sagesse des nations. Mais il ne faut pas oublier que le second terme n'a de sens qu'en fonction du premier. Les vautours l'avaient repéré du premier jour, maintenant, ils lui dévorent le foie, et pour longtemps; qu'importe? Nizan a eu la force, le courage, la folie de voler sa part d'incendie aux dieux sourds, aveugles et indifférents qui régissent les molécules d'ADN et les taches solaires. Qui vivra verra combien de temps tout cela flambera encore. L'important, c'est le feu de joie.

Prague - Paris, été 1980.

Reconnaissance

Ce livre aurait été non pas impossible mais inutile sans l'amitié de
Rirette (Mme Henriette Nizan) et d'Emmanuel Todd, et sans la complaisance de Colette Audry, Pierre Beuchot, Jean Bruhat, André Chamson,
Philippe de Coëtlogon, Maurice de Gandillac, Claude Lévi-Strauss, Patrick
Nizan, Armand Petitjean, Jacqueline Sadoul, Geneviève Tabouis, Anne-Marie Todd, M. Villiamier.

Sont restées sans réponse nos demandes d'entretien avec Louis Aragon,
Raymond Aron, Henri Lefebvre, Georges Lefranc.

ANNEXES

I. GÉNÉALOGIE SIMPLIFIÉE DE PAUL NIZAN

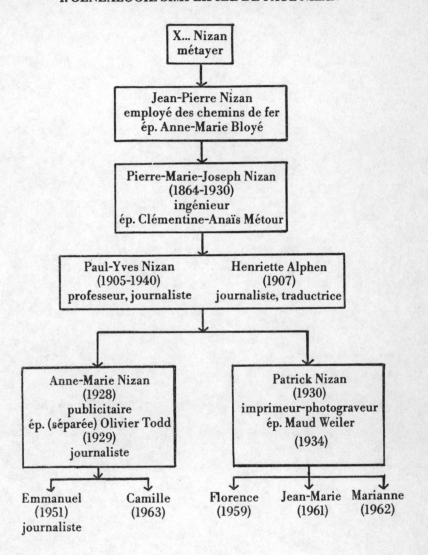

II. REPÈRES CHRONOLOGIQUES

Vies anthume et posthume

1905 (7 février) : naît à Tours.
1907 : Périgueux.
1914 (2 août) : la guerre.
1914 (7 décembre) : le télégramme.
1916 : La plaine de Choisy. Le lycée Henri-IV. Sartre.
1918 (11 novembre) : la victoire.
1922 (octobre) : hypokhâgne à Louis-le-Grand.
1923 : premiers poèmes connus. Premier texte paru.
1924 (août) : reçu à l'École normale supérieure de la rue d'Ulm.
1924 (novembre) : panthéonisation de Jaurès.
1924 (décembre) : Rirette.
1925 (printemps) : exposition des Arts décoratifs.
1925 (juillet) : précepteur mondain à Grandcourt (Seine inférieure).
1925 (octobre) : voyage en Italie.
1925 (fin) : traversée du valoisisme.
1926 (début) : traversée du communisme.
1926 (septembre) : vers Aden.
1927 (mai) : retour d'Aden. Conversions diverses.
1927 (fin) : entrée au PCF.
1927 (24 décembre) : mariage.
1928 (19 juillet) : Anne-Marie.
1929 : équipée de la *Revue marxiste.*
1929 (juillet) : agrégé de philosophie.
1929 (23 octobre) : 2ᵉ classe au 21ᵉ RIC.
1930 (février) : mort du père.
1930 (11 octobre) : libéré de ses obligations militaires.
1930 (automne) : entre à *Bifur.*
1930 (10 décembre) : *Notes. Programme sur la philosophie.*
1930 (14 décembre) : Patrick.
1931 (janvier) : *Aden Arabie.*

1931 (14 mars) : « Secrets de famille » *(Monde)*.

1931 (août) : Naxos.

1931 (septembre) : professeur au lycée Lalande de Bourg-en-Bresse.

1932 (20 avril) : *Les Chiens de garde*.

1932 : candidat PCF aux élections législatives.

1932 (automne) : mise en congé de l'Éducation nationale.

1933 : gérant de la librairie de *l'Humanité*, rue Lafayette. Travaux de traduction.

1933 (juillet) : premier numéro de *Commune*, dont il est secrétaire de rédaction.

1933 (25 octobre) : *Antoine Bloyé*, roman. Une voix au Goncourt.

1934 (janvier) : arrivée à Moscou.

1934 (6 février) : émeute à Paris, là-bas.

1934 (17 août-1ᵉʳ septembre) : premier congrès de l'Union des écrivains soviétiques, à Moscou. Malraux.

1934 (fin) : retour en France.

1935 (15 mai) : Sindobod Toçikiston » *(Europe)*.

1935 (juillet) : entre à *l'Humanité*.

1935 (21-25 juin) : premier congrès international des Écrivains pour la défense de la culture, à Paris.

1935 (automne) : *Le Cheval de Troie*, roman.

1936 (mars) : « Les funérailles anglaises » *(NRF)*.

1936 (printemps) : victoire du Front populaire français. Grèves. Joie.

1936 (juillet) : *Les Matérialistes de l'antiquité*.

1936 (13 août) : « Nuits de Valence » *(Regards)*.

1937 (mars) : entre à *Ce soir* (politique étrangère).

1937 (juillet) fonde les *Cahiers de la jeunesse*.

1937 (août) : *Les Acharniens*, pièce de théâtre.

1937 (novembre) : *Visages de la France*, film.

1937 (décembre) : voyage diplomatique d'Yvon Delbos, ministre.

1937 (novembre) : « Histoire de Thésée » *(Commune)*.

1938 (juillet) : 32ᵉ Tour de France cycliste. Vainqueur : Bartali.

1938 (30 septembre) : Munich.

1938 : *La Conspiration*, roman. Prix Interallié.

1939 (15 mars) : les troupes allemandes entrent dans Prague.

1939 (20 mars) : *Chronique de septembre*, histoire.

1939 (23 août) : pacte germano-soviétique.

1939 (3 septembre) : la guerre (la sienne).

1939 (17 septembre) : entrée de l'Armée rouge en Pologne.

1939 (25 septembre) : publication de la lettre de démission dans *l'Œuvre*.

1940 (13 février) : quitte l'Alsace.

1940 (7 mars) : affecté auprès de l'armée anglaise.

1940 (10 mai) : offensive générale allemande.

1940 (23 mai) : mort au château de Cocove, Recques-sur-Hem.

1940 (fin mai) : Rirette et les enfants réfugiés dans la Loire.

1940 (automne) : embarquent pour les États-Unis.

1941 (janvier) : Rirette apprend, à New York, le mort de Paul-Yves.
1942 (juin) : employée de l'Office of world.
1943 (mai) : travaille pour la MGM.
1945 (automne) : retour en France.
1946 (fin) : *l'Existentialisme*, d'Henri Lefebvre.
1947 (avril-juillet) : « Le cas Nizan » dans la presse.
1949 (juillet-octobre) : premiers tomes de *Les Communistes* d'Aragon.
1949 (novembre-décembre) : « Drôle d'amitié », de Jean-Paul Sartre.
Années 50 : Le silence.
1960 : première réédition posthume de *Aden Arabie*, avec l'avant-propos de Sartre.
1966 : premier livre sur Nizan.
1967 : premier recueil de textes inédits.
1968 : premier film de télévision sur Nizan.
1972 : premier film de cinéma inspiré de son œuvre.
1974 : premier film de télévision inspiré de son œuvre.
1975 : première pièce de théâtre inspirée de son œuvre.

Pour servir à la connaissance de Paul-Yves Nizan, plus une prime

1. Billet de Djibouti à Rirette

(Non reproduit dans l'édition (Maspero, 1967) de la correspondance arabique. Les dernières lignes ne manquent pourtant pas d'intérêt pour la suite. La carte postale représente une rue de la ville.)

Voici le chemin qui mène au seul divertissement naturel à Djibouti : les autres le sont moins. On y voit une palmeraie assez poussiéreuse, diverses sortes d'arbres. Il est vrai qu'on y va de nuit. Je n'aime point ce pays. Il est ridicule, moitié sous-préfecture, moitié villégiature pour petits fonctionnaires. A Aden, je roule des pensées qui sont parfois pensives, parfois plaisantes mais des pensées impures : je n'en rougis pas. A Djibouti, je ne pense à rien que de bas. Nous ne sommes pas gais : par dérision ou (deux mots illisibles) nous avons joué au grammophone avant hier soir le Clair de lune de Werther. *Il règne une grande débauche. Mais tout ceci est bien : je me détache d'un certain nombre de choses qui m'ont entre 17 ans et 20 semblé faussement importantes. Je sens que je vais jouer le rôle qu'Ovide aurait joué à son retour d'exil chez les Sarmates, s'il n'avait pas été un homme du monde. Je ne suis pas un homme du monde. Je serai insolent et je traiterai les gens importants comme je fais mon boy. Mais vous n'êtes pas une femme du monde : nous nous entendrons. P. Y. Nizan.*

2. Note sur l'invention

(Texte dactylographié non daté (1927?). Fort beau. Utilisé lointainement dans *Aden Arabie*. Fait regretter que Nizan n'ait pas continué dans cette voie.)

La vie que nous menons n'est guère qu'une étendue déserte parsemée d'objets naturels et de fabrications humaines. Tous ces objets sont les esclaves de l'homme. Comme des esclaves, vidés par l'abus des vieilles habitudes, incapables désormais d'émouvoir une existence, ce sont des arbres, des automobiles, des meubles, des porte-plumes, des dents, des lunettes, des habits, des mains, des portes, des jambes, des fenêtres, des bouches. Les hommes connaissent trop bien ces domestiques pour ne pas les regarder comme des sources d'ennui et quelquefois de désespoir. Ils sont trop secs pour fournir la nourriture nécessaire aux besoins authentiques d'animaux qui n'ont plus rien à se mettre sous la dent. Comme ils comprennent à titre d'espèce les corps humains, il est temps de faire quelque chose pour eux et de les orienter en même temps que leurs maîtres vers une destination heureuse.

Pourtant de singulières apparitions courent les rues : à Bourg la Reine, route de Paris, dans la vitrine d'un café, un melon a grandi dans une bouteille, plus merveilleux que les navires à mature d'os que les retraités de la marine et des douanes fabriquent sur les remparts de Belle Ile en Mer et dans un grand nombre de villages maritimes. Des opticiens ornent encore leurs devantures de modèles phrénologiques aussi parfaits que des sphères, atlas démodés de l'esprit, signaux plus vains que les globes chargés de répandre sur les trottoirs une lumière propice à toutes les métamorphoses. Des photographes chargent les cuisses de leurs modèles mal nourris de dentelles noires, de jarretières décorées de sentences et d'attributs, ils leur mettent entre les bras des accessoires capables d'aiguiller les hommes vers les dernières régions habitables de l'amour, de remplacer pour les incroyants les cœurs percés de glaives de la vierge des Douleurs, les roses et la croix du Carmel posés sur les seins de Sainte Thérèse de Lisieux. Les enfants qui n'ont pas encore été préparés au service militaire, au mariage, au maniement du Code de Procédure criminelle construisent sans même y penser des mécanismes surprenants qui appartiennent à la famille indéfinie de tous les objets possibles. Des vieillards sauvages, leurs véritables complices, sont les derniers défenseurs d'une liste d'instruments qui s'oppose violemment à celle des objets de consommation et des petites inventions faussement pratiques du concours Lépine : la corde à virer le vent, les entrelacs du jeu de cat's cradle, le son des bull roarers et des tambours destinés à la convocation des esprits, les pierres à voler sont les derniers témoins d'une activité humaine qui ne se contente pas de fabriquer des canons, des chapeaux melons, des prostituées, des capotes anglaises et des croix de la Légion d'honneur. Les coins où des enfants inventent leurs jeux, les salles des musées d'ethnographie sont quelques-uns des refuges où il est permis d'espérer dans les ressources humaines. Sous la terre habitent des squelettes délicats comme des nervures, avec un rire toujours plus subtil que celui de nos joues charnues et le mouvement de nos poumons. Ils sont solitaires, qui sait à quoi ils servent, mais il suffit à quelques hommes de faire jouer un rôle aux squelettes de leur famille, dans des anecdotes inventées, pour qu'ils cessent de se poser bien des questions au sujet de la mort.

Un certain nombre d'objets se comportent avec une indépendance absolue, à laquelle il est impossible de trouver une signification pratique, industrielle ou éthique : chacun de ces îlots de matière privés de toute connection amène à se poser des questions sans fin sur leurs causes, leurs fonctions, leur sens et leur maniement. Ils font une apparition de forçats évadés. Purs de toute communication avec les quantités incalculables de matière façonnée à toutes fins utiles, échappés des limites où s'agite l'existence des appareils, des outils, des membres, des récipients, ils ne sauraient être affectés aux usages que consacre la sagesse des Nations. Leur laideur, leur bassesse, leur imbécillité ne doivent pas empêcher de les reconnaître pour les accessoires d'un monde où vivent en liberté les hommes et leurs propriétés, sous des lois moins impitoyables que celles du hasard. Le fait qu'ils soient généralement conçus par des fonctionnaires retraités, des medicine men, des enfants évidemment incapables de s'intéresser à la nomographie, des industriels coupables d'une pornographie méthodique, n'interdit pas de les rapprocher des dessins de Vinci et de Dürer, des poèmes de Rimbaud, détournés de leur destin jusqu'à tomber entre les mains de nos maîtres au rang immonde d'un canon, d'un ostensoir ou d'un drapeau. Il ne faut pas fermer les yeux devant la signification aveuglante des toiles de Paolo Ucello où des enfants sournois regardent se battre sur la terre des guerriers, et dans le ciel des diables rouges de soleil, devant les dessins, les emblèmes infernaux qui dorment dans les coins des peintures de William Blake. Mais les objets les plus naïfs de cette famille permettent de s'introduire avec des efforts moins pénibles à notre maladresse dans le lieu où les créations et les créatures ne sont pas vendues avec des instructions sur leur mode d'emploi, où les gestes, les actions, les sentiments auxquels il faut finalement arriver ne suggèrent aucun apprentissage, aucune mesure prophylactique, et n'entraînent ni dégoût ni sanction. Ces portes sont faciles. « J'aimais, dit Rimbaud, les peintures idiotes, dessus de portes, décors, toiles de saltimbanques, enseignes, enluminures populaires; la littérature démodée, latin d'église, livres érotiques sans orthographe, romans de nos aïeules, contes de fée, petits livres de l'enfance, opéras, vieux refrains niais, rythmes naïfs. »

Il ne faut pas perdre de vue que l'un des rôles des objets et des organismes vivants consiste à attirer des actions comme les paratonnerres font la foudre, à diriger les jugements, les mouvements de l'imagination et des passions vers des possibilités plus ou moins autorisées de développement. Nous n'en sommes pas encore là, mais il est temps que nous nous rendions compte que nos instruments et nos coutumes ne conduisent à aucun genre de satisfaction et ne nous rendent riches d'aucune manière. Nous souffrons d'une pauvreté que dissimule de plus en plus mal le nombre écrasant des produits utiles au développement du marché mondial : tout le monde attend l'arrivée d'un Guizot inconnu qui conseillera aux hommes de s'enrichir autrement que par les travaux stupides exaltés par des moralistes et des emmerdeurs moyennant les maigres sommes d'argent qui constituent leur salaire.

Personne n'est content, chacun sait que les corps humains eux-mêmes pourraient les premiers être détournés vers des occupations convenables à leur dignité et à leurs propriétés, pourraient être traités par leurs pareils comme des occasions de bonheur : il suffit de relever les lourdes jupes de n'importe quelle Vierge à l'Enfant pour renoncer à toutes les idées révoltantes que les prêtres ont pu enseigner sur le maniement du corps des femmes et revenir à des initiatives conformes à notre destin. Les hommes, lorsque les mouvements du soldat sans armes, les défilés des premières communiantes, les gestes des tourneurs qui sentent dans leurs reins le regard des chronométreurs, l'ostentation ridicule des curés présentant aux fidèles le soleil de vermeil du saint Sacrement, lorsque toutes les attitudes inhumaines auront été oubliées, commenceront à retrouver ou à inventer des dispositions corporelles adaptées à la renaissance de leurs sentiments et de leurs objets. Les attitudes de l'amour ouvrent une voie que ne peuvent pas laisser prévoir les opérations élémentaires simplement destinées à assurer la permanence de la race.

Malheureusement nous connaissons par cœur à douze ans tout ce qui nous attend : nous en sommes réduits à demander des objets qui se passeront de dressage et ne seront pas étalonnés dans un Bureau des poids et mesures, nous en sommes réduits à imaginer dans sa généralité la plus vague une vie ou l'invention libre de réalités matérielles capables de provoquer les passions et les actions qui ont rarement ou n'ont jamais servi, ou la mise en œuvre des richesses possibles composeront un mélange plus beau que les mixtes abstraits du Philèbe. Lorsque les ressources de l'homme, plus simples et plus étendues que ne le croient les présidents du conseil, les cardinaux, les colonels, les geôliers, seront complètement exploitées, n'importe quel observateur s'apercevra de l'existence de l'humanité.

Nous pouvons provisoirement lutter contre nos manies plus honteuses que des guerres nationales, en détournant les objets dégradants de nos coutumes de leurs emplois légitimes. Les enfants, les poètes, les fétichistes réduits par une morale étouffante à fréquenter de sinistres maisons de tolérance nous proposent quelques issues : grâce à eux, les limites de l'activité humaine nous échappent comme des danseuses de ballet.

P. Nizan

3. La morale laïque, projet de livre

(Retrouvé dans les archives d'Henriette Nizan; seul document conservé, semble-t-il, de l'essai, parfois intitulé « Avertissement aux professeurs », qui devait prendre la suite d'*Aden Arabie* et des *Chiens de garde*.)

La morale laïque
1871-1919
Recherches sur l'efficacité des Idées

1. L'établissement de l'école laïque, 1871-1883. (Ailleurs : la doctrine

*de la sécularisation scolaire dernier terme de la sécularisation générale;
causes; adversaires.)*

2. *Le problème de la morale laïque*
  1° Nécessité d'un enseignement moral laïc
  2° Possibilité d'un enseignement moral laïc :
    a) les politiques;
    b) les universitaires;
    c) l'opinion publique.

3. *L'organisation de la morale laïque (1883-1919) :*
  1° Les programmes
  2° La formation des maîtres, la hiérarchie des enseignements
  3° La pédagogie laïque
  4° Les manuels de morale; les textes, les enseignants
  5° Le contenu de la morale laïque, la théorie de la morale laïque

4. *La vie de la morale laïque*
  1° L'école
  2° L'opinion publique :
    a) les sociétés;
    b) la presse;
    c) les écrivains;
    d) le Parlement.

5. *Conclusion*
  1° Définition d'une morale de classe :
    a) les contenus et les bases réelles;
    b) le problème des justifications.
  2° Technique de la Propagande : de l'opinion à l'instruction
  3° Remarques sur l'efficacité des idées :
    a) le « public » moral et l'adaptation aux idées;
    b) les conditions du conformisme moral;
    d) remarques sur l'enseignement secondaire;
    d) classes montantes et classes déclinantes.

4. La question du monument en URSS

(Texte dactylographié moscovite. Un faux texte stalinien, comme on
verra : éloge apparent du monumentalisme, mais pour défendre un projet,
encore avant-gardiste, d'André Lurçat : toute l'ambiguïté de l'orthodoxie
nizanienne.)

*Un pays qui édifie une économie, une société, une civilisation nouvelles
— le socialisme — voit se présenter à peu près simultanément tous les
problèmes : en même temps qu'il assure les bases de son établissement
matériel, il cherche à créer son expression spirituelle. Le Congrès des*

*écrivains a traduit ces ambitions avec une ampleur admirable sur le plan
des arts de la parole. Le prochain Congrès des architectes les abordera sur
le plan des arts de la pierre et du métal. Dans l'un et l'autre cas, il s'agit
d'arriver à fonder un art qui soit un art d'un grand style, capable
d'exprimer l'avènement du socialisme. A chaque pas qu'un homme
d'occident fait dans l'étendue de l'Union, il est saisi par une volonté
évidente qu'on peut nommer la volonté de la grandeur. Il la perçoit dans les
hommes qu'il rencontre et dans les entreprises qu'il voit. Elle éclate dans la
politique du parti. Il n'y a pas eu une société dans l'histoire qui ait été
dominée comme la société soviétique par une pareille volonté. Dans un
monde livré aux catastrophes, qui donne chaque jour les preuves de son
déclin et de son épuisement, c'est là une des raisons qui permettent à tous
ceux qui ne consentent pas à cette mort d'aimer l'URSS comme leur plus
authentique patrie.*

*L'architecture soviétique se pose donc le problème de la grandeur. Il est
ici question de fonder un art qui exprime avec une plénitude au moins égale
à celle que la Grèce a connue des valeurs collectives. L'art bourgeois a
perdu le sens du monumental. Une civilisation profondément déchirée par
ses contradictions n'est pas capable d'une affirmation collective. Elle n'unit
pas ses membres. Les seuls monuments que le capitalisme puisse fonder
sont des monuments qui traduisent sa domination temporelle ou spirituelle : des banques, des prisons, des églises. Ce sont des édifices auxquels
la masse des hommes reste profondément étrangère : elle ne les aime pas.
Chaque homme ressemble à Lénine disant à Londres devant les monuments
de la puissance bourgeoise « LEUR » Westminster. Voici en URSS une
civilisation où chaque passant pourra dire : notre académie, notre
université, comme il dit : notre usine, notre kolkhoze. Le monument
capitaliste exprime le déchirement de la société, le monument socialiste
exprimera l'unité profonde des masses. Le premier est un signe de
domination, le second exprime une communauté. Le monument capitaliste
est un centre de répulsion, le monument socialiste sera un centre de
rassemblement. On sentait cette volonté dans le projet marqué du Palais du
Soviet. Une pareille exigence charge l'architecte d'une responsabilité à
laquelle il devra répondre.*

*Il n'y a pas de monument « gratuit ». Tout monument a une fonction
propre. La fonction d'un institut de physique consiste à fournir les
conditions les plus favorables au travail de la recherche. La fonction d'un
Narkomat consiste à fournir les conditions les plus favorables au travail
administratif et en même temps à donner une expression de l'État. On ne
pensera pas le monument indépendamment de sa fonction. Et nulle grande
architecture n'a échappé à cette loi. Mais il serait complètement faux
d'instituer le monument sur sa seule fonction. Il faut revenir ici à l'idée
capitale de rassemblement : le monument a sa fonction propre d'une part,
et d'autre part il doit être un centre de rassemblement. Il a donc à la fois
une fonction et une mission. Il faut qu'il soit le grand objet où chaque
homme puisse se reconnaître et en qui il puisse aimer l'image qu'il y trouve
de la civilisation où il vit. La signification la plus profonde peut-être du*

monument est dans cet accord qui unit l'homme à son monument. Tout grand style a trouvé cet accord. Il n'y a sans doute pas de plus grand exemple de ce secret que l'art de la Grèce et on peut ici renvoyer le lecteur à ce que Marx dit de lui dans le célèbre texte de la Critique de l'économie politique. *L'union de la fonction propre et du rassemblement social, on en trouvera l'exemple jusqu'ici le plus achevé de l'histoire dans le temple grec et le cirque, dans le Parthénon et dans le cirque de Delphes.*

L'intelligence de la fonction propre du monument est une question rationnelle. La perception de l'accord entre l'homme et son monument est une question dont la solution met en jeu les ressources affectives. On peut dire immédiatement que l'adhésion de tous au monument est donnée par le succès des recherches esthétiques. Mais ce succès n'est possible que dans une société dont l'unité est profonde. Voilà le point où toute la recherche se noue pour l'architecture soviétique.

Il y a eu une époque où cette architecture, à la recherche d'un style qui ne dût rien au faux art de la Russie tsariste et marchande s'est inspirée de l'architecture la plus avancée d'occident. Cette architecture qui se développait dans les conditions économiques et sociales du capitalisme reflétait à la fois les exigences techniques et économiques de cette société et elle exprimait son « style ». Ce style visait à la raison. Ce n'est pas par hasard qu'une architecture « rationnelle » correspondait à l'époque de la « rationalisation ». C'est pourquoi l'architecture d'occident mettait l'accent sur la partie la plus intellectuelle du problème, sur la fonction propre de l'édifice. Il s'agissait de créer des édifices où la forme fût l'expression du contenu, où l'apparence traduisît la fonction. Et sans doute cette tendance était-elle une tendance saine, exprimait-elle une orientation juste vers la solution des problèmes techniques. Mais cette tendance n'était que partiellement juste, elle ne satisfaisait pas à tout ce que nous sommes désormais en droit d'exiger du monument, précisément parce que la société capitaliste était capable seulement de succès techniques mais non de succès artistiques, parce qu'elle était incapable d'une idée totale du monument. Les architectes de l'URSS furent naturellement attirés par l'élément technique avancé de cette architecture, bien que dans un très grand nombre de cas ils ne prissent à cette architecture que les formes extérieures auxquelles elle avait abouti. Dans bien des travaux, le fonctionnalisme d'occident aboutissait à un formalisme soviétique. Une des raisons de cette transposition serait peut-être à chercher dans un retard technique dans l'emploi de certains matériaux et de certains procédés de construction dont l'occident disposait.

Il y a eu une réaction et cette réaction exprimait justement la deuxième exigence profonde qui caractérise tout grand style, l'exigence d'un art monumental autour duquel toute une société puisse se rassembler. On reconnut les limites d'une architecture fonctionnelle, ou même formaliste, pour mettre en avant les ambitions d'une architecture totale. Le problème se pose ici de la manière suivante : un monument entièrement fondé sur la fonction qu'il assume est analogue au squelette d'un être vivant. Le squelette satisfait aux fonctions les plus mécaniques de ce corps : il en est *l'armature. Mais un squelette n'est pas un corps. Il appartient au règne de la mort. Il s'agissait de trouver un corps pour le monument soviétique. On voit immédiatement les dangers où une pareille recherche engage. L'architecte peut être tenté de se tourner dans sa volonté d'arriver à un grand style vers les styles historiques qui ont approché de plus ou moins près la solution du problème de l'union de la fonction propre du monument et de sa mission. Cette orientation peut être féconde. Elle peut être périlleuse. Elle est périlleuse si l'architecte emprunte à ces styles des éléments particuliers de décoration et d'ornement, si, de la même manière que les formalistes empruntaient les apparences de l'architecture fonctionnaliste d'occident, il emprunte des apparences ornementales et les ajoute à ses plans. Elle est périlleuse si, abandonnant le point de départ technique — la question de la fonction propre qu'il faut premièrement résoudre —, il construit le monument à partir des apparences, si l'ornement prend le pas sur la fonction. A partir de la fonction, on peut aboutir à toute l'ampleur ornementale qu'on voudra : à partir de l'ornement, il est presque impossible de retrouver la fonction. On ne donne pas un corps à un squelette, on donne une chair irréelle à un fantôme. Ou on donne le corps d'un cheval à un squelette de chien. Mais les leçons des styles historiques peuvent être de premier ordre, pourvu seulement que l'architecte n'emprunte pas à ces styles des éléments — c'est l'éclectisme — mais étudie profondément les liens entre les fonctions propres des monuments et leur forme, qu'il pénètre les secrets des grands styles mais ne les **copie** pas. Il y a de grandes leçons dans le Parthénon, mais il serait dangereux de transporter les éléments de ce temple : les frises, les architraves, les métopes célèbres et les chapiteaux doriens à n'importe quel monument. La colonne comme élément architectural est l'une des grandes inventions des beaux arts : il faut trouver des types de colonnes — c'est-à-dire des solutions particulières de cette forme — sans s'astreindre à reproduire sans changement ses types historiques.*

Parmi les diverses solutions récentes proposées à ces questions en URSS, il en est une qui semble approcher déjà d'assez près le succès. C'est le vaste projet pour l'Académie des Sciences qu'a conçu André Lurçat, invité à travailler en URSS par un des architectes éminents de l'Union, le camarade Friedmann. Il s'agissait là de dresser le plan monumental d'une ville de la science qui unît à la fois toutes les exigences de fonction aux éléments de rassemblement et de grandeur dont il a été question. André Lurçat est l'un des grands architectes européens qui ont contribué à poser les bases d'un style nouveau. En Occident, un architecte de cette importance était précisément arrêté par les limites mêmes du système économique et social où son action s'exerçait. Il devait constamment se contenter d'un minimum qui mettait l'accent sur les fonctions et laissait nécessairement au second plan les questions de l'ornement, les valeurs monumentales. C'étaient là des problèmes qui ne se posaient pour lui que théoriquement. L'URSS lui donne à la fois les conditions idéologiques où ces problèmes se posent à l'échelle de toute une civilisation et les conditions sociales où leur solution devient pratiquement possible. Il a donc tenté dans son projet la synthèse des fonctions propres et de la mission monumentale.

Chaque bâtiment — présidium, bibliothèque, institut physicomathématique — exprime dans des conditions rigoureuses les exigences auxquelles il doit satisfaire. Cette rigueur se retrouve dans la répartition et l'ordre des bâtiments. On peut dire qu'en un sens la forme est commandée par le contenu : l'apparence par le dedans. Mais il serait tout à fait faux de juger l'œuvre au nom de cette seule rigueur. Car les formes monumentales ne sont pas seulement commandées par les contenus. Chaque façade, chaque volume architectural est également commandé de l'extérieur. Chaque bâtiment traduit à la fois la fonction dont il est scientifiquement chargé, et la mission que la société lui demande de remplir du point de vue de l'homme qui passe et non plus du point de vue de l'homme qui travaille dans les salles de ce bâtiment. On est devant des monuments qui permettent au savant de dire : mon *laboratoire et au passant de dire* notre *académie des sciences, comme il dit* notre usine, notre parti. *Il est tout à fait clair que Lurçat a cherché des leçons dans les grands styles historiques : mais pas un détail n'est une imitation. C'est ainsi que le présidium est précédé d'un rang de colonnes, mais ces colonnes ne reproduisent aucun type classique. Sans doute la leçon essentielle que l'architecte a tiré du passé est-elle celle de la grandeur. Il s'agissait d'édifier un monument, une ville de monuments scientifiques qui exprimassent à la fois les besoins de la science et la grandeur que revêt la science aux yeux des membres d'une société socialiste. Le projet de Lurçat arrive à cette grandeur par une série de moyens dont aucun n'est un ornement emprunté à un style historique. Parmi ces moyens, il faut compter les principes de composition des façades où tel élément simple est repris, déplacé, amplifié, sans jamais obéir simplement à des jeux de distribution mécanique. Il y a une façade où le carré intervient à plusieurs échelles exactement comme un thème musical s'introduit, se transforme, s'amplifie. Lurçat obtient avec des espaces les effets qu'un musicien obtient avec des motifs sonores : il y a peu d'œuvres qui donnent plus que celle-là l'idée des relations de la musique et de l'architecture. On trouvera un deuxième principe de grandeur dans les rapports entre les bâtiments et les espaces (terrasses, jardins) qui donnent une nouvelle solution des problèmes posés et résolus — autrement — par les grandes architectures monumentales du XVIIᵉ siècle — Versailles par exemple. Il faudrait parler longuement de l'union du bâtiment avec le site qui fût l'une des victoires de l'art classique.*

Il n'est plus possible de regarder Lurçat comme un fonctionnaliste. C'est un homme qui a conservé les acquisitions saines de la théorie de la fonction, mais qui les a surmontées pour aborder le monument. Chaque homme pourra trouver dans ces grandes architectures horizontales — mais étagées, — l'image de la grandeur qu'il est en droit d'exiger des monuments de la civilisation que l'Union soviétique construit.

Paul Nizan
Moscou 19-XII-1934

5. Le seul document retrouvé
de « La soirée à Somesierra »

(Sur un feuillet rose, perdu dans les archives d'Henriette Nizan; concerne peut-être la fin des *Amours de septembre*, première partie du roman, achevée en 1940, ou le début de la deuxième partie).

« *14 juillet 1936, partit en vacances.*
20 juin 1937. Sénat avec (un blanc)
Oxford, Londres à l'ambassade
qu'il se passerait quelque chose à sa prochaine rencontre avec Catherine Quentin. Etc. Écrivains. L'ambition en 1936. Automne de 1936, novembre, Madrid.
Retrouve Paris le 2ᵉ arrondissement. Écrivain.
New Statesman [1]. *Articles, Brassage. Mil* (ieu?) *M. Le Verrier. 1937 année d'attente.*
Tribune de la presse : Pluvinage. Déjeune chez madame Quentin au début de juillet.
Une période d'attente : réacclimatation à la France. En juin — l'action diplomatique — l'action sentimentale.
La nuit du 20 juin. Il se promenait, il prenait des quantités de notes, il dînait en ville. Un an de congé. »

6. En prime : « les funérailles anglaises »

(*La Nouvelle Revue Française*, 24ᵉ an., n° 270, 1ᵉʳ mars 1936, pp. 466-8.)

Derrière le Comte Maréchal, le Surintendant de la Garde-Robe, le Maître des Chevaux, le Valet de Sa Majesté, le Sergent Valet de pied, le cercueil arriva, traîné et retenu par des marins : c'était le centre autour duquel tournait cette grande mise en scène répétée la veille comme un drame. La foule était déçue : ce n'était qu'un objet de bois après tous ces danseurs et tous ces musiciens, un objet insolite sous l'étendard royal décoré de léopards, avec le Sceptre, le Globe, la Couronne, les Insignes

---

1. Note en marge : « *Il a travaillé pour.* »

de la Jarretière et les fleurs de la Reine. Le cadavre d'un parent, d'un voisin qu'on a touchés vivants, on l'imagine à travers le bois et le plomb, et on pense au commencement de la pourriture. Un corps de roi, ça ne s'imagine pas facilement, à cause de tous ces uniformes et de ces gardes et de ces barrières derrière lesquelles il marchait, on ne pense pas plus clairement à son cadavre qu'à son corps vivant, on ne s'émeut guère du cadavre d'un fantôme. Les gens parlaient du roi. Et justement, comme d'un fantôme, comme d'un reflet. Comme de l'image qu'il donnait des bourgeois anglais, d'eux-mêmes. Personne ne parlait de lui comme d'un vivant irremplaçable. On répétait simplement sur lui la phrase de l'archevêque de Cantorbéry, que le roi n'avait été « remarquable ni par le corps ni par l'esprit ». Comme une louange.

Vinrent des rois, des princes, des fantômes casqués, les grands carrosses rouge et or de la Cour. Il n'y avait pas un drap noir, mais de grands flots de crêpe rouge. On pensait à des loges de théâtre en Italie, à des cabinets de Musée. Les cochers portaient des tricornes rouge et or sur des perruques d'argent, les valets de pied des bicornes comme des maréchaux de l'Empire. Impossible de ne pas penser au Valet-poisson d'Alice in Wonderland dans toute cette féerie funèbre : un coup de vent et ces souverains de cartes s'envolaient avec le Loir et le Lézard. Dans son carrosse de glaces, la reine Mary, immobile sous des étoffes noires, un parapluie à bec courbe dans la main : les femmes la regardaient avidement pour voir la douleur d'une reine : justement, elles ne voyaient rien, elles se rejetaient en arrière. Ce n'était pas une femme qui passait, c'était peut-être la Reine de Cœur ou plutôt la Duchesse qui allait ouvrir la portière du carrosse, s'écrier : « Vous n'en savez pas lourd... » Mais elle disparut.

Le rideau tomba, la foule s'en alla, épuisée par ces heures d'opéra royal : les rues vides s'emplissaient, les taxis s'éloignaient. Dans les vitrines de Bond Street, il y avait des portraits du roi, avec de grandes poches sous les yeux.

A Paddington, le cortège avait quarante minutes de retard. Depuis soixante-dix minutes, le canon de Londres tonnait de minute en minute comme une grande porte claquant dans le ciel. A Windsor, personne ne savait que le cortège était en retard, les cloches sonnaient, le canon tonnait aussi, en vain. Les archevêques se regardaient. Dans l'allée qui monte à la chapelle Saint-George, un Horse Guard s'avançait, parfaitement seul, au pas de parade, entre les rires étouffés des OTC d'Oxford. Le cortège arriva : les maréchaux, leur bâton sur la cuisse, avaient une démarche épuisée de vieillards. Les prières furent dites : sur un étrange ascenseur à bras, le cercueil du roi descendit dans la crypte.

A Londres, après le Silence de deux minutes, commençait une espèce de grand dimanche : de longues files attendaient l'ouverture des cinémas. A Hyde Park, il y avait sur le sol une purée de papier, de boue, de chaises brisées, de programmes, de petites grappes de raisins noirs ou mauves. Les boursiers écoutaient un office à Saint-Paul. Mille juifs, le chapeau en tête, étaient assemblés dans l'église anglicane de Whitechapel. Dans le Strand, *un jeune homme vendait des allumettes, il portait sur le cœur une pancarte avec ces mots : « Ma dernière espérance. » Sur les trottoirs de l'Embankment, des chômeurs anciens combattants dessinaient au pastel le visage du roi. Dans l'East End, les usines tournaient. Un ouvrier disait : « On nous a trouvés bons à donner notre vie pour Sa Gracieuse Majesté. Mais sa mort ne vaut pas un jour de congé. » A Fleet Street, les journalistes racontaient le scandale du masseur du roi de Roumanie qui avait défilé avec les princes et les ministres, un chandail blanc sous son veston. Dans Shaftesbury avenue, les magasins où les filles de Soho achètent leur lingerie n'offraient plus que des chemises, des pantalons, des bas noirs : le deuil royal restaurait dans Londres les secrets d'un érotisme perdu.*

Paul Nizan

NOTES

Abréviations :

AA : Aden Arabie.
AP/AA : Avant-propos de Sartre à l'édition Maspéro.
CDG : Les chiens de garde.
AB : Antoine Bloyé.
CT : Le cheval de Troie.
Co : La conspiration.
Ma : Les matérialistes de l'Antiquité.
AHN : Archives privées d'Henriette Nizan.

Nos références chiffrées concernent :
— les éditions Maspéro — Petite collection pour *AA* et *CDG*;
— les éditions Grasset 1933 (impression photo 1978) d'*AB* et Gallimard
1968 du *CT*.
— l'édition de poche « Folio » de *Co*.
— l'édition originale (reprint) de *Ma*.

NOTES DU CHAPITRE 1

1. *Co*, 18.
2. *AA*, 130.
3. *AA*, 138.
4. Reconstitué d'après *AHN*.
5. *AB*, 35.
6. *Co*, 193.
7. *Co*, 270.
8. Exemple : *Sindobod Toçikiston* ou *Les Vainqueurs de Timour*.

9. *AB*, 213.

10. *AB*, 157.

11. Ce soir, 9 juillet 1938.

12. Voir cette irruption dans *Les Mots*, à partir de la p. 192 (Éd. Folio, Gallimard).

13. « Le goût du définitif » *(AHN)*.

14. Lettre à Henriette Alphen, 4 janvier 1927 *(AHN)*.

17. *AB*, 167.

20. *AB*, 261.

21. *AB*, 144.

22. *AB*, 146.

23. *Co*, 136.

24. *Co*, 250.

25. *Co*, 193.

26. *Ibid.*

27. *AB*, 299.

28. *AB*, 34.

30. *Nouvelles littéraires*, 7 décembre 1928.

31. *AA*, 61.

32. *L'Humanité*, 31 mai 1936.

33. *AP/AA*, 25.

34. Toutes ces notations, et celles qui suivent, sont extraites des archives des lycées Henri IV et Louis le Grand.

35. Cf. note 12.

36. *AP/AA*, 14.

37. *Co*, 200.

38. Témoignage de Raymond Aron au cours de l'émission de télévision « Apostrophes » consacrée à Sartre le 18 avril 1980.

39. *Les Temps modernes*, novembre 1949, p. 777.

40. *AP/AA*, 16.

41. *Lycée Henri IV. Distribution solennelle des prix* (...) 1919; Paris, Chaix, 1919.

42. *AA*, 62.

43. *Co*, 61, 62.

44. *Co*, 94.

45. *Co*, 69.

46. Parmi les exceptions : Romain Rolland, à qui Nizan dédicace *CDG* « au seul peut-être de nos aînés qui ne nous ait pas trompés » (Archives Romain Rolland).

47. *AA*, 149.

48. Lettre du grand-père Métour à Clémentine Nizan, du 2 octobre 1923 *(AHN)*.

49. Lettre à Hélène Fauvel, décembre 1923. Citée par Jacqueline Leiner, *Le Destin littéraire de Paul Nizan*, p. 35.

50. *Ibid.*

51. Lettre d'Eugène Métour, du 27 février (1924).

52. Commentaire d'Eugène : « Voilà une bonne voie, pourvu que tu

n'ailles pas ensuite t'enterrer dans un lycée de province pour y faire des cours à des mioches paresseux, sinistres et farceurs. Lis les vies de Taine et de Renan, tu y verras pourquoi Renan eut raison de ne pas s'embarrasser du professorat et que Taine eut tort et en souffrit. Ton papa sera à même de te faciliter la voie. Tes études finies, essaye de te faire envoyer en mission. Travaille et tu enseigneras au Collège de France un peu plus tard. » *(AHN)*

53. Lettre à Henriette Alphen, avril 1926 *(AHN)*.
54. *Mémoires d'une jeune fille rangée*, p. 433.
55. *L'Humanité*, 30 décembre 1932.
56. Exemples : quand l'un ponctue ses phrases d'un « si fait », l'autre se doit de répondre par un « oui da »; Nizan se met à dégoiser d'une voix nasillarde : Sartre plonge sous une table et « joue au phonographe ».
57. Pluvinage, dans *Co*, 276.
58. *Monde*, 14 mars 1931.
59. *AB*, 47 : « Antoine ne saura jamais réciter par cœur les trois premiers vers de la première églogue de Virgile, les deux premiers vers du premier chant de l'*Odyssée*, il ne sera pas un homme bien. »
60. *Co*, 193; cf. aussi la scène de Laforgue et son père, *Co*, 68.
61. *Co*, 134.
62. *Co*, 22.
63. *Revue marxiste*, mai 1929.
64. *Fruits verts*, n° 2, juin-juillet 1924.
65. Parue en 1923.
66. *Faisceaux*, avril 1924.
67. *Nouvelles littéraires*, art. cité.
68. *La Cathédrale*, poème daté de « Paris, 16 novembre 1923 ».
69. Exemple : *Monde*, 12 avril 1935. Cf. aussi le début du chapitre XIX d'*AB*.
70. *Nouvelles littéraires*, art. cité.
71. « Paris, novembre 1923. »
72. Seul poème de Nizan publié de son vivant (*Fruits verts*, n° 2).
73. *La Revue sans titre*, octobre 1923.
74. Lettre à Henriette Alphen, Aden, 7 janvier 1927 *(AHN)*.
75. « Il est heureux de constater les tendances vers la gauche de la jeunesse actuelle » (n° 4).
76. *AHN* et archives Jean-Richard Bloch. Daté de 1922.
77. Collection non déposée à la Bibliothèque nationale.
78. *La Revue sans titre*, n° 2.
79. *Fruits verts*, n° 1, mai 1924.
80. *Hélène*, texte inédit *(AHN)*.
81. *AHN*.
82. Lettre à Henriette Alphen, Grandville, avril 1926.

NOTES DU CHAPITRE 2

1. *AB*, 299.
2. Pierre Ducroq, *Le rempart*, 16 novembre 1933.
3. *La force de l'âge*, p. 39 de l'édition Folio, Gallimard.
4. *AA*, 55.
5. *Co*, 32.
6. *Co*, 96.
7. Cf. Raymond Aron, émission « Apostrophes ».
8. *CT*, 95.
9. Lettre à Henriette Alphen, Aden, « Saturday evening » *(AHN)*.
10. *AA*, 63.
11. *Co*, 25-26.
12. *AP/AA*, 16.
13. *Mémoires d'une jeune fille rangée*, p. 310 de l'édition Folio, Gallimard.
14. *Ibid.*, p. 335-336.
15. *AA*, 57.
16. *AA*, 55.
17. *Monde*, 22 février 1935.
18. *AA*, 55.
19. Lettre de M. Claude Levi-Strauss à l'auteur, août 1980.
20. Son étoile voulut qu'il fût recalé l'année précédente, à la surprise générale. De ce fait, il retrouva Nizan, qui, lui, avait obtenu une année de suspension, on verra pourquoi, et rencontra une certaine Simone de Beauvoir.
21. Livret universitaire *(AHN)*.
22. « Le goût du définitif » (Arch. cit.).
23. *Co*, 56.
24. *La force de l'âge*, p. 37 de l'édition Folio.
25. *Co*, 46.
26. *AA*, 57
27. *Co*, 57.
28. D'après Gérard de Catalogne, *Nouvelles littéraires*, art. cit.
29. Carnet noir *(AHN)*.
30. Lettre à Henriette Alphen, « Firenze », 8 octobre 1925 *(AHN)*.
31. *Ibid.*
32. *Ibid.*
33. *Ibid.*
34. *Le Nouveau siècle*, 14 juillet 1926. Dans la même perspective Georges Valois révise dès lors ses préjugés antisémites et se livre au contraire à un éloge explicite du génie juif.
35. Appel de Georges Valois, *le Nouveau siècle*, 16 avril 1925.
36. *Ibid.*, 3 septembre 1925.

37. *Ibid.*, 19 décembre 1926.
38. Carnet noir *(AHN)*.
39. *CT*, 139.
40. Lettre à Jean-Richard Bloch, août 1925 (Archives Jean-Richard Bloch).
41. Carnet *(AHN)*.
42. Lettre à Henriette Alphen, juillet 1925 *(AHN)*.
43. *Ibid.*
44. *AA*, 127.
45. *Co*, 36.
46. Lettre à Henriette Alphen, octobre 1915 *(AHN)*.
47. *Les Mots*, p. 165 de l'édition Folio, Gallimard.
48. *AP/AA*, 25.
49. *Co*, 14.
50. *CT*, 46.
51. Lettre à Henriette Alphen, 18 août 1926 *(AHN)*.
52. *Les Nouvelles littéraires*, 2 février 1929.
53. *CT*, 117.
54. *AA*, 70.
55. *AA*, 101.
56. Lettre à Paul Nizan, 18 avril 1928 *(AHN)*.
57. Pluvinage, *Co*, 292.
58. Lettre à Henriette Alphen, 4 décembre 1926 *(AHN)*.
59. Lettre à Jean-Richard Bloch, 16 septembre 1926 (archives J.-R. Bloch).
60. Lettre à Henriette Alphen, septembre 1926 *(AHN)*.
61. *Ibid.*, octobre 1926.
62. *Ibid.*
63. Autre lettre d'octobre 1926.
64. *Ibid.*
65. Cf. *AA*, 91.
66. Lettre à Henriette Alphen, « Cairo », 2 novembre 1936.
67. *Ibid.*, « Cairo », 4 novembre 1926.
68. Éd. 1973, t. 3, p. 242.
69. Lettre dactylographiée à Henriette Alphen, Aden, sans date.
70. *AHN*.
71. Allusions dans une réponse d'Henriette, datée du 19 décembre 1926.
72. *AHN*.
73. *AHN*.
74. *AA*, 99.
75. *AA*, 133.
76. *AHN*.
77. Cf. en particulier *AA*, 100-101.
78. *Co*, 138.
79. *CT*, 21.
80. *AHN*.

81. *AA*, 143.

82. *Cahier de l'Odéon*, n° 3, 1978.

83. Allusion dans une lettre de Paul-Yves, Djibouti, janvier 1927 *(AHN)*.

84. Lettre dactylographiée d'Aden, sans date *(AHN)*.

85. Lettre d'Henriette Alphen à Paul Nizan, Paris, 11 janvier 1927.

86. *Ibid.*, 15 février 1927.

87. Lettre de Paul Nizan à Henriette Alphen, Swansea, octobre 1926 *(AHN)*.

88. *Ibid.*, Strasbourg, avril 1927 *(AHN)*.

89. Lettre d'Henriette Alphen, sans date *(AHN)*.

90. Billet de la même, 17 avril 1927 *(AHN)*.

91. Lettre de la même, sans date *(AHN)*.

92. Guide bleu, *Paris*, éd. 1980, p. 445.

93. Lettre à Henriette Alphen, Strasbourg, 21 septembre 1927.

94. *AB*, 145.

95. *AB*, 143.

96. *Co*, 184.

97. Fille de Gustave Téry, le fondateur du journal *L'Œuvre*, et d'Andrée Viollis, journaliste réputée de l'époque. Elle-même agrégée convertie au grand reportage.

98. Lettre de Paul-Yves à Rirette, 20 août 1935 *(AHN)*.

99. *AB*, 146-147.

100. *Co*, 237.

101. *Co*, 141.

102. *Co*, 185.

103. *Co*, 150.

104. *Cahier de l'Odéon*, art. cité.

105. *Co*, 303.

106. *Co*, 306.

107. Après cet échec, Sartre se mettra à un « factum sur la contingence » d'où sortira *la Nausée*.

108. *La Force de l'âge*, pp. 92 et 122-23 de l'édition Folio, Gallimard.

109. Lettre à Jean-Richard Bloch, 12 octobre 1930.

110. *Les Nouvelles littéraires*, art. cité.

NOTES DU CHAPITRE 3

1. *Nouvelles littéraires*, art. cité.

2. *CDG*, 88.

3. *Co*, 59.

4. *Co*, 3.

5. *L'Humanité*, 30 décembre 1932.

6. *Revue marxiste*, mars 1929.
7. *Ibid.*
8. *Ce soir*, 6 janvier 1938.
9. *AHN.*
10. *AHN.*
11. Notes. Programme sur la philosophie, in *Bifur*, n° 7, décembre 1930.
12. *AA*, 56.
13. *CDG*, 11.
14. *Ma*, 21.
15. *Europe*, 15 juillet 1930.
16. *CDG*, 68.
17. *CDG*, 10.
18. *AA*, 151.
19. *AA*, 133.
20. *CDG*, 87.
21. Texte paru dans *Europe*, 15 juillet 1935.
22. Publicité dans *Europe*, 15 janvier 1925.
23. *AHN.*
24. *AHN.*
25. *La Vie est unique*, 1933, *Auto-critique*, 1961.
26. *Ville qui n'a pas de fin!...*
27. *Votre tour viendra, l'adieu*, Gallimard.
28. *Co*, 82.
29. Le contrat lui est notifié par Jacques Robertfrance à la date du 26 février 1930. Nizan le signe, après avoir posé des questions de détail, quelques semaines plus tard. Notons qu'il se proposait d'en faire lui-même la traduction anglaise.
30. Lettre de Jean Guéhenno à Paul Nizan du 3 juillet 1930.
31. Lettre à Henriette Alphen, Aden, 4 janvier 1926. On peut y ajouter une mention, dans une lettre dactylographiée sans date conservée dans les mêmes *AHN* : « J'ai un sujet plaisant de factum et un sujet d'un genre plus relevé du type essai et de tendance révolutionnaire. »
32. C'est à peu près le sens du compte rendu que Nizan en donne dans *Europe*, le 15 juillet 1930. A cette date cependant il a déjà terminé la rédaction de son propre livre.
33. *AA*, 54-55.
34. *AA*, 64.
35. *AA*, 109.
36. *AA*, 120.
37. *AA*, 155.
38. *AA*, 114.
39. *AA*, 128. Cf. aussi la belle tirade sur les « paysages », p. 133, que nous avons citée dans le chapitre précédent.
40. *Co*, 64.
41. *AA*, 108.
42. *AHN.*

43. *CDG*, 74.

44. *CDG*, 99.

45. *Monde*, 10 décembre 1932.

46. *CDG*, 15.

47. *Revue marxiste*, mars 1929.

48. Édition de la Pléiade (1939), pp. 1138-1140.

49. Jean Vignaud, 10 mars 1931.

50. Gabriel Marcel : *La Liberté*, 16 février 1931; Emmanuel Berl : *Europe*, 15 juin 1931.

52. *Les Nouvelles littéraires*, 18 juin 1933.

53. *AHN*.

54. *AHN*. Après trois mois d'exploitation d'*AA* : 887 ex. vendus.

55. Archives Anne-Marie Todd, 18 juin 1931. Conclusion de Roy : « Merci ».

56. Exemples : le compte rendu de l'ouvrage de Decroly et Buyse sur *La Pratique des tests mentaux*, dans la *Revue de psychologie concrète*, en 1929; *L'Humanité*, 30 décembre 1932.

57. *L'Humanité*, 22 mai 1936.

58. Le Bulletin de l'Union ne rend pas compte de cette séance.

59. *CDG*, 38.

60. *Ma*, 20-21.

61. *CDG*, 24.

62. *Ma*, 46. Brunschvicg répondit par une lettre spirituelle (en date du 14 juillet 1936) à l'hommage d'un exemplaire des *Ma*... (Archives Anne-Marie Todd).

NOTES DU CHAPITRE 4

1. On peut leur adjoindre deux adhérents de la Fédération Unitaire de l'Enseignement, rattachée à la GGTU communiste, Pierre Vilar et Jean Dresch.

2. Phrase rapportée par Jean Bruhat.

3. *L'Humanité*, 2 décembre 1932.

4. *CT*, 119.

5. *CT*, 88.

6. *CT*, 90.

7. *Co*, 211.

8. *AB*, 207.

9. Pluvinage, dans *Co*, 284.

10. *AA*, 153.

11. *Co*, 163.

12. *AA*, 153.

13. *CT*, 17.

14. *Ce soir*, 9 mars 1939.

15. *CT*, 000.

16. *CDG*, 94.

17. *CT*, 189.

18. *CT*, 49.

19. *CT*, 47.

20. *La littérature internationale*, n° 4, 1934.

21. *AHN*.

22. *CT*, 117.

23. *Co*, 212.

24. Présentation d'une ville, p. 35.

25. *CT*, 161.

25 *bis*. Cf. lettre de Paul Nizan à sa mère, 21 mars 1935 *(AHN)*.

26. *CDG*, 78.

27. *Co*, 253.

28. Cf. lettre de Henri Barbusse à Paul Nizan, 17 mars 1931 (Archives Anne-Marie Todd) et les trois lettres de 1931 dans les *AHN*.

29. *Europe*, 15 mars 1933.

30. *L'Humanité*, 13 janvier 1933.

31. *L'Humanité*, 10 février 1933.

32. C'est à notre connaissance le seul ouvrage de la collection.

33. *L'Économiste européen*, 21 avril 1933.

34. *AHN*.

35. Qui, semble-t-il, n'a jamais paru.

36. Qui ne cotisera d'ailleurs jamais à l'association. Cf. note 28; en 1931, Nizan rejette Gide.

37. Le fait est confirmé à plusieurs reprises, en particulier par le *Journal* et *les Cahiers de la petite dame* (dans ces derniers : tome II, p. 1289).

38. *NRF*, décembre 1932.

39. *Commune*, n° 3. Sur Heidegger : *Europe*, 15 janvier 1933.

40. Voir aussi, sur cette époque, le n° septembre-octobre 1932 de *la Revue des vivants*.

41. *La Russie d'aujourd'hui*, mai 1933.

42. Le responsable en titre de l'édition française est Paul Vaillant-Couturier. Dans les AHN, on trouve un contrat Rieder, en date du 30 janvier 1935, concernant la traduction en langue française du rapport officiel sur le 2ᵉ plan quinquennal soviétique. Nizan y figure comme représentant les Éditions Vegaar de Moscou.

43. Lettre d'André Gide à Paul Nizan, 28 septembre 1934 (Archives Anne-Marie Todd).

44. Le contrat de traduction est signé le 16 juillet 1934 avec les Éditions Vrémia. Au total, trois ouvrages de Nizan seront édités en Union soviétique en l'espace de quelques mois : *AA*, *AB*, et *CT*.

45. *La force de l'âge*, pp. 236-237 de l'édition Folio.

46. *AHN*.

47. *Monde*, 13 juin 1935. La veine russophile s'épanouit dans les articles de *La Russie d'aujourd'hui* (août, septembre et novembre 1935; juin et juillet 1936; mars et novembre 1937) signés de Paul-Yves ou de Rirette.

48. Sur ce livre (Le crocodile) : *AHN* et *Russie d'aujourd'hui.*

49. *Le Tombeau de Timour,* vendredi 29 janvier 1937, *Sindobod Toçikiston : Europe,* 15 mai 1935.

50. Discours au congrès de juin 1935, *Europe,* 15 juillet 1935.

51. *AA,* 60.

52. *Co,* 127.

53. *CT,* 17.

54. *CT,* 203.

55. *Co,* 191.

56. *Europe,* 15 janvier 1930.

NOTES DU CHAPITRE 5

1. Discours au congrès de juin 1935, *Europe,* 15 juillet 1935. Sur l'ensemble de ces questions, on consultera principalement, outre les articles cités ci-après, les textes suivants : *Vendredi,* 8 novembre 1935 et 8 décembre 1938; *Monde,* 15 février 1935 et 6 juin 1935; *L'Humanité,* 12 août 1935; *Les Cahiers de la jeunesse,* 15 décembre 1938.

2. *Monde,* 6 juin 1935.

3. *NRF,* janvier 1937.

4. *Monde,* 1ᵉʳ août 1935. Cf. aussi sa confidence dans *l'Humanité* du 12 sur les « moments de fatigue » qui assaillent l'écrivain révolutionnaire.

5. *Monde,* 29 mars 1935.

6. *Monde,* 6 juin 1935.

7. *Ce soir,* 12 janvier 1939.

8. *L'Humanité,* 18 octobre 1936.

9. *L'Humanité,* 1ᵉʳ mars 1936.

10. Lettres du 11 mars 1933 et de février 1935 *(AHN).*

11. *AHN* pour les deux lettres.

12. *AB,* 16.

13. *AB,* 310.

14. *AB,* 141.

15. *Bulletin des Halles,* 17 janvier 1934.

16. *AB,* 110.

17. *AHN.*

18. *Le Temps,* 11 janvier 1934.

19. *L'Humanité,* 18 décembre 1933.

20. *Gringoire,* 27 octobre 1933.

21. *Commune,* mars-avril 1934.

22. *CT,* 159.

23. *CT,* 207 et 203.

24. Le manuscrit de *CT* partait sur la perspective de Pierre Bloyé l'un des communistes supposé fils d'Antoine. C'était rattacher explicitement *CT* à *AB.* Nizan y renonça en cours de route. Les *AHN* conservent les

premières pages d'un roman centré sur Bloyé et situé en Asie Centrale; cf. à ce propos la note 40.

25. *CT*, 20.

26. *CT*, 211.

27. *CT*, 105.

28. *CT*, 53.

29. *CT*, 176.

30. *L'Humanité*, 3 juillet 1937.

31. *Co*, 262.

32. *Co*, 130.

33. *Ibid.*

34. Jacqueline Sudaka, « Figures juives ou les crimes de la littérature » in *H-Histoire*, novembre 1979, pp. 263-279. Voir E. Berl, *L'Express*, 9 juin 1960.

35. Lettre des Éditions Simon and Schuster, New York, 3 novembre 1938 : « The whole book seems to us rather too tropical to succeed un this country. The fragmentary form, also, makes it difficult for American readers, who are accustomed to a smoother, more coherent technique in their novels » *(AHN)*.

36. *Co*, 27.

37. *Co*, 30.

38. *Co*, 229.

39. *Co*, 13.

40. *Monde*, 1ᵉʳ août 1935.

41. *NRF*, novembre 1938, repris dans *Situations* 1, 1947.

42. *Europe*, 15 décembre 1938.

43. *Le Temps*, 20 octobre 1938.

44. *Commune*, novembre 1937.

45. Cf. ses lettres de Moscou, en particulier celle où il raconte une représentation de *La Dame aux Camélias* : « La pièce est naturellement idiote, mais Meyerhold qui est un metteur en scène génial en a fait un spectacle extraordinaire » *(AHN)*.

46. *Les tragiques grecs : Aristophane* (17 mars 1938).

47. *Vendredi*, 22 novembre 1935. Cf. aussi *Ce soir*, 9 mars 1939.

48. La pièce a été jouée en français par le groupe théâtral Art et Travail en février 1937 sur les ondes de la radio d'État, ouverte depuis la victoire du Front populaire aux jeunes troupes d'inspiration progressiste. Elle sera montée sur scène en 1951 à Paris dans une mise en scène de Jacques Vigouroux, mais revue et corrigée par Guillaume Hanoteau (Studio des Champs-Élysées; musique de Georges Auric; parmi les interprètes : Paul Préboist, Claude Santelli, Michel Serrault). La seule édition reste à l'heure actuelle celle des Éditions sociales internationales, 1937.

49. *Reflets de la semaine (Vendredi)*, 8 décembre 1938.

50. Lettre à Henriette Nizan, 30 septembre 1939. D'après cette lettre le « chapitre III » du roman représentait environ 70 pages manuscrites. On trouvera d'autres détails sur *Somosierra* dans les lettres des 16 et 21 septembre et du 7 octobre.

51. *AHN.*
52. *AHN.*
53. *AHN.*
54. *Co*, 113.

NOTES DU CHAPITRE 6

1. *Co*, 26.
2. *Les Chemins de la liberté*, t. I : *L'Âge de raison*, p. 152 de l'édition Folio.
3. Une lettre à sa mère datée du 21 mars 1935 nous renseigne sur le rythme d'une de ses tournées de conférences : après Bourg, Gyonnox et Bellegarde, « ce soir à Genève, lundi à Ambérieu, mardi à Lyon, mercredi à Grenoble, puis à Marseille, Toulon, Saint-Tropez, Menton, Cannes et Nice » *(AHN)*.
4. Cf. mon étude sur « Front populaire et création artistique », *Bulletin de la Société d'histoire moderne*, 15ᵉ série nᵒ 8.
5. Parmi les autres signatures, citons celles de Georges Auric, Pierre George, Pierre Jean Jouve, Louis Jouvet, Henri Lefebvre, Jean Lurçat, Romain Rolland, Jules Supervielle, Boris Taslitsky.
6. Lettre à André Chamson, 4 mars 1935 (Archives André Chamson).
7. Simone de Beauvoir fait allusion au récit que leur fit Nizan du Congrès de 1937, tenu au cœur de la guerre civile, dans *La Force de l'âge*, p. 343 de l'édition Folio.
8. On lira plus loin de larges extraits des articles de *Regards*, 13 et 20 août 1936. Cf. aussi *Vendredi*, 28 août 1936 et *Commune* septembre 1936.
9. Emmanuel Mounier, *Œuvre complète*, Paris, Éditions du Seuil 1963, t. IV, p. 572.
10. *Ibid.*, p. 597.
11. *L'Humanité*, 3 avril 1937.
12. Cf. Fred Kupferman, *Au pays des Soviets*, Paris, Gallimard, collection « Archives » 1979, p. 182.
13. Successivement ou simultanément : *La revue sans titre* (1923), *Les faisceaux* (1924), *Fruits verts* (1924), *Strasbourg universitaire* (1924), *Les Cahiers du mois* (1925), *La Revue de psychologie concrète* (1929), *La Revue marxiste* (1929), *Europe* (1929-1935), *L'Humanité* (1932-1937), *La littérature internationale* (1933-1934), *Commune* (1933-1938), *Monde* (1935), *Vendredi* (1935-1937), *Clarté* (1936), *La Nouvelle revue française* (1937), *Ce soir* (1937-1939), *Cahiers du Bolchevisme* (1938), *Cahiers de la jeunesse* (1938-1939).
14. *L'Humanité*, 26 novembre 1936.
15. *La littérature internationale*, nᵒ 1, 1935.

16. *Commune*, juillet 1933.

17. Exemple : *L'Humanité*, 24 mars 1932.

18. Exemple : *L'Humanité*, 23 décembre 1932.

19. *L'Humanité*, 4 mai 1937.

20. *Ibid.* Le film de Jacques Becker ne sera tourné que six ans plus tard.

21. Sur Proust. *Fruits verts*, juin-juillet 1924; sur Gobineau : *Les Cahiers du mois*, janvier 1925

22. *Ce soir*, 11 mai 1939.

23. *L'Humanité*, 10 mars 1933.

24. *Monde*, 1ᵉʳ mars 1935.

25. *Ce soir*, 7 juillet 1939.

26. *L'Humanité*, 10 mars 1933.

27. *Ibid.*

28. *Monde*, 1ᵉʳ février 1935. Article consacré à *La fin de la nuit*.

29. *L'Humanité*, 22 mars 1936. Article consacré aux *Anges noirs*.

30. *Ibid.*

31. *L'Humanité*, 9 décembre 1932.

32. *L'Humanité*, 15 juillet 1936.

33. En quoi Nizan préparait le terrain à certaines analyses de la langue de Céline par Philippe Solers...

34. *L'Humanité*, 16 décembre 1932. Article consacré aux *Vases communiquants*.

35. *Ce soir*, 26 mai 1938. Article consacré aux *Olympiques*.

36. *Ce soir*, 17 novembre 1938.

37. *L'Humanité*, 14 août 1937 : « Julien Benda me paraît être un homme de gauche fort passionné qui prend le vêtement de clerc. »

38. *Ce soir*, 30 mars 1939 : « Une rigueur, une mesure et une dignité qui emportent l'admiration et l'amitié. »

39. *NRF*, janvier 1936. Martin du Gard lui écrira une lettre de remerciement émue.

41. *L'Humanité*, 10 février 1933. Cf. aussi *Commune*, juillet 1933.

42. *Ce soir*, 1938.

43. *L'Humanité*, 18 octobre 1936.

44. *Ce soir*, 22 juin 1939.

45. *Monde*, 25 janvier 1935.

46. *Ibid.*

47. *Vendredi*, 13 décembre 1935.

48. *Ibid.*

49. *L'Humanité*, 7 août 1937. Article consacré à *Avec Doriot*.

50. Archives Anne-Marie Todd.

51. On retrouve quelques-unes de ces notes dans les *AHN*.

52. *Monde*, 29 mars 1935.

53. *Les Cahiers de la jeunesse*, 15 décembre 1938.

54. Simone de Beauvoir, *La Force de l'âge*, p. 437 de l'édition Folio, Gallimard.

55. *Cahiers de la Petite dame*, Paris, Gallimard, 1974, t. 2, p. 564.

56. *L'Humanité* en 1937 tire à 349 000 exemplaires environ, *Ce soir* commence à 100 000 et culmine à 260 000 en 1939.

57. Introduction à *Chronique de septembre* p. 13 de la réédition Gallimard de 1978.

58. Cf. l'utilisation qu'il comptait en faire dans *la Soirée à Somosierra*.

59. *Regards*, 13 août 1936.

60. *Regards*, 20 août 1936.

61. *Ce soir*, 15 avril 1937.

62. *Ce soir*, 11 mai 1939.

63. *Ce soir*, 10 juillet 1938.

64. *Ce soir*, 8 juillet 1938.

65. *Ce soir*, 9 juillet 1938.

66. *AHN*. Il envoie pendant le même voyage une carte postale à sa petite Anne-Marie représentant des paysannes roumaines pour touristes avec ce commentaire : « On les rencontre généralement à Bucarest à l'état de poupées et sous vitrine. »

67. Lettre de la délégation royale de Yougoslavie, 23 juin 1938 *(AHN)*.

68. « La brillante soirée du quai d'Orsay » in *Ce soir*, 23 juillet 1938.

69. *NRF*, mars 1936. Signalons à ce propos que les articles de Nizan consacrés dans *Ce soir* des 9, 10 et 12 mai 1937 au Couronnement de Georges VI étaient illustrés de photographies de Henri Cartier-Bresson et accompagnés de textes signés « Yvy McCrea », qui n'était autre que Rirette.

70. *AB*, 222.

71. *Co*, 294.

NOTES DU CHAPITRE 7

1. *AHN*.
2. *Co*, 305.
3. *Co*, 237.
4. *CT*, 150.
5. *Co*, 26.
6. *Co*, 269.
7. *CT*, 150.
8. Cf. par exemple *Les Nouvelles littéraires*, 3 décembre 1938.
9. *Co*, 125.
10. *CT*, 206-207.
11. *CT*, 205.
12. *Cahier de l'Odéon*, art. cité.

13. *Co*, 129.

14. *CT*, 50.

15. *CT*, 196.

16. Cf. *CDT*, 207.

17. *AA*, 133.

18. Simone de Beauvoir, *La Force de l'âge*, p. 427 de l'édition Folio, Gallimard.

19. *Ce soir*, 25 août 1939.

20. Nizan saluera avec satisfaction la démission de Vassart. Il accueillera avec plus de méfiance celle de Marcel Gitton; en quoi il avait raison (Cf. lettre des 20 décembre 1939 à sa femme).

21. Lettre à sa femme du 22 septembre 1939 *(AHN)*.

22. *The Communist international*, n° 3, mars 1940. Pour plus de détails, voir le chapitre suivant.

23. Louis Aragon, *Ce soir*, 25 août 1939.

24. Film de Pierre Beuchot, 1968. Voir Sources.

25. A cette date ministre des Colonies; antinazi intransigeant.

26. Film de Jacques Nahum, 1968. Voir Sources.

27. Seules les lettres du 22 septembre, des 22 et 30 octobre ont été publiées dans l'édition 1967.

28. Simone de Beauvoir, *La Force de l'âge*, p. 330 de l'édition Folio, Gallimard.

29. *Cahiers de la Petite dame*, Paris, Gallimard 1974, t. II, pp. 563-564.

30. *CT*, 208. Il s'agit de la scène finale, entre Marie-Louise et Bloyé : l'hypothèse de l'absurde est incarnée par le chant lancinant d'un Oriental. On pense au Tadjikistan.

31. *Co*, 213.

32. Jean Lacouture, *Malraux*, Paris, Éditions du Seuil, p. 268.

33. Siège des Éditions sociales internationales. Nous y reviendrons.

34. Lettre à sa femme du 22 octobre 1939 *(AHN)*.

35. *CDG*, 123. Mais la thématique de la trahison est déjà présente en filigrane dans *AA*.

36. *AHN*.

37. *AHN*.

38. Lettre à sa femme du 16 novembre 1939 *(AHN)*.

39. *Le Monde* des 28 juin et 12 juillet 1980.

40. Lettre à sa femme du 10 décembre 1939 *(AHN)*.

41. Lettre à sa femme du 4-5 février 1940.

42. Lettre à Sartre, 8 décembre 1939, reproduite dans Simone de Beauvoir, *La force de l'âge*, p. 489 de l'édition Folio.

43. Lettre à sa femme du 22 septembre 1939 *(AHN)*.

44. Lettre à Lise Deharme, 3 septembre 1939; reproduite dans l'ouvrage de Lise Deharme cité dans les Sources.

45. *Ibid.*

46. Lettre à Sartre, 8 décembre 1939, *op. cit.*

47. Lettre à Lise Deharme citée ci-dessus.
48. Lettre à sa femme, 21 septembre 1939 *(AHN)*.
49. Lettre à sa femme, 10 décembre 1939 *(AHN)*.
50. *CT*, 171.
51. *CT*, 172.
52. Lettre à sa femme, 9 janvier 1940 *(AHN)*.
53. Lettre à sa femme, 6 février 1940. La veille, il lui a écrit : « Je me moque des *Amours de septembre*. Je ne peux écrire que dans la liberté, j'entends celle de l'esprit. »
54. Témoignage d'Armand Petitjean à l'auteur.
55. Témoignage d'André Chamson à l'auteur et de Louis Martin-Chauffier dans *Caliban*, 15 mai 1947, reproduit dans *Atoll* n° 1.
56. Témoignage d'Henriette Nizan à l'auteur.
57. Lettre d'Henriette Nizan à madame Nizan mère, septembre 1939 *(AHN)*.
58. *Co*, 230.
59. Lettre à sa femme, 20 décembre 1939 *(AHN)*.
60. Lettre non reproduite dans l'édition 1967 *(AHN)*.
61. *AHN*.
62. *AHN*.
63. *AHN*.
64. Lettre non reproduite dans l'édition 1967 *(AHN)*.
65. Lettre d'Henriette à Paul-Yves, 10 octobre 1939 *(AHN)*.
66. Lettre d'Henriette à Paul-Yves, 10 octobre 1939 *(AHN)*.
67. Lettre à Lise Deharme, 7 septembre 1939, *op. cit.*
68. Lettre à sa femme, 10 décembre 1939 *(AHN)*.
69. Lettre à sa femme, 15 (?) février 1940 *(AHN)*.
70. Lettre à sa femme, 6 mars 1940 *(AHN)*.
71. Lettre à sa femme, 10 mars 1940 *(AHN)*.
72. *Co*, 212. Dans sa dernière lettre conservée, datée du 15 avril 1940 *(AHN)*, il note à propos de *La Soirée à Somosierra* : « Hirsch me demande de lui envoyer la première partie qu'il a envie de lire : sans doute vais-je le faire. » Hélas il ne semble pas qu'il l'ait fait. Les archives de la maison Gallimard n'en conservent du moins aucune trace.
73. Général Mehring, cité par Henri de Wailly, *Le Coup de faux*, Paris Copernic, 1980, p. 168.
75. *Op. cit.* p. 101.
76. *CT*, 172.
77. Carnets manuscrits *(AHN)*.

NOTES DU CHAPITRE 8

1. Compte rendu de l'inhumation *(AHN).*

2. *Co,* 258-259.

3. Henri Lefebvre, *L'Existentialisme,* p. 52 *pas.*

4. Id., *La somme et le reste,* p. 41.

5. *Die Welt (Le Monde),* organe de la III° Internationale publié à Stockholm, à cette date l'un des rares périodiques communistes édités publiquement en Europe, hors de l'URSS. Le texte est repris dans le n° 3 (daté mars 1940) de *The Communist international,* pp. 170-178. Ces deux périodiques sont introuvables à la Bibliothèque nationale. La Bibliothèque de Documentation Internationale Contemporaine (BDIC) possède une collection du second.

6. *La force de l'âge,* p. 536.

7. Auquel on peut joindre le maire communiste de Clichy, Maurice Naile, démissionnaire de 1939 et qui se suicidera avec sa femme à l'arrivée des Allemands. Un « mouton de la police » de moins. Le député de Provins, Benenson, interné en septembre 1941, mort en déportation après être devenu aveugle à force de mauvais traitements, sera pour les mêmes raisons accusé d'avoir été un « agent de la Gestapo ».

8. Cité par A. Rossi. Voir Sources.

9. *Ibid.*

10. *Ce soir,* 1er juin 1939.

11. *L'Existentialisme,* pp. 17-18.

12. *Les Communistes,* t. 1, p. 153.

13. *Op. cit.,* p. 159.

14. 1878-1945. Le grand traducteur de la littérature italienne contemporaine; directeur au Quai du service de l'information italienne.

15. *Les Communistes,* t. 2, p. 78.

16. *Op. cit.,* p. 76.

17. *Op. cit.,* p. 73.

18. *Op. cit.,* p. 78.

19. *Op. cit.,* t. 1, p. 153.

20. *Op. cit.,* t. 1, p. 166.

21. *Op. cit.,* p. 170.

22. *Op. cit.,* t. 2, p. 24.

23. *Op. cit.,* p. 144.

24. On y apprend par exemple, incidemment, de la bouche d'un héros communiste, qui n'a pas besoin, en tant que personnage de fiction, de justifier son point de vue, que l'occupation de la Pologne orientale par Staline en octobre 1939 est en réalité « une libération de ces parties de l'Ukraine et de la Russie Blanche » naguère confisquées par les Polonais : t. 2, p. 135.

25. *J'abats mon jeu,* Paris, EFR, 1959, p. 48.

26. *La Somme et le reste*, Paris, La Nef, 1959, p. 430.

27. *L'Humanité*, 19 octobre 1978.

28. Autre article réconciliateur, de Martine Monod, dans *l'Humanité*, dimanche 14 novembre 1979.

29. *Le Nouvel observateur*, 29 octobre 1979.

30. *Op. cit.*, 5 novembre 1979.

31. *Cahier de l'Odéon*, n° 3, printemps 1978, p. 40.

32. Rirette fit paraître un article sur son mari dans *La France libre*, dirigé à Londres par le vieil ami Raymond Aron. Dans une lettre datée du 28 mai 1940, elle écrivait à la mère de Nizan : « La radio vient de nous donner les atroces nouvelles de Belgique. Il se peut que Paul-Yves soit parmi les groupes anglais qui ont été trahis et encerclés. Tout est possible. Même le pire. » *(AHN)*.

33. La liste connut quelques fluctuations. *Le Littéraire* ne mentionne ni Texcier, ni Jeanson, *Combat* ajoute Jeanson, et *Les Temps modernes* omettent Mauriac.

34. Qui sera explicité par lui le 15 mai 1947, dans *Caliban*.

35. 4 avril 1947.

36. Nous soulignons.

37. Rappelons seulement, sur ce point précis, qu'il n'y eut justement « aucune déclaration publique » de Nizan.

38. Nous soulignons.

39. *Les Lettres françaises*, 11 avril 1947. Contentons-nous de citer ces trois extraits significatifs : « j'ai connu personnellement Nizan. Je ne l'aimais pas, car il était un personnage glacé et soucieux avant tout de sa propre ambition (cafardage) ». « C'est au *Temps* du comité des forges et à l'*Œuvre* de Marcel Déat qu'il en réserve l'annonce (double mensonge : *le Temps* et Déat) »; « imputations injurieuses à l'égard de ceux que Nizan avait trahis » (glissement de sens : quelle trahison?).

40. *Les Temps modernes*, juillet 1947, p. 183.

41. *Ibid.*

42. P. 295 et note 23 de l'édition en livre.

43. Etiemble, toujours anticonformiste, avait osé publier en 1945 dans sa revue *Valeurs*, paraissant en Égypte, deux poèmes inédits de Nizan. Quelques années plus tard, il prit allusivement la défense de sa mémoire, à l'occasion du compte rendu d'un livre communiste consacré à André Chénier.

44. Cf. lettre Gallimard avertissant derechef « M. Paul Nizan » d'une mise au pilon de 3 288 exemplaires de *La conspiration*.

45. A l'annonce du pacte, et, semble-t-il, avant même d'apprendre la démission de Nizan, Sartre, au témoignage de Simone de Beauvoir *(La Force de l'âge)* avait envisagé de modifier sensiblement le destin de ses personnages. On aurait vu Brunet quitter le Parti et venir demander conseil au solitaire Mathieu, se plaçant ainsi, par un retournement dialectique qui séduisait l'auteur, dans la situation inverse de celle où le montrait le premier tome. La guerre, la mort de Nizan, l'occupation, l' « affaire » conduisirent apparemment Sartre à une combinaison plus subtile.

46. *La force des choses,* pp. 212-213.

47. Le contrat est signé par Rirette le 30 décembre 1959.

48. AP/AA, 12.

49. Gilbert Signaux, *Preuves,* juillet 1960.

50. Louis Aragon, lui aussi, est un auteur Gallimard.

51. *Paul Nizan intellectuel communiste. Articles et correspondance inédite,* présentation de Jean-Jacques Brochier; Paris, Maspéro.

52. *Pour une nouvelle culture,* textes réunis par Susan Suleiman, Paris Grasset.

53. *La Manifestation,* créée en 1975 à France Culture; mise en scène en avril 1978 par le jeune théâtre national, direction Jacques Rosner.

54. Ariel Ginsbourg, *Paul Nizan;* Paris, Éditions universitaires.

55. Jacqueline Leiner, *le Destin littéraire de Paul Nizan,* Paris, *Klycksieck, 1970.* W. D. *Redfern, Paul Nizan : Committed Literature in a Conspirational World,* Princeton university Press, 1972. Adèle King, *Paul Nizan écrivain,* Paris, Didier, 1976. Youssef Ishagpour, *Paul Nizan, une figure mythique et son temps,* Paris, le Sycomore, 1980. On peut leur ajouter la thèse en langue anglaise, non éditée, de Susan Suleiman et la présentation pleine d'acuité de Jean-Jacques Brochier au recueil de 1967.

56. Jean-Pierre Bernard, *le Parti communiste français et la question littéraire,* 1921-1939; Paris, Presses Universitaires de Grenoble, 1972, p. 135.

57. Préface à la réédition de *Chronique de septembre,* p. v.

58. *La Chute finale,* Paris, Laffont, 1976. *Le Fou et le prolétaire,* Paris, Laffont, 1979.

59. *Cahier de l'Odéon,* n° 3, printemps 1978, p. 37. Cf. Clara Malraux (*Atoll,* n° 1, p. 64) à André : « Si je n'avais pas joué sur vous, j'aurais joué sur le garçon qui a écrit ça. » (Aden Arabie).

NOTES DE LA CONCLUSION

1. Henry Coston, *Dictionnaire de la vie politique française,* t. 2, 1972.

2. *AA,* 96.

3. *AA,* 129.

4. *AB,* 307-308.

5. *CT,* 72.

6. *L'Humanité,* 20 mars 1937.

7. Lettre à sa femme, 24 octobre 1939 *(AHN).*

8. Carnets manuscrits *(AHN).*

9. *Sindobod Toçikiston.*

10. *Co,* 174.

11. *AB,* 303.

Sources

DE NIZAN

Manuscrits conservés

— *Fonds Henriette Nizan :*
Manuscrits d'*Aden Arabie, Antoine Bloyé* et *Chronique de septembre.*
Manuscrits divers (articles, carnets, notes, ...).
— *Fonds Lise Deharme :*
Manuscrit du *Cheval de Troie.*
— *Fonds Hélène Borman :*
Manuscrit partiel de *Le Goût du définitif.*
Des *lettres* de et à Paul Nizan peuvent être consultées dans les fonds ci-dessus et dans ceux de Jean-Richard Bloch, André Chamson, André Gide, Romain Rolland, Anne-Marie Todd.
On n'a pas retrouvé à ce jour le texte des cours de Paul Nizan à l'Université ouvrière, non plus que de ses conférences à la Maison de la culture et devant les cercles culturels, mais Henriette Nizan conserve le texte d'une conférence sur *Les comiques grecs : Aristophane,* datée du 17 mars 1938.

Livres parus en librairie de son vivant

— Révision avec Jean-Paul Sartre de la traduction de Jaspers (Karl), *Psychopathologie générale* (par A. Kastler et J. Mendousse); Paris, Alcan, 1927.
Aden Arabie; Paris, Rieder, 1931, 188 p. Réédition Maspéro, 1960 (avec un avant-propos de Jean-Paul Sartre);
Les Chiens de garde; Paris, Rieder, 1932. Réédition Maspéro, 1960, 166 p.;
Antoine Bloyé; Paris, Grasset, 1933. Réimpression Grasset, 1960, 317 p.;

Traduction de Dreiser (Théodore), *L'Amérique tragique;* Paris, Rieder, 1933;

Traduction de Fischer (Louis), *Les Soviets dans les affaires mondiales;* Paris, Gallimard, 1933 (avec Jacques Baron);

Édition de textes sous le titre de *Marx philosophe,* dans *Morceaux choisis de Marx* (avec une introduction de Henry Lefebvre et Norbert Guterman); Paris, Gallimard, 1934;

Le Cheval de Troie; Paris, Gallimard, 1935, 249 p.;

Présentation de *Les Matérialistes dans l'Antiquité;* Paris, ESI, 1936, 178 p. Réédition Maspéro, 1965, 141 p.;

Adaptation de Aristophane, *Les Acharniens;* Paris, ESI, 1937.

Préface à Lefebvre (Henri), *Le Nationalisme contre les nations;* Paris, ESI, 1937, 3 p.;

La Conspiration; Paris, Gallimard, 1938, 250 p. Réédition Gallimard, 1968, 272 p. Réédition « Folio », 1973, 311 p.;

Chronique de Septembre; Paris, Gallimard, 1939, 252 p. Réédition Gallimard, 1978 (avec une préface d'Olivier Todd), 229 p.

Trois films

(dont les copies sont à l'heure actuelle inaccessibles) :

Deux films d'amateur, tourné vers la fin de 1929 par Jean-Paul Alphen, avec Nizan, Sartre, Simone de Beauvoir, Mme Emmanuel Berl et Rirette pour le premier; le second *(Le Vautour de la Sierra)* suivit de peu.

Visages de la France; réalisation d'André Vigneau, sur un scénario de Paul Nizan et André Wurmser; *lyrics* de Robert Desnos; musique d'Arthur Honegger.

Deux recueils posthumes

Paul Nizan, intellectuel communiste. Articles et correspondance inédite (présentation de Jean-Jacques Brochier); Paris, Maspéro, 1967, 288 p.;

Pour une nouvelle culture (textes réunis et présentés par Susan Suleiman); Paris, Grasset, 1971, 327 p.

Textes divers parus de son vivant

Un poème : *Méthode (Fruits verts,* n°s 2-3, juillet 1924);
Trois contes :
   ● *Hécate ou la Méprise sentimentale (La revue sans titre,* n° 2, 1923);
   ● *Complainte du carabin qui disséqua sa petite amie en fumant deux paquets de Maryland (La revue sans titre,* n° 4, 1923);

- *Histoire de Thésée* (*Commune*, novembre 1937);

Six œuvres ou fragments d'œuvre :
- *Les Vacances* (*Fruits verts*, n° 1, mai 1924);
- *L'église dans la ville* (*Commune*, n° 1, juillet 1933).
- *Présentation d'une ville* (*La littérature internationale*, n° 4, 1934).
- *V° Arrondissement* (*Cahiers de la jeunesse*, octobre 1937).
- *Le marché* (*Le point*, juin 1938).

De très nombreux articles : cent soixante et une critiques littéraires ont été recensées par Jacqueline Leiner. Trente-cinq articles politiques divers, par Susan Suleiman auxquels s'ajoutent tous ceux que Nizan a donnés à *L'Humanité* et à *Ce soir*, d'août 1935 à juillet 1939, presque chaque jour. Ces recensions, ainsi que celle d'Adèle King, peuvent servir de base à toute enquête exhaustive, malgré quelques erreurs de détail dans les titres ou les dates.

Nous retiendrons pour notre part :

Rationalisation (*Revue marxiste*, février et mars 1929) :

Notes. Programme sur la philosophie (*Bifur*, n° 7, décembre 1930) :

Littérature révolutionnaire en France (*Revue des vivants*, 10 septembre, octobre 1932);

Les Conséquences du refus (*NRF*, décembre 1932);

Sur un certain front unique (*Europe*, 15 janvier 1933);

Machines, mécanismes, chiffres (*Regards*, 13 juillet 1934);

Sindobod Toçikiston (*Europe*, 15 mai 1935);

Sur l'humanisme (*Europe*, 15 juillet 1935);

Les Funérailles anglaises (*NRF*, mars 1936);

Hôtel Colon quartier général des milices (*Regards*, 20 août 1936);

Le Tombeau de Timour (*Vendredi*, 22 janvier 1937);

Les trois articles sur le couronnement de George VI (*Ce soir*, 9, 10 et 12 mai 1937);

Les trois articles sur le Tour de France (*Ce soir*, 8, 9 et 10 juillet 1938);

La brillante soirée du Quai d'Orsay (*Ce soir*, 23 juillet 1938).

Deux poèmes sont parus après sa mort : *La Cathédrale* et *Grèves* (*Valeurs*, n° 2, juillet 1945).

L'œuvre de Nizan a inspiré, à ce jour :
- une pièce de théâtre, *La Manifestation*, de Philippe Madral, d'après *Le cheval de Troie* (éditée en 1978 par Gallimard);
- un film de cinéma, *France, mère des arts, des armes et des lois*, de Jean-Paul Aubert, d'après *Aden Arabie* (1972);
- un film de télévision, *Antoine Bloyé*, de Marcel Bluwal (1974).

SUR NIZAN

Exclusivement

Sartre (Jean-Paul), *Avant-propos* à la réédition d'Aden Arabie; Paris, Maspéro, 1960, 49 p. (repris dans *Situations 4. Portraits*; Paris, Gallimard, 1964).

Ginsbourg (Ariel), *Paul Nizan*; Paris, Editions Universitaires, 1966, 128 p.

Brochier (Jean-Jacques), *Présentation* à *Paul Nizan, intellectuel communiste;* Paris, Maspéro, 1967, 70 p.

Atoll, n°1, novembre 1967 - janvier 1968, 80 p.

Leiner (Jacqueline), *Le Destin littéraire de Paul Nizan;* Paris, Klincksieck, 1970, 301 p. (thèse soutenue en 1969).

Magazine littéraire, n° 59, décembre 1971.

Redfern (W. D.), *Paul Nizan : committed literature in a conspiratorial world*; Princeton, Princeton University Piess, 1972, X - 233 p.

Fe (Franco), *Paul Nizan, un intellettuale comunista*; Roma, La nuova sinistra, Ed. Savelli, 1973, 112 p.

King (Adèle), *Paul Nizan, écrivain*; Paris, Didier, 1976, 210 p. (Thèse soutenue en 1970).

Ishaghpour (Youssef), *Paul Nizan, une figure mythique et son temps*; Paris, Le Sycomore, 1980, 253 p.

À quoi s'ajoutent quelques travaux universitaires restés à ce jour inédits :

Allio (Gilbert), Étude d'*Antoine Bloyé*; mémoire de maîtrise , université d'Aix en Provence, 1969, 167 ff.

Suleiman (Susan), *Nizan and the novelist's problem of commitment*; Ph. D. Harvard University, 1969, 256 ff.

Lasserre (Jean), *Nizan, écrivain de combat*; thèse de 3ème cycle, Université de Dijon, 1974, 349 ff.

Di Piero (Celia), *Relire Nizan*; mémoire de maîtrise, Université de Paris III, 1980.

Et maints articles :

Cent vingt et un compte rendus contemporains d'œuvres de Nizan ont été recensés par les services de l'« Argus ». Nous leur ajouterons, sélectivement les textes de :

Gérard de Catalogne (*Les Nouvelles littéraires*, 7 décembre 1928);
Pierre-Henri Simon (*Esprit*, janvier 1934);
André Ulmann (*Reflets de la semaine*, 8 décembre 1938);
et les articles rétrospectifs de :
Emmanuel Berl (*L'Express*, 9 juin 1960);
Maurice Nadeau (*France Observateur*, 30 juin 1960);
Pierre Juquin (*La Nouvelle critique*, 1960);
Gilbert Sigaux (*Preuves*, juillet 1960);
Jean-Albert Bedé (*The Romanic Review*, décembre 1967);
Susan Suleiman (*Critique*, novembre 1974).

Deux films de télévision ont été à ce jour consacrés à Nizan :
Paul Nizan, de Pierre Beuchot, 1968 (jamais diffusé à l'antenne).
Paul Nizan, de Jacques Nahum, Antenne 2, 1979.

Inclusivement

Archives :
Lycée Henri-IV.
Lycée Louis-le-Grand.
École normale supérieure.
Le texte inédit de Sartre, *La Semence et le scaphandre*, publié partiellement dans *Le Magazine littéraire* de décembre 1971.

Périodiques :
Collections des périodiques dans lesquels Nizan écrivit. Collections du *Courrier de l'Ain*, du *Franc parler*, du *Journal de l'Ain* et de *L'école émancipée* pour l'année 1932.

Livres :
Gide (André), *Retouches à mon retour de l'URSS*; Paris, Gallimard, 1937.
Téry (Simone), *Le Cœur volé*; Paris, Denoël, 1937.
Gide (André), *Journal 1889-1939*; Paris, Gallimard, 1939.
Sartre (Jean-Paul), *Les Chemins de la liberté*, (trois volumes); Paris, Gallimard, 1945-1949.
Lefebvre (Henri), *L'Existentialisme*; Paris, le Sagittaire, 1946.
Rossi (Amilcare), *Physiologie du parti communiste français*; Paris, Self, 1948.

Aragon (Louis), *Les Communistes*; Paris, La Bibliothèque française (six volumes), 1949-1951.

Sartre (Jean-Paul), *Situations I*; Paris, Gallimard, 1947.

Rossi (Anilcare), *Les Communistes français pendant la drôle de guerre*; Paris, Plon - Les Îles d'or, 1951.

Connolly (Cyril), *Ideas and places*; London, Weidenfeld and Nicolson, 1953.

Etiemble, *Hygiène des lettres* tome 1; Paris, Gallimard, 1952.

Beauvoir (Simone de), *Mémoires d'une jeune fille rangée*; Paris, Gallimard, 1958.

Lefebvre (Henri), *La Somme et le reste*; Paris, La Nef de Paris, deux volumes, 1959.

Beauvoir (Simone de), *La Force de l'âge*; Paris, Gallimard, 1960.

Merleau - Ponty (Maurice), *Signes*; Paris, Gallimard, 1960.

Deharme (Lise), *Les Années perdues. Journal (1939-1949)*; Paris, Plon, 1961.

Beauvoir (Simone de), *La Force des choses*; Paris, Gallimard, 1963.

Racine (Nicole), *Les Écrivains communistes en France 1920-1938*; Paris, thèse de 3ème cycle dactylographiée, 1963.

Frank (Nino), *Mémoire brisée*; Paris, Calmann Lévy, deux volumes, 1967 et 1968.

Contat (Michel), Rybalka (Michel), *Les Écrits de Sartre*; Paris, Gallimard, 1970.

Bernard (Jean-Pierre A.), *Le Parti communiste français et la question littéraire 1921-1939*; Grenoble, Presses universitaires de Grenoble, 1972 (Thèse soutenue en 1966).

Lacouture (Jean), *André Malraux, une vie dans le siècle*; Paris, Le seuil, 1973.

Daix (Pierre), *Aragon, une vie à changer*; Paris, Le seuil, 1975.

Mazauric (Lucie), *Avec André Chamson*; tome 2 : *Vive le Front Populaire!*; Paris, Plon, 1976.

Courtois (Stéphane), *Le PCF dans la guerre*; Paris, Editions Ramsay, 1980.

Sartre (Jean-Paul), *Les Mots*; Paris, Gallimard, 1963.

Aragon (Louis), *Les Communistes*, in *Œuvres romanesques croisées* (avec Elsa Triolet), quatre volumes (tomes 23-26); Monaco/Paris, Jaspard, Polus et Cie/Robert Laffont, 1966-1967.

Environnement

Ehrenbourg (Ilya), *Memoirs;* Cleveland, World Publishers, 1960.

Parain (Brice), *De Fil en aiguille*; Paris, Gallimard, 1960.

Guderian (Heinz), *A la tête des Panzers*; traduction française Paris, Plon, 1961.

Coutrot (Aline), *Un Courant de la pensée catholique : L'hebdomadaire « Sept »* (préface de René Rémond); Paris, Le Cerf, 1961

Histoire du Parti Communiste Français, deux volumes; Paris, Editions Veridad puis Unir, 1961 et 1965.

Atlas des situations quotidiennes des armées alliées. Campagne 1939-1940; Paris, Etat major de l'armée, Service historique, 1964.

Arban (Dominique), *Aragon parle*; Paris, Seghers, 1968.

Duclos (Jacques), *Mémoires*, tomes 2 et 3 - I; Paris, Fayard, 1969 et 1970.

Duhamel (Marcel), *Raconte pas ta vie*; Paris, Mercure de France, 1972.

Guchet (Yves), *Georges Valois*; Paris, Albatros, 1975.

De Wailly (Henri), *Le Coup de faux*; Paris, Copernic, 1980.

INDEX

des noms de personnes

Les personnages de roman sont d'ordinaire plus vivants que la plupart des vivants; on les a donc inclus dans cette liste. Bien entendu, les occurrences de Paul-Yves et de Rirette n'ont pas été recensées : c'est tout le livre.

TABLE

Cet ouvrage a été réalisé sur
SYSTEME CAMERON
par Firmin-Didot S.A.
pour les Editions Ramsay
le 31 octobre 1980

Dépôt légal : 4ᵉ trimestre 1980
Nᵒ d'édition : 377
Nᵒ d'impression : 7228